文學新象 094

埃及三部曲 Ⅱ

沙漠法則

LE JUGE D'EGYPTE II: LA LOI DU DÉSERT

克里斯提昂・賈克◎著
顏湘如◎譯

高寶書版集團

文學新象 094

沙漠法則

LE JUGE D'EGYPTE II: LA LOI DU DÉSERT

作　　者：克里斯提昂．賈克（Christian Jacq）
譯　　者：顏湘如
總 編 輯：林秀禎
編　　輯：蘇芳毓
出 版 者：英屬維京群島商高寶國際有限公司台灣分公司
Global Group Holdings, Ltd.
地　　址：台北市內湖區洲子街88號3樓
網　　址：gobooks.com.tw
電　　話：(02) 27992788
E-mail：readers@gobooks.com.tw（讀者服務部）
pr@gobooks.com.tw（公關諮詢部）
電　　傳：出版部（02）27990909　　行銷部（02）27993088
郵政劃撥：19394552
戶　　名：英屬維京群島商高寶國際有限公司台灣分公司
香港總經銷：全力圖書有限公司
地　　址：香港新界葵涌打磚坪街58-76號和豐工業中心1樓8室
電　　話：(852) 2494-7282
傳　　真：(852) 2494-7609
發　　行：希代多媒體書版股份有限公司/Printed in Taiwan
出版日期：2007年12月
版　　次：二版一刷

國家圖書館出版品預行編目資料

埃及三部曲．II，沙漠法則／克里斯提昂・賈克(Christian Jacq)著；顏湘如譯 -- 二版. -- 臺北市：高寶國際出版：希代多媒體發行，2007.12
面；　公分. —（文學新象；TN094）
譯自：La loi du desert

ISBN 978-986-185-123-5(平裝)

876.57　　96021448

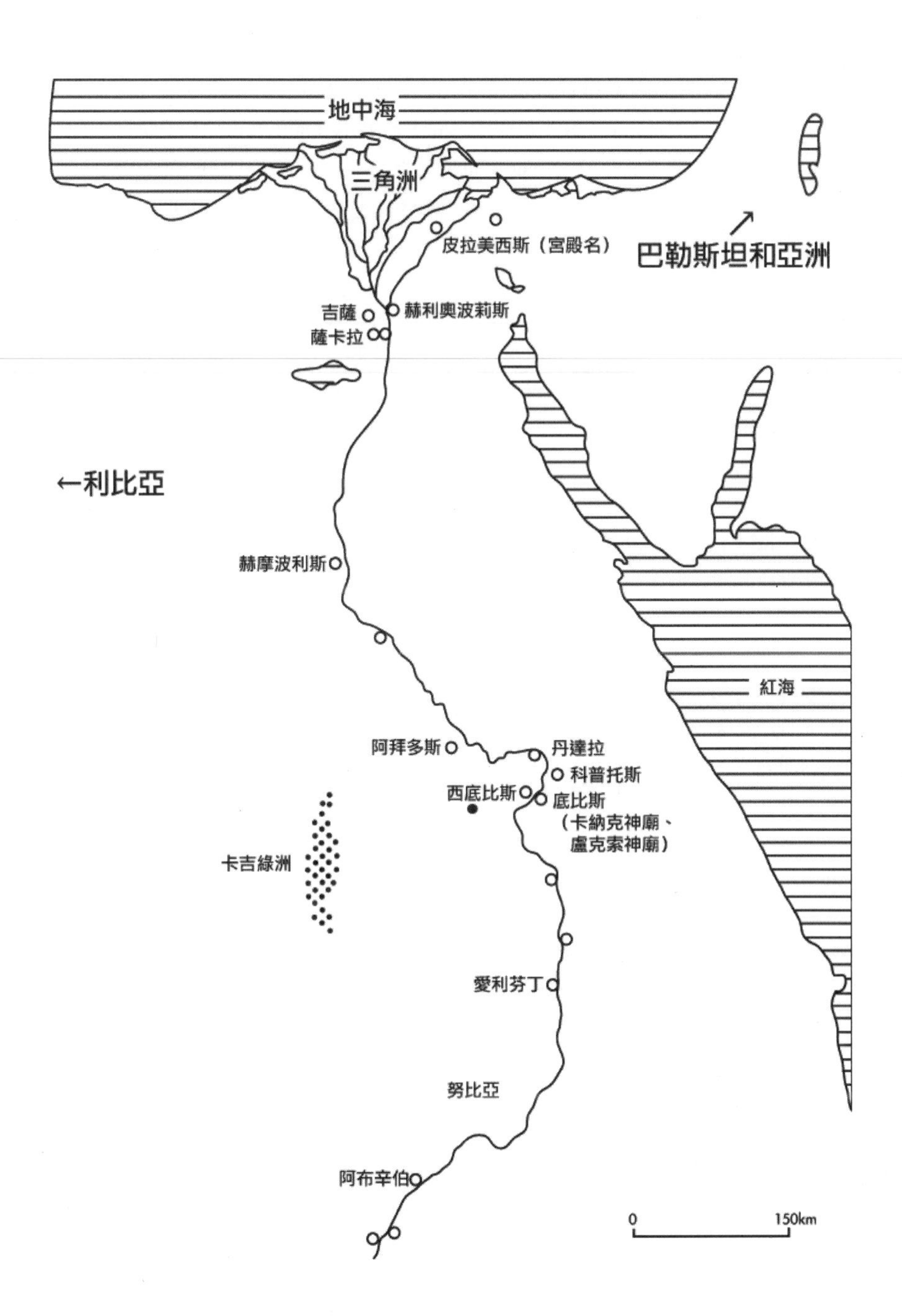
地中海
三角洲
皮拉美西斯（宮殿名）
巴勒斯坦和亞洲
吉薩
赫利奧波莉斯
薩卡拉
←利比亞
赫摩波利斯
紅海
阿拜多斯
丹達拉
科普托斯
西底比斯
底比斯
（卡納克神廟、
盧克索神廟）
卡吉綠洲
愛利芬丁
努比亞
阿布辛伯
0
150km

Ce roman se déroule à l'époque du pharaon Ramsès II(1279-1211), l'une des plus glorieuses de l'histoire de l'Égypte ancienne.Phare de la civilisation ,le pays dispose alors de richesses considérables et il voit s'édifier de magnifiques monuments,comme la grande salle à conlonnes de karnak ou le temple double d'Abou Simbel,en Nubie,illustrant l'union du pharaon et de la grande épouse royale Néfertari.

Tant spirituelle que matérielle,cette prospérite repose sur le respect de Maât, à la fois une déesse et un concept qui englobe l'éternelle harmonie de l'univers,l'exigence de justice pour le puissant comme pour le faible et la rectitude individuelle qui permet à chacun de traverser le fleuve de l'existence en tenant ferme gouvernail de sa proper vie.

"La lumière dans le ciel est mise en harmonie pour Pharaon,disent les Textes des Pyramides, Maât est ce qui apporté à Pharaon,elle est ce qu'il voit et ce qu'il entend."Et une inscription du temple de Kanais, datant de Séthi Ier,le père de Ramsès,précise:La force d'un pharaon, c'est la justice."

C'est cette dernière,précisément,qui constitue ,aux yeux des Égyptiens ,le bien le plus précieux sur lequel se bâtissent la cohérence et le bonheur d'une société, mais un bien fragile menacé par l'avidité, l'ambition et le mensonge d'individus ténébreux dont le seul but est est d'obtenir le pouvoir à n' importe quell prix.

Aussi cette trilogie romanesque est-elle consacrée à l'histoire d'un petit juge de province, loin d'imaginer que sa nomination à Memphis,la grande cité du Delta,le placerait au coeur d'une affaire d'Etat susceptible d'entrainer l' Égypte vers.

Refusant de céder aux pressions et de transinger avec son idéal,le jeune magistrat sera plongé dans une tourmente où il se battra sans faiblir avec l'aide d'un ami fidele et de la femme aimée ,un médecin aux dons exceptionneles.

À travers la fiction ,le lecteur découvrira le système judiciaire égyptien ,certains des secrets médicaux des pharaons et de multiples aspect d'une culture dont plusieurs aspects sont d'une surprenante modernité.

"Jamais le mal ne mènera son entreprise à bon port", affirme le sage Ptah-hotep; c'est animé de cette pensée que le juge d'Égypté, menacé par de redoutables adversaires, part à la recherché de la vérité.

Christian Jacq

〈克里斯提昂・賈克唯一致中文版讀者序〉

這部小說乃是以法老拉美西斯二世時期為背景，這也是埃及歷史上最光輝燦爛的時期之一。埃及既為世界文明之燈塔，自然擁有極為可觀的資源，歷代以來更留下了許多偉大的建築，例如卡納克神廟的柱子大廳，或是位於努比亞，為了紀念法老與皇后奈菲爾塔莉的結合所建造的阿布辛伯雙重神廟，都是最佳例證。

埃及無論是精神上或物質上的蓬勃發展，皆源自於對瑪特的尊敬；瑪特不僅是女神，也是一個概念，這個概念闡述了宇宙永恆的和諧、不分貧賤富貴的司法正義，還有每個人必須秉持正直不變的原則，方能掌穩人生的舵槳渡過生命之河。金字塔文獻中寫道：「天上的光因法老而呈現和諧，而為法老帶來和諧的則是瑪特，祂是法老眼中所見、耳中所聞。」拉美西斯的父親塞提一世所建的卡奈神廟中，有一句銘文是這麼寫的：「司法正義是法老的力量。」事實上，在埃及人民的眼中，社會和諧民生樂利都建築在最寶貴的司法之上，然而這項為人民求福祉的制度也十分脆弱，因為總有一些人為達目的不擇手段，不惜以貪婪的欲望、野心與謊言而戕害司法。

《埃及三部曲》所描述的便是一個鄉下小法官的故事。他接受任命前往三角洲地區的大城孟斐斯，卻不料從此一步步走向一個欲將埃及推向險惡深淵的陰謀核心。

由於不願向強權低頭，也不願違背自己的理想，這名年輕的法官將捲入一場風暴之中，並在忠誠的友人與心愛的妻子——一名天賦異秉的醫生——的支持下奮戰不懈。

透過這部小說，讀者將了解埃及司法的運作、法老的某些醫療祕密，以及埃及文化的多種風貌，也想必會因其中部分風貌現代化的程度而咋舌吧。

「罪惡永遠無法獲得善終。」先哲普塔赫台如是說。書中的這名埃及法官也正是為了這個信念，而不畏強敵環伺，勇往直前追求真理。

第一章

燠熱難耐，苦刑犯牢營的中庭裡，只有一隻黑色的蠍子在沙地上鑽來鑽去。這座牢營位於尼羅河谷與卡吉綠洲之間的荒涼地帶，距離東邊的聖城卡納克有兩百多公里，專門收容服苦役的竊盜慣犯。氣溫較低時，他們便負責維修河谷與綠洲間的路徑，以供驢隊運送貨物。

牢營的負責人長得高大魁梧，只要有人不守紀律，隨時都可能遭他重拳毒打。法官帕札爾已經不只十次向他提出請求了。「我受不了這種特別待遇，我要跟別人一起做工。」

帕札爾身材瘦長，一頭淡棕色的頭髮，額頭又寬又高，還有一雙灰綠的眼睛。他經過這番苦難，已然不再年輕，但無形中流露出的高貴氣質，仍不由得令人肅然起敬。

「你跟其他人不一樣。」負責人對他說。

「我也是囚犯。」

「你並未被判刑，只是祕密拘禁。對我來說，你這個人根本不存在。名冊上沒有你的名字，也沒有識別號碼。」

「就算這樣，我還是可以敲鑿石頭啊。」

「回去坐下吧。」

牢營的負責人不敢對這名法官掉以輕心。畢竟他曾經審問過著名的亞舍將軍，而他最好的朋友蘇提更公然指控將軍折磨並謀殺了一名埃及偵查兵，還與埃及的世仇貝都因人與利比亞人勾結叛國。

在蘇提指認的地點並未發現那名士兵的屍體，因此陪審團無法定將軍的罪，只能宣佈延長調查。然而調查程序很快便告結束，因為帕札爾誤中圈套，成了謀殺恩師——即將擔任卡納克神廟大祭司的賢人布拉尼的嫌疑犯。警方將他以現行犯身分逮捕，並以罔顧法律之名，將他移送牢營。

帕札爾盤腿坐在滾燙的沙地上。他腦中不斷浮現妻子奈菲莉的身影。曾有很長一段時間，他以為永遠得不到她的愛了，不料幸福驟然降臨，而且來勢洶洶猶如夏陽般猛烈。只可惜這份幸福來得快去得也突然，一夕之間他被逐出了那個快樂天堂，今後恐怕重返無望了。

此時忽然起了熱風，吹得風沙一陣陣刺痛著肌膚，但頭上裹著白布的帕札爾卻似乎毫不在意，他一心只回想著調查的過程。

他只是個來自外省、迷失在孟斐斯這個大城裡的小法官，他實在不應該去注意那份奇怪的文件，也不該表現出太認真的態度。他發現吉薩五名榮譽衛兵的死，其實是一宗以意外事件粉飾的謀殺案；他也發現了神廟專用的神鐵大量遭竊；還有一樁牽涉到高層官員的陰謀。

但是他並沒有足夠的證據能證明亞舍將軍的罪行，以及他意欲推翻拉美西斯大帝的企圖。

正當他獲得首相授權，有機會將這些個別事件一一拼湊起來時，厄運便來臨了。

出事那晚的每分每秒，帕札爾都記得清清楚楚。先是一封匿名信告知老師布拉尼身處險境；接著是他慌慌張張奔過市區街道；然後他發現了老師的屍體，脖子上還插著一根貝殼細針；最後警察總長便出現了，他立刻將帕札爾以嫌犯身分逮捕；在孟斐斯最高層法官門殿長老祕密策劃之下，他被送進了這個牢營；在歷經這一切之後，他只能獨自陷入絕望痛苦之中，而事實真相依舊不明。

這次的陰謀太完美了。本來，有了布拉尼的支持，帕札爾就可以進入神廟，查出偷竊神鐵的人。可是，老師也和那些退役軍人一樣，遭到一群居心叵測的神祕人物滅口。帕札爾已經獲知這些人都是外籍人士，其中包括一名女子和多名男子；他甚至懷疑化學家謝奇、牙醫喀達希以及一個富有、極具影響力卻不太老實的運輸商戴尼斯的妻子，但終究只是毫無真憑實據的懷疑罷了。

帕札爾忍受著酷熱、風沙與粗食，因為他要活下去，他要再次將奈菲莉摟進懷中，他還要見到公理正義再度開花結果。

他的上級門殿長老，怎麼解釋他的失蹤呢？又散佈了哪些關於他的謠言呢？

雖然這個牢營面山之處都沒有警戒，但是想逃是不可能的。光靠一雙腳，又能走多遠？他們把他關在這裡，就是想耗盡他的精力，當他受盡折磨、精疲力竭、絕望至極時，必定會開始胡言亂語，就像個可憐的瘋子。

不過他相信奈菲莉和蘇提不會放棄，他們不顧外界的謊言中傷，仍舊在埃及各地尋找他的蹤跡。隨著時間悄悄流逝，他一定要堅持下去。

* * *

五名陰謀者又在他們平常聚集的廢棄農莊碰面了。氣氛十分愉快，一切發展都在他們的預料之中——

侵入齊阿普斯的大金字塔，並盜走了象徵著權力的金手肘與眾神遺囑，使得拉美西斯大帝失去了合法的標記。

他們離最後的目標越來越近了，不論是謀殺司芬克斯的五名守衛，進而侵入通往金字塔的地下通道，或是消滅法官帕札爾，都只是小事，早就被他們拋到九霄雲外去了。

「現在唯一棘手的是拉美西斯還在硬撐。」其中一人說。

「我們要有耐心。」

「你說你自己吧。」

「我說的是每一個人；我們還需要一點時間才能為我們將來的帝國奠定基礎。拉美西斯越是受到束縛、越是無法行動、越是自覺走向滅亡之路，我們就越容易成功。他不能向任何人透露金字塔遭侵略，也不能說出他所負責的能源中心已經無法運作。」

「他的力量很快就會枯竭，到時候他就不得不舉行再生儀式了。」

「有誰會強迫他呢？」一人不太有把握地問。

「傳統、祭司還有他自己！他是逃避不了這項責任的。」

「儀式結束後，他將必須向人民展示眾神的遺囑……」

「而這份遺囑則在我們手中……」

「到時候，拉美西斯便得將王位讓給繼承人了。」

「甚至可能由我們來指定呢！」

他們五人已經開始享受勝利的甜美滋味了。他們不會給拉美西斯大帝任何選擇的機會，他勢必淪為奴隸。凡是參與計劃的人都將依功論酬，每個人都將佔據高位。世界上最大的國家即將屬於他們；他們將改變機關部門的結構、替換新血、使整個國家的面貌煥然一新，全然不同於廢帝拉美西斯統治的時期。

在等待時機成熟之際，他們努力地建立人脈關係，攏絡人心。謀殺、賄賂、暴力……無所不用其極，誰也不覺得內疚。要想奪得權力，便須付出如此的代價。

第二章

夕陽映紅了山丘。這個時候，帕札爾的狗「勇士」和驢子「北風」，應該正在享用辛苦了一整天的女主人奈菲莉準備的晚餐吧。她今天醫治了多少病人？她還繼續住在孟斐斯法官辦公室的二樓嗎？或者已經回到底比斯的村子，遠離一切市聲塵囂，再度行醫了呢？

帕札爾逐漸失去了勇氣。

一生致力於司法公義的他知道自己是永遠得不到平反了。沒有任何一個法庭會判他無罪。就算他能離開這個牢營，他又能給奈菲莉什麼樣的未來呢？

有一個老人在他身邊坐了下來。他乾巴巴的，牙齒全掉光了，皮膚也被太陽曬得又黑又皺，只聽他嘆了一口氣說：「一切都結束了，我太老了。營長允許我不必再搬運石頭，以後就到廚房當伙伕。好消息，不是嗎？」

帕札爾點點頭。

「你為什麼不做工？」老人又問道。

「他們不許。」

「你偷了誰的東西？」

「沒有。」

老人半信半疑地說：「到這裡來的全是大盜賊。他們全都犯案累累，因為他們違背了不再犯罪的誓言，所以永遠也出不了這個牢營。法庭上的宣誓可不是鬧著玩的。」

「你覺得法庭可能出錯嗎？」

老人往沙地咯了一口痰，「這個問題可奇怪了！你是站在法官那邊的嗎？」

「我就是法官。」

老人一聽，簡直比聽到自己被釋放的消息還要驚訝，「你開什麼玩笑？」

「你覺得我像開玩笑嗎？」

「竟然有這種事……法官，真正的法官耶！」他上下打量著帕札爾，眼神中帶著一點擔憂與敬意。「你犯了什麼罪？」

「我本來在調查一個案子，有人想封我的口。」

「你一定是牽涉到一個奇怪的案子。我啊，我也是清白的。我有一個同行，做事向來不光明正大，我自己的蜂蜜，他竟然誣賴是我偷的。」

「你是養蜂的？」

「我在沙漠裡有一些養蜂箱，製造的蜂蜜是全埃及最好的。可是卻招來同業的嫉妒，他們設計了一個圈套陷害我。開庭的時候，我很激動。我不服法官的判決，要求重新開庭審理，並和一名書記官一塊兒研究如何為自己辯護。勝算應該很大的。」

「但你還是被判刑了！」

「因為同業偷偷把某個工作坊裡的東西藏在我家裡。這成了我再犯的證據！而法官也沒有深入調查。」老人憤憤不平地說。

「他這樣是不對的。換作是我，我會考慮到被告的動機。」

「如果真的由你來查呢？如果你發現那些證據是別人栽贓的呢？」

「我得先離開這裡才會知道。」

養蜂的老人又在沙地上咯了口痰，「瀆職的法官不會被偷偷送到這種牢營來。而且你也沒有被割鼻子。你一定是間諜之類的。」

「隨便你怎麼說吧。」帕札爾不想再解釋了。

老人沒有再說什麼，站起身便走開了。

他平躺著，仰望藍天。明天，他就要消失了。

* * *

帕札爾沒有去碰那碗淡而無味卻天天要吃的湯。除了卑賤的地位和恥辱之外，他還能給奈菲莉什麼？最好永遠不再見面，就讓她忘了自己吧。這樣至少在她的記憶中，他永遠是個信念堅定的法官、熱情如火的愛人及相信正義的夢想家。

* * *

一張張白帆飄揚在尼羅河上。傍晚時分，船員們興致高昂地在兩艘船之間跳來跳去，北風吹來，使得卸貨的速度又加快了不少。有人不小心掉進水裡，一旁傳來轟笑聲與斥罵聲。

河堤邊坐著一名少婦，她似乎全然沒有聽見水手的呼鬧聲。頭髮近乎金黃，臉龐的輪廓鮮明而柔和，並有一雙猶如夏日天空般澄藍的眼睛，奈菲莉美得就像是一朵綻放的蓮花。她正在懇求老師布拉尼的在天之靈，希望他保護帕札爾，她全心全意所愛的人。儘管帕札爾的死訊已經正式公布了，她還是無法相信。

「我可以跟妳說幾句話嗎？」聲音在她背後響起。

她驀然轉過頭去，身旁多了一個五十多歲、保養有術的男人——御醫長奈巴蒙，她最凶惡的敵人。

有好幾次，他曾經企圖毀滅她的前途。奈菲莉對這個朝中大臣真是厭惡到了極點，他不僅貪求財富與女人，更利用醫術來控制他人以謀利。

奈巴蒙熱切地注視著奈菲莉，只見她穿著一件薄薄的亞麻洋裝，完美而動人的身材顯露無遺。她的胸部堅挺、雙腳修長、手腳柔嫩細緻，真是艷光照人。

「請你走開，我想一個人靜靜。」奈菲莉冷冷地說。

「妳應該多尊重我一點，妳對我知道的內幕一定非常有興趣。」奈巴蒙故作神祕地說。

「我對你的詭計沒興趣。」

「和帕札爾有關喔。」

一聽到這個名字，她便無法掩飾內心的激動，「帕札爾已經死了。」

「妳錯了，親愛的。」

「你說謊！」

「我知道實情。」

「你要我求你嗎？」

「我寧願妳繼續保持執拗與高傲的態度。帕札爾還活著，但有謀殺布拉尼之嫌。」

「這……太荒謬了！我不相信。」

「妳非相信不可。警察總長孟莫西已經將他祕密囚禁了。」

「帕札爾並沒有殺死老師。」奈菲莉說得斬釘截鐵。

「孟莫西可不這麼想。」

「有人想打擊他、毀滅他的聲譽並阻止他繼續進行調查。」

奈巴蒙對她的解釋毫不在意，「這跟我無關。」

「那麼你為什麼跟我說這些？」

「因為現在只有我能還帕札爾的清白。」

奈菲莉不禁打了個寒顫，她有了希望，卻也擔憂，感覺甚是複雜。

「奈菲莉，妳若希望我向門殿長老提出證據，妳就必須嫁給我，把那個小法官忘了。妳要他自由，就要付出這個代價。我才是真正配得上妳的人。現在，一切都看妳了。妳可以選擇還帕札爾自由，也可以選擇判他死刑。」

獻身給奈巴蒙的念頭使奈菲莉感到恐懼，然而她若是拒絕，就會可能成為殺害帕札爾的劊子手。

他被關在哪裡？又受到了何等殘暴的對待？她若再拖延，監禁的生活也許就要毀了他了。奈菲莉只是沒有對帕札爾情同手足的摯友蘇提提起此事，否則他一定會馬上殺了御醫長的。

於是她決定接受奈巴蒙的勒索，條件是要讓她見帕札爾一面。她會帶著被玷污的身子、絕望的心情向他坦承一切，然後服毒自殺。

帕札爾原來手下的警察凱姆朝奈菲莉走來。雖然帕札爾不在，他仍然每天帶著狒狒「殺手」巡視孟斐斯；殺手最擅長抓小偷，牠只要一口咬住竊賊的大腿，他們就一動也不能動了。

凱姆由於曾經涉嫌謀殺一名非法從事金子交易的軍官而遭劓刑；後來真相大白，他的忠誠也受到肯定，終於成為警察。現在他鼻梁上裝的是一個經過彩繪的假木鼻。

凱姆很欽佩帕札爾，雖然他對司法一點信心也沒有，但他還是相信帕札爾。

「我也許能打聽到帕札爾在哪裡。」奈菲莉沉重地說。

「在誰也回不來的天國裡。亞舍將軍沒有告訴妳嗎？帕札爾是因為到亞洲尋找證據而死的。」

「這份報告是假的，凱姆。帕札爾還活著。」

「不會是有人騙妳吧？」凱姆仍有所懷疑。

「帕札爾涉嫌殺害布拉尼，但是奈巴蒙手中握有證據，可以證明他的清白。」

凱姆手搭在奈菲莉肩上，興奮地說：「他得救了！」

「可是我必須嫁給奈巴蒙。」

凱姆怒不可支，右手握拳重重地打在左掌上，「要是他騙妳呢？」

「我會要求先見帕札爾。」

凱姆摸了摸木鼻說：「妳不會後悔向我透露這個消息的。」

* * *

苦役犯出發之後，帕札爾溜進了用木頭搭建、上面覆蓋著粗布的廚房。他打算偷一塊打火石，然後割斷血管自殺。也許會死得很慢，但必定會死；在大太陽下，他會漸漸進入解脫的昏睡狀態。到了晚上，警衛便會用腳一踢，將他的屍體埋入滾燙的沙中。在這最後的幾個小時內，奈菲莉的靈魂將會和他在一起，他希望她以看不見的形體，陪他走完人生的最後一段路。

就在他拿到了鋒利的打火石時，頸背突然受到一記重擊，他也立刻癱倒在一只鍋子旁邊。

只見養蜂的老人手裡拿著一根木製的大湯勺，諷刺地說：「法官變成小偷了！你拿打火石做什麼？別動，小心我再賞你一棍！你想割斷血管，讓自己死於非命，好離開這個該死的地方？笨蛋，你不配當一個正直的人。」老人隨即降低了聲調，「你聽我說，法官；我有辦法離開這裡。我自己是沒有體力越過沙漠了，可是你，你還年輕，只要你答應替我洗刷冤屈，使我不必再服刑，我就告訴你。」

帕札爾回過神之後，嘆氣說：「沒有用的。」

「你不願意？」

「就算我逃得出去，我也不再是法官了。」

「為了我，你要再當上法官。」

「不可能，我涉嫌殺人。」

「你？荒謬！」

帕札爾揉了揉後頸。老人也伸手扶他站起來，「明天是這個月的最後一天，會有一輛牛車從綠洲載運糧食過來，然後空車回去。你跳進車內，等你右手邊出現第一條乾河時，就跳下車。你沿著河床走到山腳下，會發現一個棕櫚樹林，林中有一處泉水。把水袋裝滿。然後朝山谷走，試試看能不能遇到游牧的人。希望你的運氣很好。」

* * *

御醫長奈巴蒙正在幫美鋒的年輕妻子西莉克斯消除贅肉，這已經是第二次了；美鋒原是一名紙莎草商，後來成了高級公務員，如今權力仍在不斷擴張。從事美容外科手術的奈巴蒙，總是向患者收取極高的費用，病患倒也都給得心甘情願。只見他越來越有錢，現在便只缺一項無價之寶了，那就是奈菲莉。儘管其他女子也同樣美麗，然而在她身上卻散發著一種無法比擬的光芒，那是一種融合智慧與魅力的獨特氣質。

她怎麼會愛上像帕札爾這麼庸碌的人呢？他真是搞不懂。

有時候，他會覺得自己的權力跟法老王一樣：拯救生命或延長生命的祕密不也掌握在他手中嗎？醫生和藥劑師不也都聽令於他嗎？達官顯貴想恢復健康不都要求助於他嗎？雖然在背後默默努力、尋求更具效力的療方的是他的助手，但是奈巴蒙卻是唯一得享榮耀的人。

每完成一次成功的手術後，奈巴蒙便讓自己休息一個禮拜，在孟斐斯南邊的鄉下別墅裡，享受一群僕人無微不至的侍奉。他把次要的工作交給了由他嚴格監控的醫學團隊，自己則在新買的遊艇上，嚐著他在三角洲的葡萄園所釀製的白酒，以及廚子最近研究出來的新菜單。

總管前來通報說有一名年輕貌美的女子來訪。奈巴蒙十分好奇，便親自走到門廊一探究竟。

「奈菲莉！真是太叫人驚訝了……跟我一塊兒用餐吧？」

「我趕時間。」

「我相信妳一定很快就有機會參觀我的別墅了。妳有答案了嗎？」

奈菲莉低下了頭。御醫長不由得心中一陣狂喜，「我就知道妳一定會理性選擇的。」

「再給我一點時間。」

「妳既然來了，就表示妳已經做了決定。」

「你可以讓我見帕札爾一面嗎？」

奈巴蒙撇著嘴說：「妳這樣只會更痛苦。救帕札爾，可是也忘了他吧。」

「我有必要見他最後一面。」

「好吧。不過我的條件仍然不變，那就是妳必須先向我表明妳的愛。然後，我才會出面干預。怎麼樣？」

「我又怎麼能說不呢？」

「奈菲莉，我真欣賞妳的聰明，就像我欣賞妳的美麗一樣。」

奈巴蒙輕輕地握住她的手，但奈菲莉立刻抗拒道：「不，奈巴蒙，不能在這裡，也不是現在。」

「那麼什麼時候？在哪裡？」

「到大棕櫚樹林裡的井邊。」

「那個地方對妳很重要？」

「我常常到那裡靜思。」

奈巴蒙微笑說道：「大自然和愛最是協調不過了。我也會和妳一樣享受棕櫚樹林的詩意。什麼時候？」

「明天，太陽下山後。」

「我可以接受在昏暗中進行我們第一次的結合；以後，再挑大白天來享受。」

第四章

帕札爾一見到在岩石間蜿蜒通往風蝕山丘的乾河床，立刻跳下車來。他掉在沙地上，一點聲響也沒有；車子在塵土與酷熱中繼續往前走。車伕半昏睡著，任由拉車的牛隻帶路。

誰也不會離開營區追緝逃犯的，因為在熾熱與乾渴的煎熬下，逃犯根本沒有活命的機會。運氣好的話，也許會有巡邏隊員幫他撿拾殘骸。帕札爾打著赤腳、穿著一件破爛的纏腰布，盡可能慢慢地走以便節省氣力。到處都能見到沙漠毒蛇，若不小心被咬就死定了。

帕札爾想像著自己正和奈菲莉在一處綠野青蔥的鄉間散步，耳旁鳥語啁啾，並有運河串流；如此一來，現實的景致也就不那麼艱險，他的腳步也變得輕盈起來。他沿著乾涸的河床走到一座陡斜的山丘腳下，一片光禿間，卻屹立著三株棕櫚樹，景象有點不協調。

帕札爾跪下開始用手挖了起來。養蜂老人果真沒有騙他，一個小時後終於挖到了水。他先止渴後，脫下纏腰布，用沙清乾淨，然後搓自己的身子，他也沒忘記用羊皮袋裝滿珍貴的水。

夜裡，他朝東而行。四下都是嘶嘶的響聲；天一黑，蛇就出洞了。只要踩到一隻，就難逃慘死的命運。只有像奈菲莉那樣醫術高明的醫生，才有辦法救治。帕札爾暫時忘卻危險，在月光的保護下向前進。夜涼如水。天快亮的時候，他喝了點水，挖了個沙坑鑽進去，像在子宮內的嬰兒般沉沉睡去。

當他一覺醒來，太陽已開始西沉。他忍著肌肉的疼痛、頭部的脹熱，繼續往山谷的方向走，山谷卻是那麼遠，那麼遙不可及。水喝完了，現在只能期望早點發現用石塊圍起的水井了。一望無際的沙地，偶爾平坦，偶爾起伏，他走在其中，步伐已然蹣跚。嘴唇乾了，舌頭腫了，他也沒有力氣了。如今除了祈求神蹟之外，還能奢求什麼呢？

＊　　＊　　＊

奈巴蒙在大棕櫚樹林邊下了轎，便將轎伕遣回。他已經開始感受神奇的夜，奈菲莉即將屬於他。如果一切能順其自然是最好的，不過要耍手段也無所謂，總之他獲得了他想要的，就跟往常一樣。

棕櫚樹林的管理員們背靠在大樹幹上，吹笛子、喝水、聊天。奈巴蒙走進一條寬大的林徑，接著左轉向古井走去。井邊一個人也沒有，十分寧靜。而奈菲莉彷彿自夕陽餘暉中誕生，整件亞麻長裙都染成了橘色。

奈菲莉投降了。她曾經那麼驕傲，曾經向他挑戰，此後卻將要像奴隸般地順從他。待他征服了她，她一定會忘記過往的一切，永遠跟隨著他。她也一定會承認，只有奈巴蒙才能給她夢想中的生活。她太愛好醫學了，她是不可能繼續再扮演次等角色的。嫁給御醫長不正是她最好的歸宿嗎？

她沒有動。奈巴蒙於是向她靠了過去。

「我會再見到帕札爾嗎？」她開口問道。

「我向妳保證。」

「放了他吧，奈巴蒙。」

「我的確有此打算，只要妳願意跟我。」

「你為什麼這麼殘忍？求求你，仁慈一點吧。」

「妳在開我玩笑？」奈巴蒙不悅地說。

「我只想喚醒你的良知。」

「奈菲莉，妳非嫁我不可，因為我已經決定了。」

「放過我吧。」

他不聽她的哀求，仍又往前靠，直到離他的獵物大約一公尺處才停下來。「我喜歡看著妳，但是我還想要其他的樂趣。」

「也包括毀滅我嗎？」

「我要把妳從虛幻的愛情和平庸的生活中拯救出來。」

「我再求你一次，放過我吧。」

「妳是屬於我的，奈菲莉。」奈巴蒙向她伸出了手。

正當要碰到她時，奈巴蒙突然被人往後一拉，摔到地上。他驚嚇之餘，瞥見了攻擊他的竟是一隻巨大的狒狒，牠張著血盆大口，嘴角還吐著白沫。狒狒用毛茸茸而有力的右爪，緊緊掐住奈巴蒙的脖子，左爪則往他的命根子一抓，並用力拉扯。奈巴蒙痛得大叫起來。

這時候，凱姆把腳踩在御醫長的額頭上。狒狒也隨之不動，但並未鬆手。

「如果你不幫我們，我的狒狒就會閹了你。我呢，會當作什麼也沒看見，而牠呢，也不會有任何內疚。」凱姆要脅地說。

「你想怎麼樣？」奈巴蒙咬牙切齒地問。

「我要你拿出證據，證明帕札爾的清白。」

「不行，我……」

狒狒低吼了一聲，接著又用力一握，奈巴蒙急忙連聲叫道：「我答應，我答應！」

「說吧。」

奈巴蒙喘息道：「我在檢查布拉尼的屍體時，發現他已死亡多時，甚至可能一整天了。從眼睛和皮膚的狀態、嘴巴縮緊的程度，還有傷口等等看來，應該不會錯。我將這些發現記錄在一張紙莎草紙上。帕札爾不是現行犯，他只是證人而已。他不會被判重刑的。」

「你為什麼隱瞞真相？」

「這個機會實在太難得了……我終於有機會可以得到奈菲莉了。」

「帕札爾在哪裡？」

「我……我不知道。」

「你當然知道。」

狒狒又吼了一聲。奈巴蒙嚇壞了，只有實話實說：「我買通了警察總長，讓他別殺帕札爾。他得活著，我的勒索計劃才能成功。帕札爾被關在一個隱密的地方，但我不知道在哪。」

「你知道真正的兇手是誰嗎？」

「不知道，這一點我可以發誓。」

凱姆相信他說的是真話。只要問話過程有狒狒在場，犯人便不敢稍有隱瞞。

奈菲莉默默祈禱並感謝布拉尼的在天之靈，他果然保佑了他的學生。

* * *

門殿長老的晚餐只有幾個無花果和幾片乾酪。由於睡眠不足，使得他一點胃口也沒有。前陣子因為受不了身邊有其他人晃來晃去，便辭退了所有的僕人。他有什麼好自責的呢？他只不過想繼續維持埃及的和平秩序罷了。然而，他的良心卻著實不安。當了一輩子法官，他從來沒有如此背離過律法。

他感到反胃，一把推開了木碗。

外頭傳來窸窸窣窣的聲音。該不會是法師口中的幽靈，回來折磨像他這樣卑劣的人吧？

長老走出門去，卻見到凱姆扯著御醫長的耳朵站在門口，旁邊還有一隻狒狒。

「奈巴蒙來向你招供了。」

長老並不喜歡這個努比亞籍的警察。他明白凱姆過去的暴力紀錄，凱姆加入了保安警力更使他覺得遺憾。

「奈巴蒙並非自願前來，他的證詞完全無效。」

「他不是來作證，而是來招供的。」

御醫長企圖掙脫，但立刻遭狒狒咬住小腿，幸好咬得並不深。

「小心一點。」凱姆建議道：「你要是惹火了牠，連我也控制不了的。」

「你們走吧！」長老憤怒地下逐客令。

凱姆把御醫長推向長老，喝道：「快點，奈巴蒙。狒狒是很沒耐心的。」

「帕札爾的案子，我有關鍵線索。」御醫長沙啞著嗓子說。

「不是線索。」凱姆糾正道：「而是證明他清白的證據。」

長老臉都白了，「你這是在教唆他嗎？」

「御醫長可是個德高望重的人。」

奈巴蒙從袍子裡抽出一捲蓋了章的紙軸。「這是我檢驗布拉尼屍體的報告。嗯……現場殺人是錯誤的判斷。我忘了……把報告交給你。」

長老緩緩地接過這份文件，紙軸握在手裡，燙得就像是火炭。

「我們弄錯了。」門殿長老發出悲嘆：「但是對帕札爾來說，已經太遲了。」

「也許還來得及。」凱姆反駁道。

「你忘了他已經死了。」

這個努比亞人笑了笑，「大概又是判斷錯誤吧。你太容易遭人愚弄了。」

凱姆以眼神示意狒狒放開御醫長。

「我……我自由了嗎？」

「滾吧。」

奈巴蒙一跛一跛地逃開了。在他小腿上留下鮮明齒印的狒狒，雙眼在夜色裡閃爍著光芒。

「凱姆，假如你願意忘掉這些不幸的事件，我可以派給你一份安定的工作。」門殿長老試圖說服他。

「不要再插手了，門殿長老，否則我就放開殺手。再過不久就會真相大白的，一切真相。」

第五章

在一片金黃沙地和黑白山影中，揚起了滾滾沙塵。有兩個男人騎著馬漸漸靠近。帕札爾在巨大石塊所投射的陰影下，舉步維艱地走著。沒有水，他實在走不下去了。

來者若是沙漠警察，他們會把他送回牢營。若是貝都因人，則視他們此時的心情而定：或許會折磨他，也或許將他擄回當作奴隸。除了沙漠旅隊之外，沒有人會冒險進入這片廣闊無邊的沙漠。倘若真的成了奴隸，帕札爾頂多也只能以纏腰布為自己贖身了。

果真是兩個貝都因人！他們身上穿著彩色條紋的長袍。披著長髮，下巴留著短髭，問帕札爾：「你是誰？」

「我剛從竊賊牢營逃出來。」

較年輕的那人下了馬，仔細地打量帕札爾，「你的樣子並不健壯。」

「我好渴。」帕札爾虛弱地說。

「想喝水就要自己爭取。站起來和我決鬥。」

「我沒有力氣了。」

「我是法官，不是軍人。」

那個貝都因人拔出短刃，「你不能決鬥，就只有死路一條。」

「法官？那麼你就不是從竊賊牢營出來的囉。」

「我是被冤枉的，有人想陷害我。」

「我看你的腦袋是被太陽給曬壞了。」貝都因人對他的說法嗤之以鼻。

「你要是殺了我，你將會在冥世遭到報應。地獄的法官會讓你的靈魂支離破碎。」

「我才不在乎。」

但年紀較長的那人攔下了同伴握刀的手說：「埃及的魔法很可怕。先幫他恢復體力，然後俘虜他當奴隸吧。」

＊　＊　＊

金髮碧眼的利比亞女郎豹子實在怒氣難消。原本熱情奔放、頭腦靈活的情人蘇提，如今竟成日萎靡不振、唉聲嘆氣、悶悶不樂。她與埃及原本是誓不兩立的，後來在蘇提首次征戰亞洲時，被他所俘虜。有一次，他心血來潮讓她恢復了自由身，但是她卻不走，因為她留戀和他做愛的感覺。蘇提曾經眼見亞舍將軍謀殺了一名埃及偵查兵，但由於找不到屍體，法庭無法判將軍的罪，蘇提氣憤之餘竟企圖扼死將軍。行動失敗後，他被逐出了軍隊。儘管如此，當時的他也並未因此而喪失活力與鬥志。

然而，自從他的好友帕札爾失蹤之後，他就把自己封閉起來，既不吃東西，也不再看她。

「你什麼時候才能重生？」

「帕札爾回來的時候。」

「帕札爾，又是帕札爾！你難道還不明白？他的對手已經除掉他了。」

「這裡不是利比亞。殺人是非常嚴重的罪行，殺人者將永世不得超生。」

「生命只有一次啊，蘇提，就在此時此地。別再想那些無聊的念頭了。」她耐著性子溫言相勸。

「妳要我別再想我的朋友？」

豹子需要愛的滋潤。少了蘇提的碰觸，她就像枯萎的花朵。

蘇提有健美的身材，長長的臉上總帶著坦率直接的眼神，並留了一頭黑色的長髮。平常，他的一舉手一投足，無不散發著既優雅又強健的魅力。

「我是個自由的女人，我不能和一塊石頭過日子。你要是再這麼沒反應，我可要走了。」

「好，妳走吧。」

她跪了下來，將他攔腰抱住，「你已經語無倫次了。」

「帕札爾受苦，我也苦；他有危險，我更感到憂心。這不是妳能改變得了的。」

豹子解下了蘇提的纏腰布，他沒有拒絕。再也沒有其他男人的軀體能像他這般美、這般強而有力、這般勻稱了。打從十三歲開始，豹子就經歷了無數的情人；從來沒有人能像蘇提一樣滿足她，雖然他是她祖國宿敵的子民。她的手輕撫著情夫的胸膛、肩膀，掠過胸口往下移到肚臍。她又輕巧又性感的手指，喚醒了慾念。

他終於有了反應。用力地，甚至幾乎是憤怒地，扯斷了豹子身上短洋裝的吊帶。她光著身子，溫存地躺在蘇提的身上，柔聲說道：「能感覺得到你，和你合而為一……我就心滿意足了。」

「我也是。」他將她的背翻轉過來，整個人趴在她身上。她全身疲軟，但卻喜孜孜地感受他的欲望，就像青春之泉一般又熱又滑。

忽然外頭有人叫門，蘇提衝到窗戶邊一看，原來是凱姆。凱姆對他說：「跟我來，我知道帕札爾在哪裡。」

*　*　*

門殿長老正在門口的小花壇澆水。他這把年紀，越來越彎不下腰來了。

「需要幫忙嗎？」

長老轉過身看見了蘇提，前任的戰車尉依然神采奕奕。他問長老，「我的朋友帕札爾在哪裡？」

「他死了。」

「你說謊。」

「已經有公文正式公告了。」

「那又如何？」

「不管你喜不喜歡，事實就是事實，誰也改變不了。」

「事實是奈巴蒙收買了警察總長和你的良知。」

門殿長老挺直了身子，凜然說道：「我沒有。」

「那你就老實說。」

長老猶豫著，他原可用言詞過火、侮辱法官的名義，下令逮捕蘇提，但他對自己的行為確實感到可恥。沒有錯，帕札爾讓他害怕，他太堅決、太激進、太投入了。但是他如此做，不也違背了自己年輕時的信念嗎？

「在卡吉附近的竊賊牢營。」他喃喃地說。

「給我一道命令。」

「你要求得太多了。」

「你最好快點。」

* * *

蘇提在綠洲小徑外緣的最後一個坡道上，丟下了馬，因為只有驢子才能忍受接下來的酷熱與風沙。他帶著一把弓、五十多枝箭、一把劍和兩柄短刃，充滿信心，無論遇到什麼敵人他都不怕。門殿長老交給他一片木板，寫明了要他將帕札爾法官帶回孟斐斯。

凱姆則不情願地留在奈菲莉身邊。奈巴蒙的驚懼平復之後，應該會採取行動。也只有凱姆和他的狒狒能保護奈菲莉的安全了，因此儘管凱姆很想前去拯救帕札爾，最後還是決定留下來擔任防衛的工作。

聽到情夫要離開的消息，豹子再度火冒三丈。她威脅著，如果他一個星期還不回來，她馬上隨便找個人亂搞，讓他戴綠帽，然後到處宣揚。但蘇提還是沒有給她任何承諾，只說他一定會帶回帕札爾。

驢子馱著水袋和籃子，籃中裝滿了可以保持幾天新鮮度的食物。由於蘇提急著趕到目的地，他和驢子幾乎一刻也沒有休息過。

* * *

牢營就在眼前了，其實只不過是幾間散落在沙漠裡的簡陋木屋而已，蘇提望著營區，暗暗向敏神（※註1）祈禱。雖然他認為神祇太過於渺茫，但在某些情形下最好還是求神力相助。

負責人在一頂布篷下睡覺，被蘇提叫醒後不免低聲發著牢騷。

「你這裡關了一個法官叫帕札爾，是嗎？」

「沒聽過。」

「他並沒有編錄在人犯名冊裡。」

「跟你說沒聽過。」

蘇提拿出了長老的手諭，負責人卻理也不理，「沒有帕札爾。這裡只有竊盜慣犯，沒有法官。」

「我是來辦公事的。」

「不信等囚犯回來，你自己看。」負責人一說完，便即倒頭又睡。

蘇提不禁懷疑長老是不是故意引他走進一個死胡同，然後趁機在亞洲殺帕札爾滅口。他太天真了，竟又犯了同樣的錯誤！蘇提走到了廚房，年老齒落的伙伕被他給驚醒了，「你是誰呀？」

「我來救一個朋友。可惜你不像帕札爾。」

伙伕聽到這個名字，心裡一驚，「你說誰？」

「帕札爾法官。」

「你找他做什麼？」

「釋放他。」

「這個嘛……太遲了。」

「什麼意思？」

老伙伕壓低了聲音解釋道：「我幫助他逃出去了。」

「他，跑進那片沙漠！肯定撐不了兩天的。他走哪條路線？」蘇提有些著急。

「沿著第一條乾河床、山丘、小棕櫚樹林、泉水、岩石高原，然後往正東方的山谷去。如果他生命力夠強，就會成功。」

「帕札爾根本沒有這個體力。」

「你快去找他吧，他答應要還我清白的。」

「你不是小偷嗎？」

「不算是，至少跟其他人比起來我不是。我只想好好養蜂，但願你那個法官朋友能幫我回家。」老伙伕將全部的希望都寄託在帕札爾身上了。

※註1：沙漠旅隊與探險家之神。

第六章

孟莫西在武器廳接待門殿長老，那裡擺放著他的盾牌、劍以及捕獲的獵物。這個警察總長十分狡猾，他鼻子很尖，說話帶著濃濃的鼻音，紅紅的光頭上經常發癢。他相當胖，為了保持一定的身材，因此一直都很節制飲食。孟莫西時常出現在盛大宴會中，人脈關係良好，為人又謹慎機巧，全國所有的警力全都由他一人掌控。任誰也挑不出他一點缺失；他也一直小心翼翼地維持著他無懈可擊的官譽。

「親愛的長老，你這是私人拜訪嗎？」

「祕密拜訪，你最喜歡的。」門殿長老有點挖苦地回答。

「要享有長久而穩定的事業，不就得這樣嗎？」孟莫西卻也不以為意。

「當初答應把帕札爾偷偷送走時，我提出了一個條件。」

「我好像不記得了。」

「你必須找出殺人的動機。」

「別忘了我可是當場逮到他的。」

「他為什麼要殺他的老師？布拉尼即將成為卡納克神廟的大祭司，也將是他最大的支柱呀。」

「也許是嫉妒，也許是喪心病狂。」

「別當我是傻瓜。」

「動機又有什麼關係？我們已經剷除了帕札爾，這才是最重要的。」

「你確定他有罪嗎？」

「我再說一次：我抓到他的時候，他正彎身在看布拉尼的屍體。換作是你，你會下什麼樣的結論？」

「但是動機呢？」門殿長老心中依然有疑惑。

「你自己也承認了，開庭是下下策。國人應該敬重法官，並對他們有信心。但是帕札爾就喜歡鬧事出風頭。他的老師布拉尼也許想勸他，不料他一時失控便下了毒手。我們兩人為他保留了聲譽，已經是很寬大為懷了。對外宣佈他因公殉職，這對他或對我們不都是最圓滿的結果嗎？」

「蘇提已經知道真相了。」門殿長老嘆了口氣說。

「怎麼……」孟莫西沒聽懂他的意思。

「凱姆逼問了御醫長奈巴蒙。蘇提知道帕札爾還活著，而我也把拘禁帕札爾的地點告訴他了。」

孟莫西一聽勃然大怒，「瘋了，你真是瘋了！你堂堂孟斐斯市的最高層法官，竟然向一個被逐出軍隊的士兵低頭！無論是凱姆或蘇提都不能採取什麼行動的。」

「你忘了奈巴蒙有一份書面聲明。」長老感到十分意外，因為孟莫西一向以冷靜出名。

「刑求得來的供詞根本不能算數。」

「這是他老早就寫好的，而且還標明了日期、簽了名。」

「毀掉。」孟莫西斷然說道。

「凱姆已經要求御醫長重新謄寫一份，並有兩名僕役作證。帕札爾確實是清白的。命案發生前的幾個小時，他都在辦公室做事，這點有證人可以作證，我查過了。」

孟莫西的態度這才有點軟化，「可是……為什麼要說出藏人的地方呢？沒有那麼緊急啊。」

「為了求心安。」

「以你的經歷，你的年紀，你……」

門殿長老打斷他的話說道：「正是因為我的年紀。帕札爾一案，我違背了法律的精神。」

「你是為了埃及著想，完全沒有顧慮到個人的利害。」

「你的花言巧語再也騙不了我了，孟莫西。」

「你要離棄我？」

「如果帕札爾回來的話……」

「竊賊牢營裡，可是死了不少人喔。」孟莫西語帶雙關地說。

*　*　*

蘇提很早就聽到了馬蹄聲。是從東邊來的，有兩個人，速度很快。

那是專門四處尋找獵物的貝都因人。

蘇提等他們到達了適當的距離，立刻張弓；他單膝跪地，瞄準了左邊那人。

那人被射中肩頭，仰天跌下馬來。他的同伴朝箭射出的方向衝過來，蘇提緊跟著又瞄準了他。這次箭射中了大腿。那名貝都因人痛得大叫，坐騎也失了控，他跟著跌落撞到一塊岩石。兩匹馬則不斷地在原地打轉。

貝都因人才跛著腳站起身來，蘇提便立刻以利刃抵住他的喉頭，問道：「你從哪兒來的？」

「從風沙游人的部落。」

「你們在哪兒搭營？」

「在黑岩群後面。」

「你們最近有沒有抓到一名埃及人？」

「有一個精神失常的，說他是法官。」

「你們把他怎麼樣了？」

「酋長正在問他話。」

蘇提跳上了較健壯的那匹馬，然後牽起另一匹馬的粗糙韁繩，這兩名傷者只有自求多福了。兩匹馬走進了一條兩旁佈滿碎石子的小徑，路也越來越險峻；牠們鼻孔粗粗地噴著氣，鬃毛上滿是汗珠，最後終於到達了巨大石塊遍佈的山頂。

此地的地形相當險惡，在燒黑的巨岩之間有一個個凹洞，洞內流沙飛旋，就像是地獄裡用來懲治惡人的鍋爐一樣。

陡坡底下便是游人搭營之處了。其中，位於正中央，最高最華麗的帳篷應該就是酋長的住處。馬和羊都關在圍欄內。只有兩個哨兵戒備著營區，一個在南，一個在北。

蘇提耐心地等著天黑；這些貝都因人專事燒殺擄掠，根本不值得尊重。蘇提一寸一寸靜悄悄地爬行，直到接近南側的哨兵時，他才起身往哨兵的頸椎用力一擊。風沙游人本來就是游走於沙漠隨時伺機劫掠的人，因此留在營區的人不多。蘇提潛入後找到了酋長的帳篷，也不多想便由橢圓形的門衝了進去。他全身緊繃、專心一致，渾身的勁道在任何瞬間都可能爆發。

怎知蘇提卻被眼前的景象驚呆了。貝都因酋長躺在一些軟墊上，正聚精會神地聽著盤坐在一旁的帕札爾說話。帕札爾的行動似乎並不受限。

酋長見到來人馬上站起身來，蘇提也朝他撲了過去。

「別殺他。」帕札爾連忙制止：「我們已經有點共識了。」

蘇提便將酋長按在軟墊上，聽帕札爾解釋：「我向酋長詢問他的生活方式，我想讓他明白他這樣是不對的。他對於我寧死也不當奴隸感到驚訝。於是他想知道我們司法的運作情形，還有……」

「等他對你沒有興趣了，他就會把你綁在馬尾上，讓馬拖著你跑過又尖又利的碎石地面。」

「你怎麼找到我的？」

「我怎麼可能找不到你？」

蘇提將酋長綁住，並塞住他的嘴，催促道：「我們快走吧，山頂上有兩匹馬等著呢。」

「有什麼用？我又不能回埃及。」帕札爾顯出些許的落寞。

「跟我來就是了，別再多說廢話。」

「我撐不過去的。」

「想想你已經被改判無罪，還有奈菲莉正焦急地等著你，你就撐得過去了。」

第七章

門殿長老沒有勇氣面對帕札爾法官，低著頭帶著疲累的聲音說：「你自由了。」

長老以為帕札爾一定會厲聲譴責，甚至依循法律途徑控告他，但帕札爾只是定定地注視他，他只得接著說：「當然了，控訴已經撤銷，至於其他的事，請你再耐心等等，我會盡快讓你復職的。」

「警察總長怎麼說？」

「他也要向你致歉，我們兩人都被矇騙了……」

「奈巴蒙呢？」

「御醫長並非真的有罪，只不過是行政上的疏失罷了……親愛的帕札爾，這一連串事件很不幸地湊在一起，才會使你蒙受不白之冤，如果你要提出告訴……」

「我考慮考慮。」

「有時候做人要寬厚一點……」

「請你立刻讓我復職。」

* * *

奈菲莉湛藍的眼睛彷如從天國的黃金山脈中挖掘出來的兩顆寶石；頸間掛著的是那條可以驅魔避邪的綠松石項鍊；她穿了一件白色的吊帶亞麻洋裝，整個人看起來更高䠷了。

帕札爾走向她，一靠近便聞到了她身上的香味。她光滑如緞的肌膚散發著蓮花與茉莉的清香。他擁她入懷，兩個人緊緊摟抱了好久，一句話也說不出來。

「我這個樣子，妳還愛我嗎？」他終於冒出了這麼一句。

她往後退了一步，好好地看看他。

他既驕傲又熱情，嚴峻但有點瘋狂，年紀不大但顯老，沒有俊美的外表，內心脆弱卻又堅強。若有人以為他不堪一擊，可就大錯特錯了。儘管他外表嚴肅，寬寬的額頭顯得莊嚴，性格剛正不阿，但是他知道幸福的真諦。

「我再也不要你離開我了。」

他深為感動，再度緊緊摟住她。他覺得生命有了新的滋味，因而全身充滿了力量，猶如澎湃洶湧的尼羅河。然而，這樣的生命卻與死亡離得那麼近；帕札爾和奈菲莉手牽著手，在這巨大的薩卡拉墓地中緩步前進。他們想立即到被謀殺的恩師布拉尼的墳上默禱；畢竟曾經將醫學祕密傳授給奈菲莉的是他，鼓勵帕札爾履行天職的也是他呀。

他們走進了製造木乃伊的工作室，裘伊正坐在地上，背靠著白色石灰牆，吃著豬肉加扁豆。其實在這麼熱的季節裡是不許吃豬肉的，不過這個木乃伊工人並未行割禮，也就不在乎宗教的規定了。裘伊有一張長長的臉，又黑又濃的眉毛在鼻子上方連成一線，薄薄的嘴唇毫無血色，雙手長得出奇，雙腿也十分細長，他就獨自住在這杳無人煙的地方。

在防腐作業檯上躺了一具木乃伊，看得出是個上了年紀的人，裘伊剛剛用黑曜岩製成的利刃割開了他的腹側。

「我認得你。」他抬起頭向帕札爾說：「你就是來調查退役軍人死因的那個法官。」

帕札爾沒有回答，直接就問：「你把布拉尼製成木乃伊了？」

「這是我的職責。」

「沒有發現異常之處？」

「沒有。」

「有人到他的墳墓來過嗎？」

「下葬以後沒有。只有負責葬禮儀式的祭司進過禮拜堂。」

帕札爾很失望。他原以為兇手會懷著內疚的心前來請求死者的原諒，以躲過冥世的懲罰。不料他竟然不怕這樣的威脅。

「你的調查結束了嗎？」

「會結束的。」帕札爾幽幽地說，而裘伊聽了無動於衷地又咬了一口豬肉。

* * *

階梯金字塔矗立在無垠的沙漠中。無數墓穴都面朝這個方向，希望也能與法老王左塞同享不朽的生命，而左塞王的巨影則每天都會上下這座巨大的石階。

通常，附近總有許多雕刻師、雕寫象形文字的師傅及繪圖師，這裡挖個新墓，那裡修個舊墓的，相當熱鬧。此外，還有成群的工人用木製的滑車拉引石灰岩或花崗岩塊，以及一些挑夫幫工人挑水解渴。

不過這一天是大夥兒為建造階梯金字塔的因赫台舉行祭典的日子，因此工地裡空蕩蕩的。帕札爾和奈菲莉行走在墓穴行列間，這些都是早期王朝留存至今的墓，現在則由拉美西斯大帝的一個兒子負責維護。每當看到以象形文字書寫的死者姓名時，已故的人似乎便能穿透時空的障礙而復活。文字的力量是遠勝於死亡的力量的。

布拉尼的墓穴就離階梯金字塔不遠，美麗的造墓用的白色石塊全都來自土拉的採石場。墓裡有一口井可以通往停放木乃伊的地下墓室，但井口已經被一塊巨大的石板封住了，只有禮拜堂還開放著，生者可以帶著依舊附有死者魂魄的雕像與紀念事物前來，同享餐宴。

雕刻師傅為布拉尼雕了一尊宏偉的石像，讓後人永遠記得這位老者安詳的面容與寬闊的肩膀。橫寫而重疊的主要碑文，是為了歡迎墓中重生之人進入美麗的西方世界；經過一段漫長的旅程之後，他終於能與親人、與他的眾神兄弟團聚了。這一路上，他以天星果腹，以原始海洋之水淨身，在心靈的引導下，一步步地走過了永恆的完美之路。

帕札爾大聲地念出了為造訪墓穴的人所寫的頌文：「留在人間並行經此墓的人啊，愛好生命且痛恨死亡的人啊，請頌念我的名使我重生，請為我念出奉獻的語句吧。」

「我一定會找到真兇的。」帕札爾並在墓前發誓。

奈菲莉曾經夢想著遠離紛爭而充滿平靜的幸福生活，然而她的愛卻誕生於風暴之中，無論是帕札爾或是她自己，在真相尚未釐清之前，是不可能找到平靜的。

* * *

暗夜被擊退之後，世間再度綻放光明。樹與草又恢復了綠意，鳥兒飛出了鳥巢，魚兒躍出了水面，船隻也開始往返於河面。帕札爾和奈菲莉陪著布拉尼度過了一夜，他們倆都能感應到老師的靈魂就在身旁，他還是那麼充滿熱情與活力。

他們是永遠不會離開他的。

祭典結束了，工匠們也回到了工地。有幾名祭司在舉行晨間儀式，向死者表達永恆的追思。帕札爾和奈菲莉沿著又長又隱密的烏納斯王堤道，往低處走到一間神廟，隨後在農地旁的棕櫚樹下坐了下來。有一個小女孩臉上堆滿了笑容，為他們帶來了一些棗子、新鮮的麵包和牛奶。

「其實我們可以就住下來，把那些罪行、法律和所有的人都忘了。」帕札爾嚮往地說。

「你也變得愛作夢了，帕札爾法官？」

「有人不擇手段想除掉我，他們是不會罷手的。去打一場未戰先輸的仗，是明智之舉嗎？」

「為了布拉尼，為了我們所敬仰的這個人，我們有責任不顧自己、全力奮戰。」奈菲莉鼓勵著他。

「我只是個小法官，上級長官輕易就能把我調到最偏僻的地方去。根本不費吹灰之力就能打敗我。」

「你害怕嗎？」

「我沒有勇氣。牢營真是個可怕的經歷。」

她把頭靠在他的肩上，輕輕地說：「我們現在在一起了。你的力量一點也沒有消失，我知道，我感覺得到。」

帕札爾的全身頓時灌注了一股暖意，痛苦的感覺不再清晰，疲憊也一掃而光，奈菲莉真是個魔法師。

「這一個月內，你每天都要喝銅盆裡的水，這對治療倦怠與頹喪很有效。」

「有誰會設下這樣的陷阱呢？除非他知道布拉尼即將要擔任卡納克神廟大祭司，此後將是我們最大的支柱。」帕札爾像是自言自語地說。

「這件事你告訴過誰？」

「老是跟妳糾纏不清的御醫長奈巴蒙，我想讓他有點警覺。」

「奈巴蒙……手中握有能證明你的清白的證據，並強迫我嫁給他的奈巴蒙！」。

「我犯了一個很嚴重的錯誤。他得知了布拉尼被任命的消息之後，於是有了一石兩鳥的計劃，不僅可以除掉他，還可以陷我入罪。」帕札爾皺起了眉頭又說：「有嫌疑的應該不只他一人。警察總長孟莫西逮捕我時，也和門殿長老串通好了。」

「警察與法官聯合犯罪……」奈菲莉覺得太不可思議了。

「這是陰謀，奈菲莉，這是一些有權有勢的人共同策劃的陰謀。我和布拉尼之所以成為他們的眼中釘，乃是因為我蒐集到了關鍵性的線索，他則會傾全力幫我繼續進行調查。為什麼司芬克斯的榮譽衛兵會遭到殺害？這是我首先應該解開的謎。」

「你該不會忘了化學家謝奇、被竊的神鐵、叛國的亞舍將軍了吧？」

「我找不出嫌犯與這些不法行為之間的關聯性。」

「現在最重要的，是要為布拉尼死後的聲譽著想。」

＊　＊　＊

好友帕札爾得以平安歸來，蘇提堅持要好好慶祝一下，於是邀請帕札爾與奈菲莉到孟斐斯最高級的飯店用餐。飯店裡除了供應拉美西斯大帝登基那一年年分的紅酒之外，還有上等的烤羊肉、調味蔬菜與令人難忘的美味糕點。他盡量營造快樂的氣氛，希望在這幾個小時內，讓他們暫時拋卻因布拉尼被殺所引起的愁緒。

當他踉踉蹌蹌、頭腦渾沌回到家門時，一頭撞到了豹子。豹子拉著他的頭髮質問道：「你去哪兒了？」

「牢營。」

「到牢營會喝得半醉？」

「何止半醉，不過帕札爾總算是毫髮無傷地回來了。」

「那我呢？你還管不管我？」

「我才不需要你。」豹子賭氣說。

他一聽，順手便將她攔腰抱起，然後高舉在頭頂上，「我回來啦，這還不算是奇蹟嗎？」

「妳說謊。我們的身體互相之間的了解可還不夠呢。」

他輕輕地將她放在床上，用一種屬於老情人的優雅褪去她的短洋裝，隨後卻又以一種屬於年輕人的激情進入了她的身子。她恣意地縱聲大叫，如此猛烈的攻勢她期盼已久，又如何招架得住？

當他們並躺在床上，喘息休憩時，豹子把手放在蘇提的胸前，「我說過你不在的時候，我會讓你戴綠帽子的。」

「大功告成了？」

「我才不告訴你，好讓你心癢得難過。」

蘇提哈哈一聲，「妳錯了。我只在乎眼前這一刻與歡愉的感覺，其他都不重要。」

「你真可怕。」

「妳有所埋怨嗎？」

「你還會不會幫帕札爾法官的忙？」

「我們立過血誓的。」

「他決定要報復嗎？」豹子似乎很是擔心。

「他是法官，而不是普通人。對他來說，事實真相比他個人的恩怨更重要。」

「你就聽我一次吧。勸他打消這個念頭，如果他堅持己見，那麼你就離他遠一點。」

「為什麼要這麼警告我？」蘇提有些不解。

「他挑戰的對手太強了。」

「妳怎麼知道？」

「我有預感。」

「妳是不是隱瞞了什麼？」

蘇提覺得事情好像不單純，但豹子也只回答說：「有哪個女人騙得了你？」

警察總長的辦公室簡直就像一個嗡嗡作響的蜂窩。孟莫西不停地來回走動，一會兒下一些互相矛盾的命令，一會兒又催著下屬搬運那些草紙軸、木製書板以及自他就任以來堆積至今的小卷宗。孟莫西眼裡冒著火，不斷搔著他光禿的頭頂，並連連斥罵下屬動作太慢。

＊　＊　＊

當他走出辦公室，到馬路上查看車輛的裝載情形時，剛好撞見了帕札爾。「親愛的法官大人……」孟莫西不知所措地打著招呼。

「你看到我怎麼像是看到鬼一樣？」

「怎麼會呢？希望你的身體……」他回答得很尷尬。

「在牢營裡弄壞了，不過我的妻子很快就能幫我恢復健康。怎麼，你要搬了？這些文件？」

「灌溉部門預警會漲大水，我得採取一些防範措施。」

「這一區好像不會淹水啊。」

「小心一點總沒錯。」

「你要搬到哪裡呢？」

「嗯……到我家去。」孟莫西自知不妥，便連忙又補了一句：「當然只是暫時而已。」

帕札爾果然不放過他，「這樣絕對不合法。門殿長老知道嗎？」

「親愛的長老太疲倦了，實在不應該為這點小事去打擾他。」

「你應該停止搬運這些文件吧？」

孟莫西的聲音又開始尖銳起來，「那件案子你也許是清白的，可是你現在還是職位不明，你沒有權力向我發號施令。」

「的確如此，不過以你的職位，你卻有義務幫我。」

孟莫西眯起了眼睛，像貓一樣，問道：「你要我做什麼？」

「仔細檢驗殺死布拉尼的貝殼細針。」

孟莫西又搔了搔腦袋，「我正搬到一半……」

「這跟檔案無關，這是物證。這根針應該和那張寫了：『布拉尼有危險。快來。』誘我受騙的紙條放在一起。」

「我的手下沒有找到那張紙條。」

「那麼針呢？」

「等一等。」警察總長說完，人就不見了。

原本的騷動平靜了下來。搬運草紙的工人也把擔子放在架上，藉機喘口氣。

約莫過了十多分鐘，孟莫西回來了，臉色十分凝重，「細針不見了。」

第八章

帕札爾一喝完銅杯裡的藥水，勇士便在一旁討著要喝。帕札爾的這隻愛犬腿很長，長長的尾巴可以隨意捲曲，平常低垂的大耳朵一到用餐時便會豎得筆直，頸子上還掛了一個白與粉紅相間的皮製項圈，上頭刻寫著：「勇士，帕札爾的伙伴。」牠興奮地舔著這種對身子有益的液體，接著便輪到帕札爾的驢子了，小淘氣則在驢子背上跳來跳去，又去拉扯狗的尾巴，然後才趕緊逃到女主人身後去。

「這個樣子，叫我怎麼靜養？」

「別抱怨了，帕札爾法官。你已經很幸運了，能夠在家裡長期接受良醫的醫療照護。」

他吻了她脖子上最敏感的部位，使得她全身酥軟。不過她還是下了決心將他推開，說道：

「寫信。」

帕札爾盤坐在地上，腿上攤著一張上等的紙莎草紙，寬約二十多公分。由於事關重大，因此他只寫在紙張正面；左手邊還捲著一部分的紙，右手邊的紙則已完全攤平。為了使整封信看起來更正式，他便以直向的方式書寫，每行之間都以直線分隔，使用的則是他最高級的墨水和一枝筆尖裁得完美無缺的蘆葦筆。

他穩穩地下筆寫道：

敬呈巴吉首相，帕札爾法官謹上。

誠祝眾神護佑首相大人，願拉神之光芒照亮大人，阿蒙神使大人永保正直之心，普塔赫神給予大人嚴謹細密之心思。在此更要祝福大人政躬康泰，萬事成功如意。以屬下卑微之身分卻斗膽上書攪擾，實因茲事體大，不得不拜表以陳。日前屬下遭人誣陷為殺害賢人布拉尼之兇手，而致遣送至竊賊牢營，尤有甚者，原由警察總長孟莫西所保管之凶器，竟亦不翼而飛。屬下身為分區法官，自以為已揭發亞舍將軍可疑之行徑，並證實司芬克斯五名榮譽衛兵確遭滅口。

屬下私以為此乃對整體司法制度之挑釁與嘲弄。警察總長與門殿長老更與人積極謀劃，意欲將屬下除之而後快，以終止屬下之調查工作，並包庇某些企圖不明之陰謀者。屬下早已將個人生死置於度外，但恩師之死因與兇手卻不能不查，亦不能不為國家未來感到憂心；多人慘死，而真兇猶逍遙法外，倘若國人紛紛起而效尤，視犯罪為殊榮，奉謊言為圭臬，屬下實所難安。如今惟有藉大人之力，方能根除萬惡之淵藪，懇請大人查明真相，莫負聖職。屬下謹以眾神與律法之名宣誓，以上所言句句屬實。

帕札爾註明了日期，蓋了章，捲起紙張，用線綁好，然後以一枚黏土章蓋上封印。他寫上了自己與收件人的姓名。一小時內，他就會將信交給郵務員，一天之內就能送達首相的辦公室了。

帕札爾站了起來，有點擔心地說：「這封信可能使我們被驅逐出境。」

「要有信心。巴吉首相可不是空有其名。」

「我們要是出了錯，一輩子都不可能再在一起了。」

「不會的，因為我會跟你走。」

* * *

小花園裡，一個人也沒有。

白色小屋的門開著，帕札爾便進去了。雖然時間不早了，卻不見蘇提，也不見豹子。太陽就快下山了，這對愛侶應該是在井邊乘涼吧。

帕札爾滿腹狐疑地穿過大廳。終於聽到了一些聲響，不是來自臥室，而是屋後的露天廚房。毫無疑問，豹子和蘇提正忙著呢。

豹子在製造奶油，裡面還加了胡蘆巴和莧蒿，但不加水也不加鹽，以免變色。做完之後，就儲藏在地窖最陰涼之處。蘇提則是在釀啤酒。他將磨碎的大麥粉和了水揉成麵團，再放到火爐四周的模子裡，將表面烤熟。然後將烤過的麵團放入浸著棗子的甜水中；待發酵以後，須一邊攪拌一邊濾出汁液，最後再把液體盛入塗有黏土的罈內，保存啤酒非此不可。

蘇提在加高的木板上挖了洞，將三隻酒罈放進洞中，並以乾檸檬封住罈口。

「你轉行開始從事手工業了？」帕札爾出聲問道。

蘇提轉過頭去，驚訝地說：「我怎麼沒聽到你進來！是啊，豹子和我決定賺點錢。她做奶油，我釀啤酒。」

豹子有點不耐，放下手中的油脂，用一條褐色的布擦了擦手，也不跟帕札爾打招呼便逕自走了。

「別怪她，她就愛鬧彆扭。不管奶油了，幸好還有啤酒！你嚐嚐看。」

蘇提從洞裡取出最大的一罈酒，拔去塞子，然後插入導管，而連接在管上的濾網可以過濾懸浮的麵粉粒，倒出來的就是潔淨的液體了。

帕札爾吸了一口，但幾乎馬上就收了口，「好苦！」

「什麼？好苦？我可是照著食譜按部就班做的。」

蘇提說完自己也吸了一口，但立刻就吐了出來，「難喝死了！我不釀啤酒了，這份工作不適合我。怎麼樣？你進行得如何？」

「我寫信給首相了。」

「太冒險啦。」

「勢在必行。」

「你要是再被送到牢營去，一定挺不住的。」

「司法一定會勝利。」

「你對司法的盲從還真感人。」蘇提搖搖頭，嘆著氣說。

「巴吉首相會採取行動的。」

這個說法，蘇提可不敢苟同，「你怎麼知道他不會像警察總長和門殿長老一樣，接受賄賂，與對方妥協？」

「因為他是首相巴吉。」

「這個老傢伙像塊木頭似的，一點感情也沒有。」

「他會以埃及的利益為優先考量。」

「天曉得！」

帕札爾想了想說道：「昨晚，我把看到布拉尼頸子上插了貝殼細針的恐怖景象，重新回想了一遍。這樣的針是很昂貴的寶物，只有一流的專家才有權使用。」

「有線索嗎？」

「我只是忽然想到，也許沒什麼幫助。你願意跑一趟孟斐斯最大的紡織廠嗎？」

「我？出任務嗎？」

「那裡的女織工好像都很漂亮。」帕札爾打趣著說。

「你會怕？」

「紡織廠不在我的轄區內。孟莫西現在正虎視眈眈地等著，我不能讓他抓到我的小辮子。」

* * *

這間織造廠是皇室的壟斷事業，僱用了許許多多的男女織工。他們操作著平經與立經紡織機，前者由兩個經紗捲軸構成，後者則是一個直立的四方框，上層為經軸，下層為捲布輥。有些布匹長逾二十公尺，高度則一公尺二十至一公尺八十不等。

蘇提仔細觀察著一名雙膝高舉在胸前的男織工，他正在為某個貴族製作長袍飾帶，眼看就要完成了。年輕貌美的女工當然更是引他注意了；有些人先粗紡過後，再將浸過的亞麻紗繞成線團，也有人將經紗置於平經紡織機上層的經軸，然後再將兩組緊繃的線交叉穿梭。還有一名女紡工正在操作一個前端嵌著木輪的紡紗棒，其純熟的程度實在令人嘆為觀止。

蘇提的出現當然也引起了注意；他長長的臉蛋，率直的眼神，黑色的長髮，加上沉穩卻又不失優雅的步伐，怎能不叫女性動心呢？

「你要做什麼？」女紡工問道，她正將亞麻纖維打溼，這樣紡出來的紗才能又細又有韌性。

「我想找紡織廠的負責人。」

「塔佩妮女士只接見皇宮推薦的人。」

「從無例外嗎？」蘇提小聲地問。

女紡工心裡一動，便丟下手中的工具，說：「我問問看。」

廠內十分寬敞整潔，檢查工作做得很徹底。光線從平頂天花板的方形天窗穿透下來，另外有一些設計完善的長方形窗戶，使得室內通風良好。工作場所更是冬暖夏涼。在此實習多年而正式成為專業技術人員之後，無論男女都能獲得加薪的獎勵。

正當蘇提衝著一名女織工笑時，先前那位紡工回來了，「請跟我來。」

塔佩妮女士（※註1）的辦公室非常大，裡面擺滿了紡織機、經紗、線軸、針、紡紗棒，以及其他許多相關的器具。她身材短小，黑髮綠眼，膚色棕褐，精力充沛，管理廠內員工更是強勢的鐵腕作風。從她柔順的外表根本看不出她善於折磨人的專橫性格。不過她的工廠所製造的產品之美，倒是無懈可擊。三十歲仍未婚的塔佩妮，一心只想著事業前途。對她而言，家庭與孩子只會妨礙她追求理想。

她一見到蘇提，卻不禁害怕了。

她害怕自己會愚蠢地對一個男人一見鍾情。但她的懼怕很快便轉變成了一種興奮之情，她希望能在獵物前展現她這獵人的魅力。於是她膩著聲音問：「有什麼我幫得上忙的地方呢？」

「是有關於一件……私事。」

塔佩妮於是遣退了助手。這種神祕的氣息不由得使她好奇心大增，「現在沒有別人了。」

蘇提在辦公室裡繞了一圈，最後他在一排置於木板上，並以布覆蓋著的貝殼細針前停下腳步。

「這些針做得真好，不知道誰才能使用？」

「你想打聽我的職業祕密？」

「我對這些祕密很感興趣。」

「你是皇宮的視察員？」

「在找失蹤的情婦？」塔佩妮半調情地問道。

「妳放心，我只想找一個用過這種針的人。」

「誰知道呢？」

「這種針也有男人使用，你該不是……」

「這點你大可放心。」

「你叫什麼名字？」

「蘇提。」

「從事哪一行？」

「我常在外面跑。」

「商人都有點奸詐……不過你長得真帥。」塔佩妮不禁由衷嘆道。

「妳也美極了。」蘇提自然也不忘禮尚往來一番。

「真的？」

塔佩妮拉開了木製的插栓。蘇提問道：「每個工廠都有這種針嗎？」

「只有規模較大的才有。」

「所以使用的人很有限囉。」

「當然了。」

她走向他身邊，轉了一圈，然後搭著他的肩膀，「你好強壯，一定很會打仗。」

「我是個戰爭英雄。妳能給我這些人的名單嗎？」

「也許吧，你這麼急嗎？」

「找出這種針的主人……」

「先別說了，我可以幫你，只不過你必須要很溫柔，非常溫柔……」

話還沒說完，她的唇就貼上了蘇提的嘴了，而蘇提稍微猶豫了一下之後，也只好有所回應。禮貌與互惠關係向來是埃及社會最重視的，而來者不拒更是蘇提最基本的道德觀。

塔佩妮在蘇提的生殖器上，塗了一種由金合歡種子磨碎後加蜂蜜混合成的香膏；做好了消毒措施後，她便能盡情享受這個男人的強健體魄，紡織機的噪音與工人的非難，她早已充耳不聞。

「調查工作對帕札爾的確充滿了危險。」蘇提心裡這麼想。

※註1：這個名字是「老鼠」的意思。

第九章

帕札爾和他手下那個黝黑高大的努比亞警察凱姆互相擁抱著，跟在一旁的狒狒則露出懷疑詢問的眼光，路上的行人無不感到驚恐。凱姆激動地泛著淚光，手則不停地撫著木造的假鼻。

「奈菲莉都告訴我了。我之所以能重獲自由，真得感謝你們兩個。」帕札爾感激地致謝。

「都是狒狒的功勞。」

「有奈巴蒙的消息嗎？」

「他在別墅裡休息。」

「他還會再度出擊的。」

「當然，所以你要特別留意。」

「只要我還是法官就不怕。我寫了封信給首相，結果有兩種可能：一是他著手調查並讓我復職，一是他認為我的要求太不合理無法接受。」

這時，臉頰豐滿紅潤的書記官亞洛，抱著一大疊紙走進了法官的辦公室，「這些全是你不在的時候，我幫你處理的！現在我可以做我的事了嗎？」

「我也不知道自己以後會如何，不過擱置文件總是不好。只要沒有人阻止我，我還是照常蓋章。你的女兒還好嗎？」

「剛出了麻疹，前幾天還因為跟一個討厭的小男孩打架，被他抓傷了臉。我已經對他的父母提出控告了。幸好她的舞越跳越好。不過我那個妻子……還是那麼潑辣！」

亞洛一邊嘟噥，一邊把紙捲整理到箱子裡去。

「在首相給我答覆之前，我都不會再離開辦公室了。」帕札爾說道。

「我到奈巴蒙住的地方去晃晃。」凱姆也隨後告辭。

＊　＊　＊

奈菲莉和帕札爾決定絕不搬進布拉尼的房子。那裡曾發生過不幸，不應該再有人住進去了。目前他們還是繼續住在法官辦公室裡，雖然大半的空間都被檔案資料佔滿了，他們也無所謂。將來若遭驅逐，他們就一起回底比斯去。

由於帕札爾喜歡在夜裡工作，因此奈菲莉總是起得比他早。她梳洗化妝過後，便替狗兒、驢子和綠猴餵食早餐。勇士的一隻腳有點發炎，她便取了極具消炎效果的尼羅河泥為牠敷上。

奈菲莉把醫藥箱放到了北風的背上；北風憑藉著與生俱來的方向感，總能帶著她穿越市區的大街小巷，找到需要她幫助的病人。看過病後，患者便以裝滿各種食物的籃子作為報酬，北風馱著這些豐碩的成果，真是有說不出的滿足。在孟斐斯，貧富住家是不分區的；高高的樓房底下就是一間間乾磚搭砌的小屋，而寬闊的花園別墅旁的小巷，亦可見到人畜來來往往的喧鬧景象。到處充斥著怒罵聲、討價還價聲與笑聲，但奈菲莉卻沒有時間跟眾人一起談笑。這三天來，她一直在照顧一個遭夜魔侵襲而高燒不退的小女孩，雖然沒有太大的把握，不過小女孩的燒終於還是退了。小病人已經可以喝奶媽事先盛在一個河馬形狀的杯子裡的奶，心跳脈搏也都恢復了正常。奈菲莉在小女孩的脖子上掛了一條用花串成的項鍊，並替她戴上一付質地很輕的耳環；病患的臉上露出微笑，這就是對她最好的回饋。

當她疲憊不堪地回到家時，蘇提正在和帕札爾說話。「我去見過塔佩妮女士了，她是孟斐斯最大的紡織工廠的主管。」

「結果如何？」

「她答應幫我。」
「有什麼重要線索嗎？」
「還沒有。很多人都可能使用過這種針。」
帕札爾忽然壓低了聲音說：「蘇提，你老實說……這位塔佩妮女士漂亮嗎？」
「還不錯。」
「你們第一次的接觸真的……沒有其他？」
「塔佩妮是個獨立而熱情的女人。」
奈菲莉噴了香水之後，幫他們準備了一點飲料。
「這啤酒毫無危險。」帕札爾意有所指地說：「不過，你和塔佩妮的關係恐怕就難說了。」
「你是說豹子？這是調查的需要，她會了解的。」
蘇提親了親奈菲莉的兩頰，說道：「你們兩個別忘了我可是個英雄！」

* * *

著名的運輸富商戴尼斯最喜歡的，就是在他位於孟斐斯的豪華別墅的起居室中休憩。只見他橫躺在軟墊上，讓女僕幫他按摩，還有他的私人理髮師幫他把那圈細細的白鬍修齊。戴尼斯有一個方方的臉，體型笨重，他不斷地發號施令，不過只要他的妻子妮諾法一插手，他便會立刻閉嘴。身材豐滿、穿著入時的妮諾法，擁有夫妻二人四分之三的財產，因此在多次的爭執口角中，戴尼斯總會識時務地投降。
這天下午，兩人沒有爭吵。戴尼斯板著一張臉，就連妮諾法激動地咒罵稅務局、抱怨天熱與蒼蠅，他也都無動於衷。
當僕人帶牙醫喀達希進屋後，戴尼斯才站起來擁抱他。

「帕札爾回來了。」牙醫說了這麼一句，臉色陰沉得可怕。喀達希的眼角總是溼溼的，額頭很低，雙頰高高隆起，他習慣性地搓著因為血液循環不良而發紅的手。鼻梁上也暴起了幾條青筋。他滿頭的白髮蓬鬆雜亂，似乎十分焦躁不安。

他和友人戴尼斯都曾經遭受帕札爾的懷疑與攻擊，只不過最後都因為證據不足而無法定他們的罪。

「到底是怎麼回事？不是已經公告了帕札爾的死訊了？」

「你冷靜點。」戴尼斯安撫道：「他是回來了，但他再也不敢採取任何對我們不利的行動。這段時間的監禁已經使他身心俱疲了。」

「你知道什麼？這個小法官個性很頑強，他一定會報仇的。」妮諾法反駁的同時，一面用湯匙挖了點香脂抹臉，湯匙柄的造型是一個橫臥著、雙手被綁在身後的黑人。

「我才不怕他。」

「因為你根本就是瞎了眼，死性不改！」

面對妻子毫不留情的痛罵，戴尼斯似乎習以為常了，也不動怒。「以妳在朝中的地位，剛好可以替我們監視帕札爾的詭計。」

妮諾法以十足的衝勁帶領手底下的一班代理商，專門負責將埃及的產品販售到國外，並同時擔任布料總管與國庫督察之職。「司法機關和經濟需求毫無關聯。而且要是他找上了首相呢？」妮諾法顯然並不同意丈夫的看法。

「巴吉的個性也是又倔又硬。帕札爾野心勃勃，就想製造新聞以提高自己的知名度，巴吉不會任由他擺佈的。」

他們聊著聊著，謝奇也來了。這個化學家十分矮小，唇上留著黑色的髫鬚，性格極為封閉，有時候甚至幾天都說不到一句話，連走起路來也飄忽地猶如鬼魅。

「我遲到了。」謝奇說。

「帕札爾現在人在孟斐斯。」喀達希喃喃地說。

「我知道。」

「亞舍將軍有什麼看法？」

「他跟你我一樣吃驚。當時聽到帕札爾的死訊，大家都很高興呢。」

「是誰放他出來的？」喀達希就是無法釋懷。

「亞舍也不知道。」

「他打算採取什麼行動？」

「我無權過問。」

「武器計劃現在如何？」戴尼斯問道。

「他正在進行。」

「他打算遠征嗎？」

「利比亞人埃達飛在比布羅附近製造了一些騷動，不過這兩個村落的動亂，只要出動我們的保安部隊就足夠了。」

「這麼說來，法老依然十分信任亞舍。」

「只要沒有證據證明他有罪，法老就不能將他親自贈動，並親自任命為亞洲軍團總訓練官的英雄撤職。」

妮諾法在頸子上掛了一條紫水晶項鍊，然後說道：「戰爭可是發財的好機會。要是亞舍打算攻打敘利亞或利比亞，記得馬上通知我。我得改變一下通商路線，當然也不會忘記你的好處。」

謝奇向她行了個禮，表示感謝。

「你們忘了帕札爾了！」喀達希不滿地說。

「他一個人想對付這些強大的勢力，只怕會粉身碎骨吧。」戴尼斯諷刺地說：「還是繼續我們的計劃。」

「要是他發現了呢？」

「讓奈巴蒙先行動。況且我們這位傑出的御醫長也是頭一個關鍵人呢，不是嗎？」

* * *

奈巴蒙每天要在粉紅花崗岩的大浴盆裡泡十幾次的熱水，並命令僕人在水中加進一種芳香的液體。然後再在生殖器上塗抹溫和的藥膏，痛楚才總算漸漸舒緩下來。

凱姆那隻該死的狒狒，差點就滅了他男性的威風。就在他被攻擊的兩天後，陰囊脆弱的表皮竟冒出了一個個水泡，奈巴蒙擔心水泡化膿，便獨自關在他最美的別墅中，原本與宮中那些年華老去的后妃預約要做的手術，也一概取消。

他越是恨帕札爾，對奈菲莉的愛意就越深。不錯，她是開了他很大的玩笑，不過他並不懷恨。若是沒有那個平庸、固執又危險的帕札爾，奈菲莉早就心甘情願地嫁給他了。

奈巴蒙從來沒有失敗過，這次蒙受如此奇恥大辱，他真是恨到骨子裡去了。

孟莫西仍舊是奈巴蒙的最佳盟友。他當初利用職務之便，銷毀了那張誘騙帕札爾前往老師家的紙條與殺人的凶器，如今這個警察總長的職位卻反而變得棘手了。不過儘管如此，也儘管接下來的密集調查將更顯示出他的無能，孟莫西畢竟是花費了一生的心血才爬到這個位子，他怎會輕言放棄？

因此，一切都還不算太晚。

亞舍將軍親自指揮著菁英部隊，不久他們就會接到命令前往亞洲了。亞舍個子短小，臉上坑坑洞洞的，理了個小平頭，肩膀上全是又黑又硬的毛髮，腳很短，胸前還有一道長長的疤痕。每回操練時，看到士兵們背著裝滿石塊的袋子，在塵沙中匍伏前進、抵抗帶刀突襲的敵人那副痛苦的模樣，他就打從心裡高興。凡是無法通過考驗的人，都被他毫不留情地刷了下來。軍官們也一樣得證明自己的體能，毫無特權可享。

*　　　*　　　*

「你覺得這些未來的英雄如何，孟莫西？」

警察總長忍受不住清晨的寒意，整個人縮在羊毛大衣裡，但還是巴結著說：「恭喜你了，將軍。」

「這些飯桶有一半根本不適合當兵，另外一半也好不到哪兒去！我們的軍隊太富裕，軍人太懶散，他們已經對打勝仗沒有興趣了。」

孟莫西忍不住打了個噴嚏。將軍問他：「你會冷嗎？」

「實在是因為煩惱、疲倦……」

「為了帕札爾法官？」

「將軍，你若肯幫我，我真是感激不盡。」孟莫西剛好趁機提出要求。

「在埃及，誰也對抗不了司法。要是其他國家，機會也許會多一點。」

「明明有報告指稱他死在亞洲了……」

「又是行政上的疏失，這次可跟我無關。我被起訴的案子尚未了結，目前暫時擔任原來的職務。其他的事我都不想管。」

「你應該更謹慎一點。」孟莫西警告他說。

「這個小法官沒有被撤職嗎？」

「他被指控的罪名全部都不成立了。我們是不是能夠一起……想個對策呢？」孟莫西小心翼翼地選擇用詞。

「你是警察，我是軍人。不要使角色錯亂了。」亞舍將軍的意願卻仍然不高。

「為了我們各自的利益著想……」

「只要能離這個法官遠遠的，就是我最大的利益。待會兒見了，孟莫西，我的軍官們還在等我呢。」

第十章

鬣狗穿過南邊的郊區，嘴裡發出恐怖的叫聲，隨後奔下陡峭的河岸到運河邊飲水解渴。小孩子全都被嚇哭了。母親們急忙哄他們進屋，並鎖上大門。沒有人去驅趕這隻又龐大又高傲的野獸，就連經驗豐富的獵人也不敢靠近。喝完水之後，鬣狗便心滿意足地回到沙漠中去了。

大家都還記得古老的預言——「當野獸飲用河水時，冤孽便將降臨，幸福也將遠離埃及。」

眾人開始議論紛紛，這些怨言一傳十、十傳百，最後終於傳到了拉美西斯大帝的耳中。那股隱形的勢力開始顯現了；它化身為鬣狗的軀體，在所有國民眼前剝奪了法老的威權。各個省分的人民都擔心著不祥的預兆可能成真，對於王權的合法性也產生了懷疑。

再過不久，法老就必須有所行動了。

* * *

奈菲莉正拿著短掃帚打掃房間；她跪在地上，手中緊握著硬柄，手腕靈活地來回揮掃著由細線束起、長長的燈心草桿。

帕札爾坐在一張矮椅上，略感煩憂地說：「首相不會回信了。」

奈菲莉將頭靠在丈夫的膝上，「為什麼要這樣不斷地折磨自己呢？煩惱侵蝕了你，讓你衰弱了。」

「奈巴蒙不知道會怎麼對付妳？」

「你難道不會保護我嗎？」

他溫柔地撫著她的秀髮，說：「我想要的妳都給我了。妳看，現在這一刻多美啊！當我躺在妳身邊，心中就充滿無比的喜樂。妳用妳的愛充實了我的心，妳就在我心裡，我心裡頭也只有妳。永遠不要離開我。只要能看著妳，我的雙眼便不再需要其他的光了。」

他們輕輕地吻上對方的唇，溫柔一如初戀的情人。

這天上午，帕札爾很晚才下樓辦公。

* * *

奈菲莉正打算出門看診，卻見到一名年輕女子上氣不接下氣地跑來。

「等等，請你等一下！」美鋒的妻子西莉克斯大聲喊著。

背著醫藥箱的驢子聽到她的叫喊聲，便停著不動。

「我丈夫希望馬上見帕札爾法官一面，有急事。」她氣喘吁吁地說。

草紙製造兼販賣商美鋒由於擅長管理，因此被拔擢為穀倉總財務官，後來更晉升為國庫次長。在他有困難的時候，帕札爾曾經出手相助，令他至今仍心存感激。西莉克斯比他年輕得多，一直以來都是奈巴蒙的忠實顧客，他已經成功地為她消除了臉上與臀上的脂肪與贅肉了。美鋒十分堅持，經常與自己在公開場合亮相的妻子一定要是全埃及最美的女人，即使要動手術美容也在所不惜。膚色變淡，五官也更為秀麗的西莉克斯，簡直就像是一個早熟的少女。

「他願意的話，我可以趁著美鋒尚未出發到三角洲之前，帶他到國庫去見美鋒。不過，我想先讓你看個病。」

「妳怎麼了？」

「頭痛得厲害。」

「妳平常都吃什麼？」

「我承認我很愛吃甜食。我最喜歡喝無花果汁和石榴汁，而且還會在點心上面淋上角豆莢果汁。」西莉克斯坦白地回答。

「蔬菜呢？」

「這個我就比較不喜歡了。」

「多吃蔬菜，少吃點甜食，頭痛的情形就會好一點了。妳另外再在局部塗上藥膏。」

奈菲莉給她的藥膏是由蘆葦莖、刺柏、松汁、月桂樹漿果與篤薅香脂磨碎後濃縮，再加入油脂而成。

「我丈夫會好好酬謝妳的。」

「隨他的意思吧。」

「妳願意當我們的醫生嗎？」

「如果你們能接受我的療法，有何不可呢？」

「我和我丈夫都會很高興的。我可以帶法官去了嗎？」

「別把他弄丟囉。」奈菲莉半開玩笑半帶嚴肅地說。

＊　＊　＊

美鋒的工作效率越高，上面交代下來的棘手事務也就越多。他記憶數字與計算速度之驚人，使得上層對他更加倚重。他調到國庫擔任高層公務員才短短幾個星期，便立刻獲得升遷，成為金銀雙院院長的得力助手之一，負責統管全國財政。長官對他真是讚不絕口；他辦事精確、迅速、有條不紊、認真負責，而且睡眠時間極短，每天總是第一個到辦公室，最後一個離開。有人斷言他必定前程似錦。

西莉克斯帶帕札爾來時，美鋒正在向三位書記官口授幾封公函。一見到帕札爾，他立刻上前熱情擁抱，並將手上的工作告一段落，遣退書記官，然後請妻子準備一頓豐盛的餐點。

「我們有個廚子，不過西莉克斯對餐飲的品質要求太高了，一點也不肯馬虎。」

「你好像很忙。」

「我也沒有想到我的新工作竟然這麼刺激。我們還是說說你吧。」

美鋒烏黑的頭髮抹了芳香的髮油後，服順地貼在圓圓的頭頂上。他骨架粗、手腳肥胖，說起話來像機關槍，而且不停地動來動去，似乎一刻也靜不下來，他的腦子裡實在有太多的計劃與煩心的事了。

「前一陣子你受到了磨難，我得知消息的時候，已經太晚了，根本來不及做些什麼。」美鋒滿懷歉意說。

「這不怪你。也只有蘇提才能幫我脫離險境。」

「你認為誰有嫌疑？」

「門殿長老、孟莫西和奈巴蒙。」

「門殿長老應該會辭職。孟莫西那邊比較麻煩，他一定會說自己被騙了。至於奈巴蒙，他會以醫生的職業做掩護，但絕不會就此罷手。」美鋒想了想又說：「你應該沒忘了亞舍將軍吧？他很恨你。那次開庭，你差點使他身敗名裂；不過他的勢力卻絲毫不受動搖，影響力也未曾稍減。他會不會就是幕後的主使者？」

「我已經寫信給首相，要求他繼續調查了。」

「好主意。」

「但是他還沒有答覆。」

「我有信心，巴吉絕不會任由司法遭人踐踏而坐視不理。以你為攻擊目標的敵人最終還是要面對他。」

「就算他不再讓我插手此事，就算我不再是法官，我也要揪出殺死布拉尼的兇手。他的死，我多少要負責任。指控我謀殺他，這真是對我最殘酷的打擊。」

「他們並沒有成功啊，帕札爾！我想見你就是為了表達我對你的支持。不管將來遇到任何苦難，我都會站在你這邊。你想不想搬到比較寬敞的房子去住？」

「我還要等首相的答覆。」

＊　＊　＊

凱姆即使在睡夢中，也會隨時提高警覺。他在遙遠的努比亞所度過的童年與青少年時期，使他養成了獵人特有的敏銳。他的同伴，有多少人就是因為太過自信而在沼澤中、獅爪下喪生？

他由夢中驚醒後，摸了摸木鼻；有時候，他會夢見一種原本沒有生命的物質，卻漸漸動了起來。不過，這次不是作夢，而是真的有人爬上了樓梯。狒狒也睜開了眼睛。凱姆住的地方全是弓箭、劍、短刃和盾牌，因此他在很短的時間內便武裝完畢，就在這個時候，兩名警察闖了進來。他打昏了一個，狒狒則收拾了另一個；然而隨後馬上又衝進了二十來人。

「快逃！」凱姆命令狒狒道。

狒狒看了主人一眼，眼神中有氣惱，也有誓報此仇的承諾。牠閃過突襲的眾人，從窗戶跳到鄰居的屋頂，便消失不見了。

凱姆雖然全力奮戰，仍不免有點左支右絀，最後終於被擒。他被反綁雙手之後，看見孟莫西走進屋中。

警察總長親自在他被綁的雙手上，再戴上杏仁狀的鐐銬。然後微笑著說：「總算是抓到兇手了。」

＊　＊　＊

豹子將藍寶石、綠寶石、黃玉與赤鐵礦的碎屑磨細之後，用一個以蘆葦細莖編成的篩子過篩，再倒入小鍋中，下頭以無花果樹的木材燃燒加熱。最後再加入一點篤蓐香脂，就是珍貴的香膏了。她會把香膏捏造成錐形，用來塗抹頸背、髮飾與頭髮，讓全身都散出香氣。

蘇提發現她的時候，她正聚精會神地看著她的傑作。

「妳這個女魔頭可真是讓我損失慘重，何況我都還沒有想到賺錢的方法呢。偏偏現在我又不能把妳賣給別人當奴隸。」

「你跟一個埃及女人上過床。」

「妳怎麼知道？」

「聞得出來，你身上全是她的味道。」

「帕札爾派給我一項調查工作，可不容易處理。」

「帕札爾，又是帕札爾！他也教你背著我胡搞嗎？」豹子忽然歇斯底里地大吼道。

「我和一個非常了不起的女性談過話，她是孟斐斯最大一家紡織工廠的負責人。」蘇提依舊泰然自若。

「她有什麼……了不起的？她的屁股、她的性器、她的乳房、她的……」

「別這麼庸俗好嗎？」

豹子一怒之下便朝情夫衝了過去，由於力道猛烈，蘇提整個人被緊緊地壓靠在牆上，幾乎不能呼吸。只聽她質問道：「在你的國家，有外遇不是犯法的嗎？」

「我們又沒有結婚。」

「怎麼會沒有？我們已經住在同一個屋簷下了！」

「可是妳是外國人，我們需要訂立合約。我最討厭這些無聊的紙上作業了。」

「你要是不馬上和她斷絕關係，我就殺了你。」

蘇提出力反抗，這次輪到豹子被釘在牆上。

「妳聽好了，豹子。從來沒有人能左右我的行為。如果為了顧及朋友的道義，我必須另娶他人，我也會這麼做的。妳你若不能諒解，就走吧。」

她的眼睛睜得斗大，但沒有流下半滴眼淚。

看來，她勢必要殺了他。

* * *

帕札爾準備以最工整的字體再給首相寫一封信，再度向他強調事態的嚴重，請求身為埃及第一法官的他務必立刻出面。正要下筆時，忽然見到警察總長走進了辦公室。

孟莫西滿面春風地說：「帕札爾法官，你應該跟我說恭喜了。」

「為什麼？」

「我抓到殺害布拉尼的兇手了。」

帕札爾聽到這個消息，依然不改姿勢，盯著孟莫西說道：「這可不是一件小事，不能隨便開玩笑的。」

「我不是開玩笑。」

「是誰？」

「你手下那個努比亞警察凱姆。」

「荒唐。」帕札爾確實覺得荒謬。

「這個人本來就很暴力！你還記得嗎？他以前就殺過人了。」

「你這個指控是非常嚴重的，你有什麼證據可以證明？」

「我有目擊證人。」

「讓他來見我。」

孟莫西卻顯得有些為難——「可惜這是不可能的，而且也沒有用。」

「沒有用？」

「因為已經開庭宣判了。」

帕札爾一楞，隨即站了起來。孟莫西又說：「我這裡有一份由門殿長老簽名的文件。」

帕札爾看了判決書：凱姆被判死刑，目前暫時監禁在大監獄的牢房裡。

「上面沒有證人的名字。」

「這又不重要……反正他看見凱姆殺了布拉尼，而且他也當庭發了誓。」

「到底是誰？」

「算了吧，殺人者償命，這點才是最重要的。」

「孟莫西，你已經失去理智了。以前你絕不敢把這麼不具說服力的文件拿給我看。」

「我不懂……」

帕札爾解釋道：「判決時，被告並不在場。既然程序不合法，判決自然也無效。」

「我幫你找出了真兇，你卻跟我談司法程序！」

「我是在談司法正義。」帕札爾糾正他說。

「你能不能講講理？有時候太一絲不苟反而得不到什麼結果。」

「凱姆的罪證並沒有確立。」

「無所謂，誰會去關心一個犯過罪又遭劓刑的黑鬼？」

若非為了保持法官的尊嚴，帕札爾絕無法控制住心中那股暴力的衝動。卻聽孟莫西又接著說道：

「我對人生的體認比你深。有些犧牲是必要的。你身為法官，就必須以國家、國家的利益與治安為重。」

「凱姆威脅到了這些嗎？」帕札爾反問他說。

「有些事情的內幕揭發了，對你我都沒有好處。奧塞利斯神已經接布拉尼前往正直人士的天堂，罪犯也得到了報應，你還想怎麼樣呢？」

「我要知道真相，孟莫西。」

「那只是你的幻想。」

「真相不白，埃及就會滅亡。」

「會亡的人是你，帕札爾。」

* * *

凱姆並不怕死，但卻非常想念狒狒。他們倆一起工作了這麼多年，情同手足，如今他卻不能再和牠交換默契十足的眼神，也不能再依著牠的直覺行事了。不過，他對狒狒不必受此牢獄之災仍感到欣慰。他所在的牢房像是一個低矮的洞穴，裡面悶熱得叫人喘不過氣來。沒有審判，立即處決！這次他是逃不過了。帕札爾必定來不及插手，而孟莫西也一定會將他的失蹤說成是意外事件，帕札爾恐怕只能在事後哀悼了。

凱姆向來看不起人類。他覺得人就是腐敗、卑鄙、陰險，只配在最後的審判天秤旁，讓惡魔吞噬果腹，這是所有下地獄的人都無法避免的命運。這一輩子唯一值得慶幸的是認識了帕札爾；凱姆打從很早開始便不相信世間有正義公理，但帕札爾卻以實際行動來證明他的想法是錯的。他和他永遠的伴侶奈菲莉完全不顧自身的安危，毫不猶豫便投入了一場未戰先輸的仗。凱姆原希望能幫他到最後，直到謊言再度戰勝並毀滅一切為止。

忽然間，牢房的門開了。

凱姆打直了腰，挺起了胸膛，他不想讓劊子手看到一個打了敗仗的人。他身子一鑽，撥開來人伸出的手，走出了監牢。

陽光很烈，他以為自己眼花了。「這不是……」

帕札爾割斷了凱姆手腕上的繩子，「起訴書無效了，因為實在有太多不合法的地方。現在你自由了。」

巨人般的凱姆一把將法官抱住，差點就讓對方窒息了。「你的麻煩還不夠多啊？怎麼不乾脆就讓我在這地牢裡自生自滅？」

「牢獄生活讓你變弱了嗎？」

「我的狒狒呢？」

「逃跑了。」

「牠會回來的。」這一點凱姆很有把握。

「牠也證實無罪了。門殿長老承認我的抗議有理，因此撤銷了警察總長的指控。」

「我非把孟莫西的脖子扭斷不可。」

「你這樣會犯上殺人罪的。現在還有更重要的事要做，那就是找出陷害你的那個目擊證人。」

凱姆緊握著雙拳，高舉向天，「那個人，留給我收拾！」

帕札爾沒有答話。凱姆重新找回了弓、箭、短木棍和覆著牛皮的木盾，真是欣喜若狂。他開玩笑地又加了一句，「狒狒是個殺手，什麼法律也擋牠不住。」

遭竊的齊阿普斯王棺前，拉美西斯大帝正在靜思冥想。他喉頭像是被什麼東西給梗住了，胸口一陣陣起伏劇痛，他原是全世界最強勢的人，如今竟不得不受制於一群殺人兇手與盜賊。他們奪走了皇室的聖物，使他不再擁有眾神賜予的偉大神力，也因而使他的王權不再合法，他遲早都必須將王位讓給陰謀篡位之人，而埃及歷代祖先所創建的績業也將不保。

這些罪犯針對的並非他一人，而是整個政府的理想與其所代表的傳統價值。這項陰謀若有埃及人參與其中，也必定是受到利比亞人、赫梯人或敘利亞人的蠱惑而從事此惡毒的計劃，以便使埃及從此一蹶不振，並向一步步入侵的外族勢力俯首稱臣。

眾神的遺囑一直由歷任的法老代代相傳，從未有過閃失。如今卻落入了污穢不潔之手。許久以來，拉美西斯一直祈求上天能保佑自己，別讓人民發現此一悲劇，也讓自己盡快找出解決之道。

然而，代表君王的星辰已經開始黯淡了。

下一回的漲水量將會不夠。當然了，穀倉內仍舊有足夠的存糧，再貧困落後的省分也絕不會有人餓死。只不過農民們將被迫休耕，埃及子民也會開始口耳相傳，法老王若再不舉行再生儀式，讓眾神為他灌注新的能量，他已經沒有力量為國人消災解厄了。而這份能量卻只能傳給持有遺囑的合法統治者。

拉美西斯大帝向祖先光之神懇切祈禱，他絕不會輕易認輸的。

* * *

第十一章

帕札爾法官坐在屋前的小板凳上，理髮師揮動著木柄剃刀，銅製刀片俐落地刮過他的臉頰、下巴與頸子。北風在一旁靜靜地看著，勇士則在驢子的蹄間打瞌睡。

這名理髮師也和其他同行一樣多話，「你打扮得這麼光鮮，一定是被傳召進宮了。」

「什麼事都瞞不了你哦？」帕札爾沒有再多說，其實他剛收到首相一封非常簡短的回函，要在這個風和日麗的夏日上午緊急召見他。

「要升官了？」

「不太可能。」

「願眾神保佑你！再怎麼說，好的法官才是祂們的好幫手啊。」

「最好是這樣。」

理髮師把刀片放進盛了天然含水蘇打水的高腳杯中。他後退了幾步，檢視一下自己的成果，然後又小心地剃掉帕札爾下巴上幾根沒有刮乾淨的髭鬚。

「最近，法老的傳令官又頒了幾道奇怪的聖旨；拉美西斯大帝為什麼要一直強調只有他才能對抗不幸的災難？這個全國的人都知道，誰也沒有懷疑。其實說到這個……倒真是有人謠傳說他的力量衰退了。鬣狗喝了河水、漲水量不夠、這個季節三角洲地區又下雨……這些可都是眾神不滿的明顯徵兆啊。有人覺得拉美西斯應該舉行再生儀式以便恢復所有的神力！那樣可就太好了！休息十五天，天天有糧食配給，喝不完的啤酒，還有女孩在街上跳舞……趁國王跟眾神關在廟裡，我們剛好可以盡情享受！」

這些聖旨讓帕札爾覺得奇怪。拉美西斯所懼怕的這幕後黑手是誰呢？他感覺得到法老頒佈這些聖旨是為了自衛，只不過沒有明確指出對手罷了。然而，埃及仍舊十分平靜；除了被帕札爾所粉碎，或至少是部分粉碎的神祕陰謀之外，毫無動亂的跡象。可是神鐵被偷和法老的王位不保，又有什麼關聯呢？

儘管蘇提作證指控亞舍將軍叛國，並與無時無刻不覬覦著富庶之邦埃及的亞洲人勾結，但他並未失去原有的地位。身為軍方最高將領的他，會企圖率軍推翻君主嗎？這個假設的可能性似乎不大。因為這個叛國賊所關心的是個人的得失成敗，他不會去妄想那個他或許承擔不起的統治重擔。

自從老師布拉尼被殺後，帕札爾便失去了方向。他憑空臆測推斷，卻又左右為難，就像驢子馱了重物後，左右擺盪而重心不穩。他雖然找到了對抗亞舍將軍與其同謀嫌疑人的有力證據，卻缺乏敏銳的洞察力，一向為他所敬仰、卻遭人殺害的布拉尼痛苦的表情，一直在他腦中揮之不去。

「太完美了。」理髮師讚道：「到了宮裡，別忘了替我宣傳一下，我希望有機會也能為貴族服務。」

帕札爾隨口便答應了。

接下來，輪到奈菲莉打量他。

頭髮梳得整整齊齊，身子洗淨並噴了香水，纏腰布白潔無瑕，檢查的結果很令人滿意。

「你準備好了嗎？」她問道。

「也該準備好了。我看起來有沒有驚慌的感覺？」

「外表看起來，沒有。」

「首相的信讓我毫無信心。」

「不要抱太大希望就不會失望了。」

「他要是免了我的職務，我還是會堅持請他繼續調查。」

「我們不能讓布拉尼死不瞑目。」她臉上依舊帶著堅定不移的微笑，帕札爾也因而安心不少。

「我好怕，奈菲莉。」

「我也是。但是我們不能退縮。」

＊　＊　＊

法老的九位友人應首相之邀商議了一整個上午；他們個個穿著白色的長褶袍，腰間還裝飾了一個蝴蝶結。經過一番激辯後，終於得到了共識。傳旨官、白色雙院總監、運河官兼水居督、文書總監、農地總監、情報總長、地政書記官與法老總管互相深入交換意見之後，均皆採納了首相驚人的提議。雖然起初眾人都覺得太不實際，甚至十分危險，然而，有鑒於情況緊急、事態嚴重，他們不得不迅速決定，採取非常手段。

帕札爾被傳喚時，法老的九位友人已進入了大法庭；法庭內的白牆上毫無裝飾，光禿禿的一片，眾人在軟墊長石凳上坐定，巴吉坐在正中央，他的座位還多了一個矮矮的椅背。他的頸上戴著一個大大的銅心，這是他唯一佩戴的宗教寶物。腳下則踩著一張豹皮，象徵著征服了野蠻。

帕札爾向儀態莊嚴的九人行了禮，並嗅了土地。只見他們臉色冷漠，實在不是什麼好兆頭。

「起來吧！」巴吉命令道。

帕札爾面對首相站著，承受九雙冷峻且毫不留情的目光真是一項可怕的考驗。首相先開口問道：「帕札爾法官，你是否認為只有伸張司法正義，國家才能強盛？」

「這是我內心最堅定的信念。」

「假如人民不守法，假如人人將法律視為謊言，叛逆將重新抬頭，使得民不聊生，惡魔也將咆哮肆虐。屆時你還會堅持這個信念嗎？」

「你所描述的正是我親身經歷的情況。」

「我收到你的兩封信了，帕札爾法官，我也將信交給了委員會，讓每個委員來評判你的行為。你認為自己忠於職務嗎？」

「我認為我沒有瀆職。我的軀體遭受莫大的折磨，我更體驗了絕望與死亡的滋味，但是法官職務受到侮辱，法官的聲譽受到玷污、遭人踐踏，卻更讓我痛心疾首。」

「如果我告訴你警察總長孟莫西與門殿長老是由本委員會所提名，並經過我的同意任命的，你還會堅持你的指控嗎？」

帕札爾嚥了一下口水，即使證據充分、鐵證如山，像他這樣一個小法官還是不應該向高層挑戰。首相和其他委員都會站在他們親密的工作夥伴那邊的。但是他還是昂首答道：

「無論要付出什麼代價，我都要控告到底。我受陷害被關進牢營，而警察總長完全沒有認真求證，門殿長老也隱瞞真相。他們一心想除掉我，以免我繼續調查布拉尼的謀殺案、五名退役軍人的神祕死因以及神鐵的失竊案。各位法老的友人們，讓我來告訴你們這個驚人的真相吧。如今腐化墮落之氣已傾巢而出，並腐蝕了國家的一部分。若再不立刻將壞死的部分切除，病毒很快便會蔓延到各處了。」

帕札爾說完，沒有垂下雙眼，反而與首相的眼神對峙著，很少有人敢像他這麼大膽。

「不少優秀的法官都因為太過急躁或是不肯妥協而耽誤了前程。」巴吉說道：「如果有兩條路讓你選擇，你會選成功的事業或者伸張司法？」

「為什麼二者不能並行？」

「因為人類的生活方式很難與瑪特的法則協調平衡。」

「我已經發誓將一生奉獻給瑪特了。」

首相沉默了許久，帕札爾知道他就要做最後的宣判。

「傳旨官、法老總管與本人一起研究過案情、進行訊問，最後獲得了一致的結論。門殿長老確實犯了嚴重的過失。念在他年紀已大，並為司法奉獻多年，因此判他流放卡吉綠洲，獨自一人沉思悔過，終生不得返回河谷。這樣你滿意了嗎？」

「我為什麼要為了一個法官不幸遭到貶黜而高興呢？」

「判決是一種責任。」巴吉提醒道。

「繼續調查也是一種責任。」

「我決定把這項責任交給下一任的門殿長老，也就是你，帕札爾。」

帕札爾臉色反白，不敢置信地說：「我還這麼年輕……」

「『長老』兩個字的尊榮不在於年資的長短，而是我們這九人委員會對你的能力的認同。莫非你覺得責任過於重大，不願意承擔？」

「我只是沒有想到……」

「命運的腳步向來迅速無比，就像一隻衝向河水的鱷魚一般。你願意接受嗎？」

帕札爾將交合的雙手高高舉起以表敬意，也同時接受了這項任命。然後他又行了個禮。

「身為門殿法官，」巴吉宣佈道：「你沒有任何權利，你只有責任。但願托特神能導正你的思想，引領你的判斷，因為只有祂能讓人避免卑鄙的行徑。你要認清你的身分，要以此為傲，但切忌狂妄自大。要讓別人尊敬你，要謙沖為懷，要盡力助人。切勿鬆開繫舵的繩索，要成為所有法官的支柱，並且要親良善、遠邪惡。絕不說謊，不輕浮，不慌亂，不貪心。要懂得藉助天光之神拉神之眼，洞視受審者的內心。現在伸出你的右手，把手張開。」

帕札爾照做了。

「這是你的印戒。凡是你蓋了章的公文，你就必須負責任。從今以後，你將坐鎮神廟門殿，為司法伸張正義，為弱者主持公道。你必須讓孟斐斯市民遵守法令、繳納稅金，讓農地耕作與糧食運輸一切順利。必要的話，你將主持最高法庭的開庭程序。在任何情況下，你都不能只聽信一面之詞，你要能洞悉人心。」

「既然你提到了司法正義，那麼施展詭計、罪無可逭的警察總長孟莫西，該由誰來處置呢？」帕札爾大膽地問道。

「希望你調查清楚，並仔細列舉出他的過失。」

「我保證絕不操之過急，一切一定按部就班。」

此時傳旨官站了起來，「我謹代表委員會證實首相大人的決定。自即時起，帕札爾正式成為埃及的門殿長老，並將配給得一間官邸、一些家產、僕人、辦公室與下屬職員。」

接著輪到雙院總監起身宣佈，「依法，門殿長老對於其產業上一切不公平的決定，須全權負責。賠償原告的款項也必須由長老本身支付，而不得動用公款。」

突然間，首相發出了異乎尋常的呻吟聲，大家都轉過頭去看他。

只見他一隻手按住右腹，另一隻手則緊抓著椅背想要站穩，但仍然倒了下去，再也動彈不得。

* * *

當奈菲莉看見帕札爾滿頭大汗地跑來，眼神中充滿憂慮時，她還以為他是從皇宮逃了出來的。

「首相身體不舒服。」他緊張地對妻子說。

「御醫長在嗎？」

「奈巴蒙也病了，他的助手們又不敢擅自治療。」

奈菲莉於是戴上了手鐲，把醫藥箱放到北風的背上，旋即出發。

巴吉躺在軟墊上，奈菲莉為他聽診，她仔細地聽了他胸口、靜脈與動脈的心跳聲。她發現他體內有兩股氣，右側的那一股溫熱，左側那一股則是冰涼。他的病情十分嚴重，病毒已經遍及全身了。她利用手腕上的計時器計算了病人心跳的速度，以及重要器官的反應時間。

官員們焦急地等待著診斷的結果。

「這個病我知道，我會為他治療。」奈菲莉說道：「他的肝臟已受感染，血管有阻塞的跡象。連結心臟與肝臟的肝動脈與膽總管，情況都不太好，血管內流動的血液太黏稠了，無法供應足夠的水與氧氣。」

奈菲莉讓患者喝了一點神廟裡所種的菊苣的汁液。菊苣有著大大的藍色花朵，一到中午就會閉合，植物本身具有多項療效；加入少許的陳年酒之後，便可治療多種肝膽疾病。奈菲莉對阻塞的器官施行動物磁氣感應後，首相醒了過來，但臉色仍極為蒼白，並且開始嘔吐。

奈菲莉又讓他喝了幾杯菊苣汁，直到他能吸收為止；最後他終於復原了。

「肝臟已經打開，而且清洗乾淨了。」她解說道。

「妳是誰？」巴吉問道。

「我是奈菲莉醫師，帕札爾法官的妻子。你應該多注意飲食，每天喝一點菊苣汁。為了避免這種可能危及生命的梗塞現象，你要喝以無花果、葡萄、分割開的埃及無花果果實、瀉根種子、酪梨、樹膠與樹脂調成的藥水。我會親自為你調配的，因為這種藥水必須放在屋外承受露水，然後在清晨過濾出來。」

「妳救了我一命。」

「這是醫生該做的，而且我們的運氣都很好。」

「妳在哪裡執業？」

「孟斐斯。」

首相站起身來。雖然雙腳沉重，頭也痛得厲害，他還是勉強走了幾步。

奈菲莉一邊扶著他坐下，一邊說道：「你一定要多休息。奈巴蒙會為你……」

「我要妳替我診療。」

* * *

一個星期過後，首相巴吉完全康復了，他給了新任的門殿長老一方石灰岩碑，碑上刻了三對耳朵，一對深藍色，一對黃色，還有一對淡綠色。這三對不同顏色的耳朵分別代表了由智慧之星所治理的藍天、構成神祇肉體的黃金，與象徵愛的綠松石；也披露了孟斐斯大法官的職責：要傾聽原告的控訴、要尊重神祇的旨意、要寬大而不懦弱。

用心傾聽是教育的根本，也是法官最重要的職業道德。在新長老就任典禮上，帕札爾在所有法官的注視下，表情嚴肅而專注地接過石碑，並將石碑舉高齊眉。

奈菲莉則不禁喜極而泣。

第十二章

門殿長老官邸所在之區十分樸實，大多是一些工匠和小公務員居住的三層白色小樓房，帕札爾小倆口看了直是讚嘆不已。這間屋子幾天前才完工，原本是替另一位要人蓋的，但由於價碼談不攏，一直沒有人住進來。屋型狹長，上有平頂，共有八間房間，牆上的壁畫畫的是五顏六色的鳥兒在紙莎草叢中嬉戲的景象。

帕札爾不敢進屋去。他滯留在家禽圈子裡，看著一名雇工填餵鵝；裝點著幾朵藍色蓮花的水池裡，有鴨子在撲水。棚子底下，兩個負責餵養家禽的男孩正自酣睡著。屋舍的新主人並沒有叫醒他們。奈菲莉也很高興能夠過得如此富裕。她注視著這片被蚯蚓鑽得鬆鬆的肥沃土壤，蚯蚓留下的排泄物剛好是穀物最佳的天然肥料。農夫們都知道蚯蚓的好處，誰也不會去殺死牠們。

勇士第一個衝進美麗的花園，北風也立刻跟了進去。北風蹲坐在一棵石榴樹下，這種樹的美是最持久的，因為舊花一凋謝，便馬上有新花綻開。勇士則偏愛埃及無花果樹，因為樹梢葉子的沙沙聲讓牠想起了甜甜的蜂蜜。奈菲莉輕輕撫摸著細枝與那些有紅有綠的果實，並把丈夫拉到身邊，兩人一起站在樹下，猶如受到藍天女神的庇護一般。他們興奮地看著一排由敘利亞進口的無花果樹，和一個蘆葦搭蓋的涼亭，他們以後就可以在這裡欣賞夕陽美景了。

這份寧謐平靜卻很快就結束了；奈菲莉的綠猴小淘氣發出了一聲痛苦的尖叫，然後跳入女主人的懷裡。牠羞愧地向主人伸出腳掌，只見掌中嵌了一根金合歡的刺。傷口恐怕不能輕忽；要是異物停留在皮下的時間太久，最後很容易引起內出血，很多醫生也曾因而束手無策呢。北風不待主人叫喚，便自行走了過來。奈菲莉從藥箱中拿出一把解剖刀，小心翼翼地將刺剔除，然後再以蜂蜜、藥西瓜、磨碎的墨魚刺與研磨成粉的埃及無花果樹皮調製而成的藥膏塗抹傷口。要是有發炎的現象，再用硫化砷來治療。不過，小淘氣似乎並沒有感到太痛苦；刺一拔除，牠馬上就爬到一棵棕櫚椰棗樹上找吃的了。

「我們進去吧。」奈菲莉建議道。

「現在可不能開玩笑了。」

「什麼意思？」奈菲莉不解地問。

「我們的確是結了婚，但是當時我們一無所有。現在情況不同了。」

「你已經厭煩了？」

「醫生，妳別忘了是我把妳從平靜的生活中拉出來的。」

「我記得好像不是這樣；不是我先找上你的嗎？」

「我們本來可以肩並肩坐著，和一群親友們一起看著衣箱、器皿、梳洗用具、拖鞋等等等等的，從我們眼前一樣一樣地運過去！妳本來也可以坐著花轎、穿著新娘裝，在笛子與鈴鼓的樂聲中歡喜出嫁的。」

「我寧願像現在這樣，就我們兩個人，安安靜靜的，也不要有什麼排場。」奈菲莉認真地說。

「我們一走進這間屋子，就得負起責任了。上級也會責備我，沒有立下一份保障妳未來的合約。」

「你是誠心誠意向我求婚的嗎？」

「我要依法行事。我，帕札爾，願將我全部財產給予妳，奈菲莉，妳亦可保留原名。既然我們決定住在同一個屋簷下，也就等於結了婚，將來假如離異，我必須對妳有所補償。即日起，我們兩人的所有收入依法將有三分之一歸屬於妳，而我也必須提供妳的衣食需求。其餘，則由法庭公斷。」

「我必須向門殿長老坦承，我已經瘋狂地愛上一個男人了，我絕對堅持要跟隨著他直到我嚥下最後一口氣。」

「參觀之前，我要糾正一點：是我瘋狂地愛上了妳。」

「別說了，參觀房子吧。」

「也許吧，但是法律……」

他二人相擁著走進了新家。

第一間房間又小又矮，專供祭祖之用，他們在這裡靜坐了好久，默默地懷念著遭人殺害的恩師布拉尼。接著，他們參觀了會客室、臥室、廚房與備有陶土管路裝置與石灰岩便桶的廁所。

浴室設備更讓他們嘆為觀止。成直角鋪設的石灰岩地板兩邊，各有一張長磚椅，男女僕役便可站在椅子上為想要淋浴的主人潑水。磚牆外層並覆上了石灰岩塊，以免磚塊受潮。此外地面還稍呈傾斜，讓水可以往低處流向排水管口，然後經由深埋在地底下的陶管排出。

臥室的通風良好，裡面擺了一張實心烏木大床，床腳雕刻成獅爪的形狀，床上還搭了一面蚊帳。床緣則刻有專司睡眠、使人入睡後能做好夢的貝斯神愉快的面容。帕札爾不斷地撫視著由植物編成繩索後製成的床繃，質地實在太好了。床架上為數不少的橫木由於排列方式特殊，因此能夠長時間支撐著極重的重量。

床頭放著一件白色的亞麻洋裝，這種布料既可做新娘禮服也可做為裹屍布。

「我真沒有想到這一輩子能有機會睡這樣的床。」

「那你還等什麼？」妻子調侃地問。

子。

她將那幅珍貴的布帛攤在床上，脫掉衣服，躺了上去。她全身赤裸，愉快地迎接帕札爾的身

「這個時刻太美妙了，我永遠也忘不了；你的眼神已將剎那變成了永恆。不要離開我；我就像是屬於你的花園，因你而百花盛開、花香四溢。當我們合而為一的那一刻，死亡便不存在了。」

* * *

翌日清晨，帕札爾便懷念起了當初住的那間小屋子，而且也明白了為何巴吉選擇市中心的簡樸住宅。的確，這裡多的是蘆葦做成的刷子和掃帚，想要做一番徹底的打掃並不難，然而要使用這些清掃用具卻也需要一雙巧手。他和奈菲莉都沒有時間做這項工作，也不可能去求助於園丁或餵養家禽的工人，這原本就不是他們分內的工作。卻也沒有人想到去請個女傭。

奈菲莉和北風一大早就出發到皇宮去了；首相希望在第一次開庭前，讓醫生診斷一下。沒有書記官，沒有員工與僕役，新任的門殿長老面對這個過於廣闊的家業，可真是一個頭兩個大。先賢以妻子為「屋子的主人」的確是有道理的。

園丁向他介紹了一位五十多歲的女人，她專門為人手不夠的地主們解決問題；工作六天，酬勞則不得少於八頭羊和兩件新衣！明知這麼大一筆開銷，肯定會讓小倆口的收支不平衡，帕札爾卻不得不接受，至少就苦撐到奈菲莉回來吧。

* * *

蘇提吃驚地睜大了眼睛，敲敲牆面，「好像是真的。」

「最近才蓋好的，不過品質很不錯。」

「我以為我是全埃及最會開玩笑的人，沒想到比起你來還差那麼一大截。老實說，這間別墅誰借給你的？」

「國家。」帕札爾答道。

「你還要繼續假裝是門殿長老？」

「你要是不相信我的話，去問奈菲莉。」

「她跟你根本是一夥兒的。」

「去皇宮問啊。」

蘇提這才半信半疑地問道：「誰任命的？」

「以首相為首的法老的九位友人。」

「這個老傢伙巴吉真的鐵面無私到這種地步？他真的把你前任那個受人敬仰、聲譽完美無瑕的門殿長老撤職了？」

「瑕疵是有的。巴吉和其他委員都是依法行事。」

「真是奇蹟、美夢成真了……」

「我的簽呈發生效力了。」

「為什麼任命你擔任這麼重要的職務？」

「這一點我也想過。」帕札爾點點頭說。

「結果呢？」

「假設委員會中有人懷疑亞舍將軍，也有人相信他的清白；那麼就讓最初掀開第一層神祕面紗的法官，來繼續這項越來越危險的任務。當調查結果出來之後，無論是要責備我或恭喜我，都方便多了。」

「你倒也不像我想的那麼笨。」

帕札爾繼續說道：「他們這種想法是合乎埃及法令制度的，所以我並不覺得驚訝。既然是我起的頭，我就該讓事件圓滿結束，否則我也只不過是個製造事端的破壞分子罷了。我還有什麼好抱怨的呢？上級給了我意想不到的幫助。布拉尼的靈魂會保佑我。」

「別太依賴死去的人。靠我和凱姆，你會更安全。」

「你覺得我有危險？」

「越來越危險了。通常，門殿長老都是上了年紀、行事謹慎的人，不會冒任何危險，只是盡情享受自己的特權。總之，跟你完全不一樣。」

「我有什麼辦法？這是命運。」帕札爾聳了聳肩。

「我可能不像你這麼瘋狂，不過我也很高興。這樣一來，你可以抓到殺死布拉尼的兇手，我也可以摘下亞舍的人頭。」

「塔佩妮女士怎麼樣呢？」

一聽到塔佩妮的名字，蘇提精神隨之一振。「這個情婦太棒了！她雖然比不上豹子，不過想像力豐富得不得了。昨天下午，正當關鍵時刻，我們從床上跌了下來。一般的女人一定會就此罷休，她卻不然。雖然我有點力不從心，卻得勉強撐下去。」

「在此致上我的欽佩之意。不過換個比較不刺激的話題吧！她透露些什麼沒有？」

「你這個人真是不懂得調情。我要是一開口就問她問題，保證她像中午的紫茉莉一樣，馬上就閉合起來。不過，我們已經開始提到那些紡織手藝出眾的女子了。其中有一些是使針的能手。我已經漸漸接近目標了，我感覺得出來！」

*　*　*

她終於在北風的帶領下回來了。勇士見到驢子回來，高興地汪汪叫個不停，然後兩個好夥伴便一塊兒享用餐點，一個啃牛排，一個嚼新鮮苜蓿。至於小淘氣已經不餓了，牠的肚子裡早已裝滿果園裡偷採的水果，現在牠只想好好的休息。

奈菲莉依然容光煥發，疲勞和憂慮都對她起不了作用。有時候，帕札爾還真覺得不配有這樣一個妻子。

「首相的病情如何？」

「好多了，不過在他有生之年都必須持續治療。他的肝臟和膽囊都壞了，所以我實在沒有把握能治好他疲勞時雙腿腫脹的情形。他應該多走動走動，不要整天都坐著，應該多呼吸野外的新鮮空氣。」

「這是不可能的事。他跟妳提起奈巴蒙了嗎？」

「御醫長生病了。狒狒警察當初出手相助，似乎留下了難以恢復的傷痕。」

「有必要同情他嗎？」

夫妻倆正說著，就被北風的叫聲給打斷了。原來餵牠的草料放得不夠。

「我實在應付不來，」帕札爾坦承道：「我用天價請了一名臨時女傭，因為這間大房子真的讓我束手無策。沒有廚子，園丁也不聽指揮，我又不會用這些不同的刷子，公文一團亂，又沒有書記官，我……」

他話還沒說完，就被奈菲莉的吻給封住了口。

第十三章

美鋒穿著一條上了漿的前叉式纏腰布、一件打了褶子的長袖襯衫，開心地向奈菲莉和帕札爾道喜。

「這次我要以最直接的方式幫助你們了。中央行政機關改組後的辦公室分配，由我負責。你既然身為門殿長老，自然有優先權。」

「我不能享受任何特權。」

「這不是特權。這完全是合乎規定的支配權，這樣你不但可以有效控制一切文件，我們也可以一塊兒在寬闊的地方辦公了。讓我為我們辦公的效率盡一份心意吧！」

朝中上下大臣對於美鋒竄升的速度無不感到驚愕，但卻沒有人有所批評。他使得原本一成不變的公家機關有了全新的面貌，淘汰了懶散或不足以勝任的公務員，並努力不懈地解決日復一日不斷出現的技術問題。由於做事過於急切，下屬便經常受到責罵。有些官宦人家的子弟雖然瞧不起他貧賤的出身，卻也得乖乖聽話，否則隨時可能被開除。無論遇到什麼困難，美鋒都絕不氣餒；他是把自己的潛能發揮到極至，憑著堅忍不拔的精神，再大的問題也能一一克服。長久以來，許多大地主對公共財產一直都漠不關心，經常逃漏木材稅，也多虧了美鋒才能使得稅收恢復正常，這可說是大功一件。至於稅收作業的重整過程，美鋒自然不忘借重帕札爾的司法專業。每當有了無法解決的難題時，由美鋒出面便也順理成章了。

帕札爾對這位重量級的盟友，的確十分感激。所幸有他，自己才能躲過無數的陷阱。

「我妻子的身體已經好多了。」美鋒向奈菲莉說：「她很感激妳，也早把妳當作朋友了。」

「她還會頭痛嗎？」

「比較少了。每次一發作，她就會抹你給的藥膏：簡直像仙丹一樣！不過西莉克斯就是不聽妳的勸，還是那麼貪吃。我把石榴汁和蜂蜜藏起來，她就會自己偷偷去買角豆莢果汁，甚至無花果汁。不只是妳，就連解夢師也要她少吃甜食。」

「如果意志不堅，吃什麼藥都沒用。」

美鋒苦笑了一下，「我的腳趾也痛了一個禮拜了。有時候連穿鞋都有困難。」

奈菲莉看了他那雙胖呼呼的小腳後，說道：「你用牛油加金合歡樹葉煮沸後，搗成糊狀，塗抹在疼痛處。如果沒有效的話，再來找我。」

奈菲莉有模有樣地指揮著女僕，看來她理家已經頗有心得了。不久，她即將在住家的一角開一間診所。她在皇宮裡的名氣也越來越大；治癒首相的她當然也為自己打響了名號，看在宮裡那群由於奈巴蒙不在而動彈不得的醫生眼裡，可真是又忌又羨。

「這間房子真美。」美鋒一邊吃著西瓜，一邊讚道。

「要不是有奈菲莉，我可住不起。」

「要有野心一點，親愛的帕札爾！你的夫人非常特別，小心招忌。」

「光是一個奈巴蒙就夠我受的了。」

「他現在只是暫時按兵不動。你和奈菲莉讓他受到羞辱，他一定會想辦法報復。當然，以你現在的地位，他行動起來會困難一點。」

「對於最近頒布的聖旨，你有什麼看法？」帕札爾換了個話題。

「不可解。國王為什麼要一再強調自己的權力呢？沒有人會否定啊。」

「最近一次的漲水，水量並不理想，還有一隻鬣狗跑到運河邊喝水，幾名婦人則產下了畸形兒……」

「老百姓的迷信罷了！」

雖然美鋒對這些說法嗤之以鼻，帕札爾卻是寧信其有，「有時候卻也是很可怕的。」

「所以國家的公僕必須出面證明這些全是沒有根據的謠言。你打算繼續調查亞舍一案，並繼續追查退役軍人的離奇死因嗎？」

「這不正是我擔任門殿長老的主要任務嗎？」

「宮裡很多人都希望淡忘這些慘痛的事件。我很高興事情的發展並不如他們所願。」

「瑪特女神總是面帶微笑，但卻也絕不容情。只要不背叛祂，祂就是你的幸福泉源。如果不找出真相，我將窒息而死。」

美鋒的聲音頓時顯得黯然，「亞舍那邊毫無動靜，我有點擔心。他是個粗暴的人，一向主張以暴力解決問題。得知你升遷的消息，他應該會有明顯的反應才是。」

「他的陰謀伎倆難道不會用盡？」

「當然會，不過你也不要高興得太早。」

「我不是這樣的人。」

「如今你不再是孤家寡人一個了，可是敵人卻沒有消失。以後我有什麼消息，一定會告訴你的。」

＊　　＊　　＊

兩個星期以來，帕札爾每天忙得暈頭轉向。他要調閱門殿長老大量的檔案；要監督生黏土、石灰岩與木質書板、訴狀草稿、傢俱清單、公文、蓋了章的草莎紙軸、文具等等的分類，要注意薪水的支付與調整，要審查延宕的訴訟案，還要更正許多行政上的疏失。工作量之大雖然讓他心驚，不過他仍毫無怨言，很快地下屬們便都對他心服口服，言聽計從了。他每天早上都會和美鋒交換意見，美鋒也都會提出一些寶貴的建議。

正當帕札爾忙著處理一件棘手的土地問題時，忽然出現了一個臉色紅潤而肥胖的書記官。帕札爾驚喜地喊道：「亞洛！這陣子你跑到哪兒去了？」

「我女兒會成為職業舞者，這是一定的。可是我妻子不答應，我只好離婚了。」

「你什麼時候回來工作？」

「我不屬於這裡。」亞洛搖著頭說。

「怎麼會呢？一個好的書記官……」

話還沒說完，亞洛便接著解釋：「你已經成了大人物了。在這些辦公室裡，書記官都有很多工作，上下班時間也很嚴格。這對我來說不方便。我寧願好好地為女兒的將來作準備。在她與合格的舞團簽約之前，我要帶著她巡迴各省，到舉辦喜慶宴會的各個村落去表演。我可憐的女兒需要有人保護。」

「你已經決定了？」

亞洛不諱言地說：「你太認真了，遲早會和一些有權有勢的人起衝突。我還是趁早放棄我的手杖、我的制服和我的墓碑，離這些悲慘的事件與衝突遠一點的好。」

「你確定這樣做就能逃得了嗎？」

「我的女兒很尊重我，她會永遠聽我的話。我會讓她幸福的。」

＊　＊　＊

戴尼斯大獲全勝後，不禁沾沾自喜。這場仗打得著實辛苦，全賴妻子動用了一切關係，他才能從無數競爭者當中脫穎而出，並冷眼旁觀對手慘遭失敗後的痛苦。也就是說，為新任門殿長老所舉行的賀宴將由戴尼斯與妮諾法夫婦負責籌辦。這位運輸商的周旋能力加上妻子的說服力，再度使他二人成了孟斐斯市上流人士聚會典禮上的主人。帕札爾接任門殿長老的消息，實在太出人意表，因此更應該好好慶祝一番，而與會的名流也將以最體面的打扮出席，以便與他人一較高低。

帕札爾本人則是興致缺缺。

「這種盛會，我實在沒興趣。」他老實地對奈菲莉說。

「這是為你辦的賀宴啊，親愛的。」

「我寧願和妳慶祝就好了。我的職務可不包括這類的社交活動。」

「我們已經婉拒了所有達官貴人的邀約了；但是這次卻是正式的宴會。」

「這個戴尼斯膽子可真不小！他明知我懷疑他參與了一項陰謀計劃，卻還敢這麼興高采烈地舉辦宴會。」

「這正是哄騙你的絕佳策略。」

「妳覺得他會成功嗎？」

奈菲莉的笑聲讓他感到意亂情迷。她真是太美了！合身的洋裝，使她豐滿的胸部曲線畢露；略帶天青色的黑色假髮，襯托得脂粉未施的臉龐更顯雅致。她就是青春、優雅與愛的化身！

他將她擁入懷中，「我真想把你關起來。」

「你會嫉妒？」

「要是有人敢多看你一眼，我就掐死他。」

「門殿長老啊！你怎麼說得出這麼恐怖的話呢？」

帕札爾拿起一條腰帶緊緊繫住了奈菲莉的腰；腰帶是用紫水晶珠子串成的，還有幾個以金子壓出的豹首圖案作裝飾。

「即使我們破產了，妳仍是最美的一個。」

「你恐怕是想引誘我吧。」

「被妳你識破了。」

帕札爾邊說邊褪下妻子洋裝的右肩帶，但是奈菲莉卻阻止道：「我們已經要遲到了。」

* * *

妮諾法夫人在穿上宴會禮服之前，先到廚房去轉了一圈；廚房裡有幾枝分叉桿上架著一柄長竿，竿子上吊著幾塊牛肉，是廚師們剛剛屠宰完現在正準備烹飪用的。她親自挑選用烤的、用燜的部分，順便嚐嚐醬料，還去查看了幾十隻烤鵝來不來得及上桌。然後她又到地窖去，看看總管準備的葡萄酒與啤酒。確定菜色與飲料都符合標準之後，妮諾法才去檢查宴會廳，廳裡僕人們正忙著將金杯、銀碟與大理石盤擺上低矮的餐桌。整棟別墅都充滿了茉莉與蓮花的香氣。這次的宴會將令人永難忘懷。

賓客到達的一個小時前，園丁才從樹上摘下水果，以便保持其新鮮美味；並有一名書記官負責登記送到宴會廳中的酒罈數目，以免產生舞弊的情形。園丁長四處巡視，看看徑道是否整潔，而門房則拉拉纏腰布、調整假髮，整理著自己的儀容。他身為整棟別墅區的守衛，須得嚴加戒備，只有他認識的人或持有邀請帖的人才能進入。

正當太陽即將緩緩落下西山時，第一對賓客來了。門房認出他們是一名皇家書記官與他的妻子，不久，全市的上流名人亦陸續到來。賓客們漫步於種植了石榴樹、無花果樹與埃及無花果樹的庭園中，在水池邊、藤架下或木亭內天南地北地聊著，並欣賞著園徑交叉處所精心擺設陳列的花束。今天除了有從不參加任何宴會的首相巴吉蒞臨之外，還有法老王的幾位友人亦會盛裝參與。

就在日輪整個隱沒之際，僕人們立刻點上了燈，照得花園與別墅一片通明。妮諾法夫人與戴尼斯也隨後出現在入口處。女主人戴著厚重的假髮，穿著金色鑲邊的白洋裝，胸前一條串了十排珠子的項鍊，耳邊一副羚羊形狀的耳環，腳上還有一雙金光閃閃的鞋子；而男主人則戴了一頂色彩由深而淡的假髮，長褶袍外並罩著一件短披肩，腳底下穿的是銀邊高跟皮鞋。夫妻倆打扮時髦，的確是極為稱頭的宴會主人，能夠以此展現財富並吸引眾人羨慕的眼光，他們何樂而不為呢？

按照禮儀，首相率先向主人夫婦走去。他雙腳依然沉重，步行不易，因此只穿了磨損的舊鞋、寬鬆卻不甚優雅的纏腰布和一件寬大的短袖白上衣。

妮諾法夫人與戴尼斯十分高興地向他行禮招呼。

「好熱啊。」首相抱怨道：「也只有冬天的氣候還舒服點。我只要在太陽底下待上幾分鐘，皮膚就開始發燙了。」

「如果你想在宴會開始前先涼快一下，盡可以到我們的水池裡泡泡水，不要客氣。」戴尼斯建議道。

「我不會游泳，而且我怕水。」

於是宴會主人便帶領著首相坐上貴賓席位。接著法老的朋友們、上流顯貴、其他的皇家書記官，以及今晚有幸受邀參加年度盛會的各階層人士，也都依序就座。美鋒與西莉克斯也在受邀的行列之中，妮諾法卻只是淡淡地向他們打招呼。

「亞舍將軍會來嗎？」戴尼斯悄聲地問妻子。

「他臨時有任務，不能來了。」

「警察總長孟莫西呢？」

「他身體不舒服。」

以藤葉裝飾著天花板的宴會廳中，賓客們舒舒服服地坐在襯有軟墊的扶手椅上。椅子前的小圓桌上擺了各式各樣的杯、碟、盤。一支由三名女子組成的小樂隊，正以笛子、豎琴與詩琴演奏著輕快的曲調。

有幾個赤裸身子的努比亞小女孩穿梭在賓客之間，並在每個人的假髮上放一個小圓錐狀的香蠟，蠟融化後會散發出芳香，有驅逐蚊蟲的功效。同時還發給每個客人一朵蓮花。一名祭司在大廳中央的祭桌上灑了水，用以淨化食物。

這時，妮諾法夫人發現這次賀宴的主要人物怎麼還沒有出現，「竟然遲到這麼久，真不可思議！」

丈夫用輕鬆的口吻安撫她，「不用擔心，帕札爾是個工作狂，一定是處理公文耽擱了。」

「今天是什麼日子啊！貴賓都不耐煩了，也該開始上菜了。」

「別這麼激動。」

妮諾法深感厭煩，便提早讓孟斐斯的頂尖職業舞者入場表演。這名舞者現年二十，是孟斐斯最著名的啤酒店老板娘莎芭布的學生。她全身只繫了一條貝殼腰帶，每舞一步，貝殼便會發出清脆的碰撞聲。她左側大腿上有幾個貝斯神的刺青，這個留著鬍子、矮小又快活的神祇，隨時隨地都能為世人帶來歡樂。女舞者很快便吸引了全場的注意；她不斷做出極高難度的舞姿，直到帕札爾與奈菲莉現身。

賓客們先吃了一點葡萄與甜瓜切片開開胃，正當妮諾法越來越氣憤不耐時，忽然聽見大門口傳來一陣騷動。他們總算來了！

「快進來！」

「對不起。」帕札爾向主人道歉，然而他又該怎麼開口解釋，說他控制不了為奈菲莉褪衣的欲望，說他內心的激情讓他不自主的扯斷了妻子的肩帶，說他最後終於讓妻子忘了時間的緊迫？奈菲莉在亂髮蓬鬆之餘，只得匆忙再挑一件衣服，並且努力地說服帕札爾離開他們雲雨交歡的床笫。

當他們夫妻二人來到宴會廳口時，女舞者便退了下去，女樂師也不再演奏了。霎時，立刻有數十道目光直直地打量著他們。

帕札爾沒有刻意打扮：短短的假髮，打著赤膊，短短的纏腰布，看起來簡直像是金字塔時期生活刻苦的書記官。唯一稍稍趕得上流行的只有纏腰布前叉打褶的樣式，但依然不減樸實的特色。這一身的穿著倒是和他嚴峻的聲名頗為相符。有一些嗜賭成性的人紛紛下注，打賭他什麼時候會跟其他人一樣走向腐敗之路。另外還有一些人的心情則不那麼輕鬆，他們想到門殿長老所擁有的權限，便不由得擔心帕札爾太過於年輕，難保不會產生濫用職權的後果。首相的決定開始遭受批評，大家認為他越來越不認真，職權的分配也太草率了。還有許多朝臣甚至力勸拉美西斯大帝將他撤換掉，起用另一名經驗豐富、辦事積極的行政官。

奈菲莉所得到的評論就大不相同了。她用簡單的花飾髮帶繫住了長髮，大大的項鍊貼掩在胸前，一雙輕巧的蓮花耳環，手腕和腳踝上都戴著環鍊，一襲透明的長袍，使得她曼妙的身材更加醒目：看著她，即使再遲鈍的人也會砰然心動，再暴戾的人也會變得溫和。除了年輕與美貌之外，在她充滿笑意卻不帶一絲輕蔑的眼神中，還閃耀著智慧的光芒。每個人都看得出來，她的魅力之中並帶有一種堅毅的性格，幾乎是沒有人能輕易動搖的。像她這樣的人怎麼會迷戀上一個固執而不知變通，根本無法保障她未來的小法官呢？不錯，他現在是顯赫了，但是好光景不會持續太久的。這種根基不穩固的愛情火花遲早會熄滅，而奈菲莉也會重新挑選更傑出的夫婿。儘管可憐的御醫長奈巴蒙失敗了，總會有另一人成功。有幾個年紀稍長的貴婦，對於大法官的妻子穿著如此大膽感到痛惜，她們卻不知道其實她也沒有其他衣服可穿了。

門殿長老夫婦在首相兩旁坐了下來。僕人趕緊為他們端來烤牛肉片，並盛上上等紅酒。

「你的夫人不舒服嗎？」奈菲莉探問道。

「不是的，只是她從不出門。她只要守著她的廚房、孩子和住家，就心滿意足了。」

「這麼大的一間別墅，我實在覺得受之有愧。」帕札爾老實地說。

「你錯了。我之所以拒絕法老分配給首相的宅邸，是因為我討厭鄉下。我已經在同一個地方住了四十年，我並不想搬家。而且我喜歡都市生活，不論是露天的環境、各種昆蟲或一望無際的鄉野，都對我毫無吸引力，甚至還會讓我不舒服。」

「不過我身為醫生，還是要勸你盡量多走動。」奈菲莉提醒他說。

「我都走路上下班啊。」

「你也需要多休息。」

「等我的孩子們情況穩定後，我就會減少工作量。」

「有什麼煩惱嗎？」

「我女兒還好。唯一讓我有點失望的是，她原本已經進入哈朵爾神廟當紡織學徒了，但是她卻不適應廟中規律的宗教生活。現在，她在一個農場上當穀類統計員，也打算就此發展下去。我兒子就比較麻煩了；他只對玩跳棋有興趣，他鑑定熟磚所得來的薪水，有一大半都花在跳棋上了。幸好他住在家裡，有他母親養他。他要是想靠我的關係求發展，可就大錯特錯了。因為我無權這麼做，我也不想這麼做。希望這些拉拉雜雜的問題不會嚇著妳；其實養育下一代是人生最大的福氣。」

精緻的餐點與美酒使所有的賓客陶醉不已，酒酣耳熱之際不斷交換著無聊的話題，直到門殿長老高聲發表簡短的聲明時，大夥兒才彷彿驚醒了過來。

「最重要的是職務內容，而不是暫時執行的人。今後，我將依循司法女神瑪特為埃及法官所開闢的道路勇往直前。如果最近發生過什麼樣的過失，我想我都應該負責。既然首相願意信任我，那麼無論事關何人的利益，我都必須盡忠職守。情勢不會永遠曖昧不明，即使有高階人士牽涉在內也一樣。司法是埃及最珍貴的寶藏，但願我所做的每個決定，都能使這份寶藏更豐富。」

帕札爾的聲調激昂、清晰而斬釘截鐵。原本對他的權威感到懷疑的人，現在也該信服了。這名法官年輕的外表絕對不會造成妨礙，相反地，在驚人的成熟個性之外，年輕還讓他多了一份不可或缺的活力。許多人紛紛交頭接耳；新任門殿長老的任期也許不會太短吧。

夜深了，賓客們也一一告退；首相巴吉一向習慣早睡，是第一個離席的。與會每一個人都特地去向帕札爾與奈菲莉致意、道賀。

好不容易脫身之後，他二人才一起走出大廳來到花園。忽然傳來了一陣吵鬧聲。他們走近一處檉柳林子一看，赫然發現原來是美鋒與妮諾法夫人起了口角。

「希望以後再也不會在這裡看到你。」夫人冷冷地說。

「那妳就不要邀請我。」美鋒也不示弱地反駁。

「我是顧全禮數。」

「既然如此，為什麼還發這麼大的脾氣？」

妮諾法的怒氣終於爆發，「你不只不斷地拿補繳稅金的事來煩我丈夫，竟然還撤銷我國庫督察的職務！」

「那其實是榮譽職位。國家付給妳的薪水根本就和實際的工作內容不符。我既然已整頓了過度浪費公帑的行政機關，自然沒有道理再走回頭路。新任門殿長老一定也會支持我，換作是他，他也會採取同樣的行動，甚至還會依法懲治。妳不用受罰，還應該感謝我呢。」

「你說得可真好聽！你真是比鱷魚還要陰險啊，美鋒。」

「蜥蜴雖小，卻能夠吞食多餘的河馬，淨化尼羅河。所以呢，戴尼斯最好小心點。」美鋒語帶

威脅地警告。

「我才不怕你的恐嚇。我遇過比你更奸詐狡猾的人，我照樣讓他們一敗塗地。」

「那麼我只好自求多福了。」

憤怒的妮諾法夫人轉身便即離去，美鋒也才回到妻子身邊，她早已等得不耐煩了。

*　　*　　*

帕札爾和奈菲莉在自家的屋頂上迎接晨曦。他們想像著這緩緩上升的旭日，彷彿帶著喜樂甜美的愛情而更加顯得光輝燦爛。無論天上人間，在每一世即將結束前，他都會以鮮花裝扮自己心愛的女人，還會在清水池邊種下埃及無花果樹，在這裡留下他們相看兩不厭的深情眼神。他們倆合而為一的靈魂將會前來這樹蔭下飲水，聆聽著樹梢枝葉迎風窸窣的聲音。

第十四章

帕札爾一心只想著趕快開庭，正式還凱姆一個清白，並恢復他的職位。在這過程當中，他也要揪出警察總長的那個幽靈證人，然後將孟莫西以提供偽證之罪名起訴。他一起床都還來不及親吻奈菲莉，她就要他喝下兩大杯經銅器盛過的水；似有若無的傷風症狀證明，帕札爾自從被監禁之後，淋巴的感染一直沒有痊癒，抵抗力依然十分脆弱。

帕札爾囫圇吞下早餐後，便飛也似地趕著上班，一到辦公室立刻被一大群書記官給團團圍住，他們個個手中揮舞著一份一份來自二十幾個小村落、嚴詞控訴的訴狀。遭受指控的是一名皇家穀倉的管理員，由於最近一次漲水量不足，他便拒絕將民生必需的油與穀物分送給受害的居民。這個小公務員搬出一條已廢的法條作為藉口，根本不管挨餓的老百姓的死活。

這個案子外表看似單純，又沒有行政上的疏失，但門殿長老卻在美鋒的協助下，花了整整兩天的時間才解決。最後這個穀倉管理員被調為運河官，他所管轄的運河正流經了他拒絕發糧的村落。

接著又有另一個棘手的案子，是果農和負責登記收穫量的國庫書記官之間的糾紛。為了避免冗長的程序，帕札爾便親自前往果園視察，果農若有舞弊情形便加以制裁，倘若是受到稅務機關的不實指控，則不予起訴。他同時也發現了，在個人營運與國家整體規劃之間所維持的經濟平衡，是一種不斷翻新的奇蹟。個人所扮演的角色是依照自己的欲望工作，然後在到達一定的門檻時，開始收獲辛勞的成果；而國家則必須保障灌溉順暢，產業與人身的安全無虞，水荒時要有足夠的存糧以供賑恤，並須考量到其他各項整體利益。

帕札爾知道若不把時間拿捏好，自己一定會被壓得喘不過氣來，因此他將凱姆的案子押後到下一個禮拜。日期宣佈之後，卻遭到普塔赫神廟的一名祭司反對，因為那天是光之神何露斯與兄弟暴風之神塞托（※註1）進行宇宙大戰的日子，也是個不吉的凶日。最好不要出門，也不要出外旅行；當然了，孟莫西也會以此為藉口而不出庭。

帕札爾只有自己生著悶氣；當另外一件牽涉到外商的海關案件遞交上來的時候，他幾乎想就此放棄了。一時氣餒過後，他開始翻閱該案的文件，但不一會兒又將檔案推了開來；他怎麼能忘得了凱姆在城裡各個陰暗角落裡，遍尋不著狒狒的沮喪呢？

正當帕札爾在一條熱鬧的街道上買努比亞紅花，準備替勇士沖泡牠最喜愛的花茶時（※註2），突然見到警察總長孟莫西向他走來。

心裡侷促不安的孟莫西，說起話來特別顯得矯揉造作，「我是受人矇騙。其實我內心深處，一直都相信你是清白的。」

「可是你還是把我送到牢營去了。」

「如果是你，難道你不會這樣做嗎？司法制度必須對法官尤其嚴厲，否則就會失去它的公信力。」

「可是你這麼做，卻反而使司法蒙羞。」帕札爾毫不留情地指責。

「這只不過是湊巧一次罷了，親愛的帕札爾法官。今天你受到命運之神的眷顧，我們也都很為你高興。我聽說你想在門殿開庭審理凱姆那件不幸的案子。」

「你的消息沒有錯，孟莫西。現在只要確定一個日期就行了，而且這次我不會再挑上凶日了。」

「你不覺得我們應該把這些不愉快的風波給忘了嗎？」孟莫西討好著說。

「遺忘是歪曲司法的第一步。」帕札爾依然不假辭色，「門殿應該是我保護弱者不受強權欺壓的地方，不是嗎？」

「你那個努比亞警察可不是弱者。」

「可是你卻是那個想要以不實罪名毀滅他的強權。」

「接受和解吧，這樣可以避免傷了和氣。」

「為什麼？」

「因為很可能會牽扯出一些人……這些大人物不想丟這個臉。」

「如果他們是清白的，有什麼好怕？」

「他們怕的是謠言、傳聞、惡意的中傷……」

「在門殿裡這一切都會澄清的。孟莫西，你犯了一個很嚴重的錯誤。」

至此孟莫西的態度忽然轉為強硬，「我可是個有絕對影響力的執法人。你想跟我作對，就大錯特錯了。」

帕札爾卻也不甘示弱，「我要知道指控凱姆謀殺布拉尼的目擊證人是誰。」

「是我編造出來的。」

「不可能。如果沒有這樣一個人，你是不會這麼說的。我認為作這種偽證有戕害人命之嫌，必須負擔刑責。我是非開庭不可，如此一來，不但可以揭發你在幕後操縱的事實，還可以讓我當著凱姆的面訊問你那個證人。他叫什麼名字？」

「我不會告訴你的。」

「他的地位有這麼高嗎？」

「我向他保證過我不會透露的。他可是冒了很大的危險，所以才堅持不出面。」

「拒絕協助調查，你應該知道會遭受什麼懲罰。」帕札爾帶點威脅地說。

「你有沒有搞錯？我可是堂堂的警察總長！不是普通老百姓。」

「而我卻是門殿長老。」

這時，腦袋瓜子轉成暗紅色、聲音也變得尖銳的孟莫西才驚覺到，他所面對的已經不是昔日那個力求廉正的鄉下小法官了，而是正不疾不徐朝著既定目標前進的孟斐斯市大法官。「我要考慮。」

「明天早上我在辦公室等你。你務必要把那個作偽證的人的姓名告訴我。」

* * *

雖然為門殿長老所舉辦的賀宴辦得非常成功，然而戴尼斯卻已經把這個讓他聲名更為響亮的盛會拋諸腦後了。現在他只顧著安撫氣得連說話都結結巴巴的好友喀達希。牙醫來回地踱著方步，還不時把幾綹因過於激動而散落的白髮撥正。他的手因為充血還是紅紅的，鼻子上的青筋也像隨時都可能爆裂。

他們兩人躲在休閒庭園最隱密之處，以防隔牆有耳。後來加入他們的化學家謝奇，也特地又巡視了一下，以確定四下的確無人。這個留著小鬍子的矮小化學家坐在一棵棕櫚棗椰樹下，他一面為喀達希的激動感到遺憾，一面卻也和他一樣憂心。

「你的計策根本沒用！」喀達希埋怨戴尼斯道。

「說要利用孟莫西來指控凱姆，以便平息帕札爾的怒火，這是我們三個人都同意的啊。」

「結果卻徹底失敗了！我的手抖得太厲害，已經無法執業了，你卻還不讓我使用神鐵。當初我會參與這個陰謀計劃，也是因為你承諾會讓我官運亨通。」

「沒錯，我說過你會先取代奈巴蒙成為御醫長，然後還會爬上更高的層級。」戴尼斯信心十足地說。

「現在美夢都成了泡影了。」

「當然沒有。」

「你別忘了帕札爾已經是門殿長老，他將要開庭為凱姆洗刷冤屈，而且要逼目擊證人，也就是我，出面說明。」喀達希說得十分氣惱。

「孟莫西不會招出你的名字。」

「我可不像你這麼有把握。」

「他努力了大半輩子，好不容易爬到這個位子，如果他背叛我們，就等於是自毀前程了。」

謝奇聽了戴尼斯的話，也點點頭表示同意。喀達希在友人的勸慰下，這才寬了心地喝了一杯啤酒。戴尼斯因為在宴會上吃得太飽了，正用手輕輕地撫摩著圓滾滾的肚皮。他有點無奈地說：

「這個警察總長太無能了。我們得勢之後，就除掉他吧。」

「欲速則不達。」謝奇用一種幾乎細不可聞卻相當堅定的聲音說：「亞舍將軍一直在暗中活動，而我的成績也不差。不久，我們就能擁有最精良的武器，也將控制國內主要的兵工廠。現在，我們絕對不能現身。帕札爾一直以為喀達希想從我這邊偷取神鐵，所以我們是處於敵對狀態。但他並不知道我們真正的關係，只要我們謹慎一點，他也不可能發現。多虧了戴尼斯放出的風聲，使他以為軍方主要的目的是製造堅固的武器。我們要讓他繼續相信這一點。」

「他會這麼天真嗎？」喀達希不放心地問。

「這不是天真。這麼大規模的計劃一定會吸引他的注意力。你想想，還有什麼比製造出一把可以摧毀頭盔、甲冑與盾牌而絲毫無損的劍更重要的呢？一旦有了這種無堅不摧的劍，亞舍將軍便可以謀反奪權了。這就是我們要灌注給帕札爾的想法。」

「這其中也把你牽連在內了。」戴尼斯加了一句。

「我只是個化學專家，當然要聽令行事，不會要負什麼責任的。」

「我還是很擔心。」喀達希又開始踱起步子來了：「打從他一開始妨礙我們的計劃，我們就錯估了他。到了今天，他竟當上門殿長老了！」

「下一個風暴將會為我們掃除這個障礙。」戴尼斯預言道。

「每過一天就對我們更為有利。」謝奇也提醒著說：「法老的權力就像是風化的岩石一樣，正一天天地削弱。」

他們三人密商之際，卻全然沒有發現這些話早就一字不漏地傳到第四者的耳中了。

在一棵棕櫚樹梢，狒狒警察「殺手」正以通紅的雙眼瞪著他們呢。

* * *

妮諾法夫人被美鋒的門戶之見與挑釁的態度激怒之後，自然不會不予以反擊。她將孟斐斯市最富裕的五十個家族的事業負責人請到家裡來，讓他們了解目前的情況。這些人的老板和他們本身也都身兼了不少的榮譽職位，不僅不用做事，還可以獲知一些機密資料，並與行政高層的主管保持特殊的關係。然而在美鋒雷厲風行地整頓之下，他們的職務都一一被撤銷了。其實，埃及有史以來便很排斥讓這種暴發戶獨攬大權，因為他們就像沙地中的毒蛇一樣危險。

妮諾法的一番慷慨陳詞獲得眾人一致的認同。他們一定要找一個人為他們討回公道：也就是門殿長老，帕札爾。於是隔天一早，由妮諾法與十名代表貴族出面的代表團，便前往請求門殿長老開庭審理。大夥兒的手都沒空著，他們在大法官的腳下擺放了香脂罐、華麗的布料和一個裝滿了珠寶的小盒子。

「一點小意思，不成敬意，請你收下。」最年長的一人說道。

「你們的好意我心領了，但我不能接受。」

那名地位尊貴的老者一聽，怒問道：「為什麼？」

「因為有賄賂之嫌。」

「我們絕無此意。請你看在我們的薄面上，就收下吧。」

「請你們把禮物帶回去，送給值得嘉勉的僕人吧。」

妮諾法夫人見情勢不對，自覺有必要幫腔，「門殿長老，我們希望階級制度與傳統價值能受到尊重。」

「我也跟你們有同樣的想法。」

聽了這句話，戴尼斯優雅的妻子便放心而熱切地說：「美鋒在缺乏充分的理由的情形下，撤銷了我國庫督察的榮譽職位，並打算使孟斐斯許多頗負名望的家族成員也蒙受同樣的羞辱。他不但破壞了傳統，還抨擊自古以來就存在的特權。我們堅持要求你出面制止這項迫害行動。」

帕札爾於是念了一段律法的章節。「身為法官者，對待富人與平民須一視同仁。不可注重華麗的服飾，亦不可蔑視那些因家貧而衣著簡樸者。不可接受富人的餽贈，亦不可以富人為慮而使貧者蒙其害。只要法官判決時，心中只以法令為依據，如此國家之根基必當穩固。」

這段訓誡是眾所週知的，但仍引起了在場人士的疑慮。

「你念這一段的用意是什麼？」妮諾法問道。

「這是表示一切情形我都知道，是我同意美鋒這麼做的。你們的『特權』其實歷史並不長，也不過是從拉美西斯登基初期才開始的。」

「你這是在批評國王囉？」

「他是希望激勵你們這些貴族多盡一點責任，而不是要你們仗著頭銜謀利。首相大人也沒有反對美鋒的整頓計劃啊。最初的成果的確很令人欣慰。」

「莫非你想讓貴族變窮？」

「不，我只想重新樹立貴族真正的威望，讓他們成為人民的典範。」

剛正不阿的巴吉，野心勃勃的美鋒，滿腹理想的帕札爾：妮諾法一想到這三人的聯手，不由得打了個寒噤。幸好老首相很快就要退休了，性如豺狼一般的美鋒也會讓他們的努力付諸流水，而廉正的帕札爾法官則遲早會屈服於誘惑之下的。她開門見山地問：「別再滿口律法訓誡了，你到底幫誰？」

「我說得還不夠清楚嗎？」

「你要知道，凡是想要有成就的人，都需要我們的支持。」

「那麼我就當個例外好了。」

「你不會成功的。」妮諾法恨恨地說。

＊　＊　＊

塔佩妮真是需索無度。她雖然沒有豹子那種狂熱的激情，然而無論在做愛的姿勢或愛撫的情境上，卻都展現出超強的想像力。為了不讓她失望，蘇提便得配合著她無盡的幻想，甚至還要超越她。塔佩妮對這個年輕人有著很深的愛意，並為他保留了無限的柔情蜜意。棕髮、矮小卻個性激烈的她是接吻的箇中高手，偶爾溫柔細膩，偶爾則激動猛烈。

幸而塔佩妮公事繁忙，因此蘇提便能夠趁著一些休息的空檔，向豹子證明自己對她仍是熱情不減。

塔佩妮一邊穿衣服，一邊對正在整理纏腰布的蘇提說：「你不但長得帥，還猛烈得像匹種馬。」

「用『跳躍的羚羊』來形容妳倒很適合。」

「我對詩情畫意沒興趣，倒是你的男性雄風讓我傾倒。」塔佩妮笑著說。

「那是因為妳懂得用誘人的姿態把它激發出來。不過，我們好像把我最初來訪的目的忘了。」

「你是說貝殼針？」

「正是。」

「這是很美、很罕見、很珍貴的東西，只有一定身分而且是紡織界的高手才能使用。」

「妳知道是哪些人嗎？」

「當然知道。」

「能告訴我嗎？」

「她們全都是女人，都是我競爭的對手……你的要求未免太過分了。」

蘇提就怕她這麼回答，便問道：「我怎麼樣才能吸引住妳呢？」

「其實你就是我想要的男人。一到晚上，尤其夜深人靜時，我就好想你。而每次我都必須以自慰的方式來解相思之苦。這種痛苦叫我怎能忍受呢？」

「我可以偶爾去陪妳過夜。」

「我要你每晚都在。」

蘇提心中一驚！「妳是想……」

「結婚啊，親愛的。」

塔佩妮果然語出驚人，蘇提不禁為難地說：「我心裡對婚姻有點排斥。」

「你必須離開其他的情婦，你要搬到我家裡來，每天在家等我，隨時滿足我最狂熱的需求。」

「其實比這些要求更痛苦的事多著呢。」

「好，那下星期我們就正式宣佈。」

蘇提沒有反對，他會想出法子逃避這個婚姻監牢的。「現在可以告訴我使用貝殼針的人了吧？」

塔佩妮嬌媚地問：「你是答應了？」

「一言為定。」

「這個消息真的這麼重要？」

蘇提對她一再地吊胃口感到氣惱，便拗著性子說：「對我是很重要。不過妳要是不想說……」

她緊抓著蘇提的手臂不放，哀求道：「別生氣嘛。」

「妳這是在折磨我。」

「我只是開個玩笑。這種針，大部分的貴婦都因為手會抖而無法使得好。使用這種女紅器具，手必須又巧又穩。我知道的也只有三個人辦得到，其中又以前任運河總督的夫人手藝最高明。」

「她現在在哪裡？」

「她已經八十歲了，住在南方邊界附近的愛利芬丁島上。」

蘇提撇嘴笑了笑，又問：「其他兩個呢？」

「第二個是穀倉總管的遺孀，她雖然長得瘦小，可是力氣驚人。不過她在兩年前摔斷了胳臂，所以……」

「那第三個呢？」

「第三個是她最得意的門生，雖然家財萬貫，可是大部分的衣服都還是自己親手縫製。她就是妮諾法夫人。」

※註1：一些草莎紙書上列有「凶日」，主要與神話中的事件有關。
※註2：這是一種木槿屬植物的花，時下仍有埃及人喝這種飲料。

第十五章

上午就要開庭了。凱姆雖然尚未找到狒狒，仍答應出庭應訊。

帕札爾從天一亮便開始仔細查看命運之神為他安排的門殿。迎戰孟莫西的任務並不輕鬆；警察總長雖已被逼得無路可退，但卻也不會乖乖束手就擒。帕札爾就怕他會使出壞心眼，這些個達官貴人為了保護自己的權利，總會不惜將別人踩在腳底下。

帕札爾走出門殿，注視著與門殿貼靠在一起的神廟。在一道道的高牆後面，有一群專門研究神力的專家正努力用功著，明知道人類有無數弱點，但他們並不認命。人類不過是泥土與乾草，只有至高無上的神才能為創造力搭建起永恆的居所，這種力量是凡人永遠無法捉摸的，但卻又無所不在，即使最簡單的打火石也不例外。如果沒有神廟，司法將只是一團混亂、是人與人之間債務的清算、是某一個階級凌駕於其他階級之上；幸賴有了神廟，瑪特女神才能掌穩了舵，維持著平衡。無論是誰，都不能擁有司法；唯有身輕如鴕鳥羽毛的瑪特方知行為舉止的輕重。因此法官必須像稚兒依賴母親般地事奉祂。

孟莫西在黑夜即將結束時出現了。帕札爾一向怕冷，雖然氣候還不冷，卻已經罩上了羊毛披肩了；而警察總長則只穿著一件上了漿並令他感到驕傲的長袍。他的腰間插著一支短柄細刃，眼神十分冷漠。

「你起得真早啊，孟莫西。」帕札爾先招呼道。

「我可不想扮演被告的角色。」

「你是以證人的身分出庭的。」

「你的計策很簡單：用一些莫須有的罪名擊垮我。你可別忘了，我跟你一樣都是落實法令的人。」

「你卻忘了落實到自己身上。」

「進行調查並不是輕鬆愉快的事；有時候就是得弄髒自己的手。」

「你該不會忘了把手洗乾淨吧？」

「現在不是假仁假意教訓人的時候。你不可以把一個危險的黑人置於警察總長之上。」

「法律之前，人人平等：我是這樣立誓的。」

「你以為你是誰啊，帕札爾？」

「我是埃及的法官。」

這幾個字說得鏗鏘有力、義正辭嚴，深深震撼了孟莫西。他不幸遇到了這麼一個屬於古代的法官，就像金字塔黃金時期的浮雕上所刻畫的人一樣，高舉著頭、守正不阿、崇尚真理，不受任何責難與讚美所動。在宦海浮沉多年之後，孟莫西總以為這種人將隨著巴吉首相的退休而完全絕跡了。不料，大家都以為被斬盡滅絕的雜草，卻又在帕札爾身上獲得了重生。

「你為什麼要這樣折磨我？」孟莫西嘆著氣問。

「你並非無辜的受害者。」對他，帕札爾並不寄予同情。

「我是身不由己。」

「誰指使你的？」

「我不知道。」

「算了吧，孟莫西！你是全埃及消息最靈通的人，你叫我怎麼相信還有比你更狡猾的人在操控全盤呢？」

「你要知道真相，這就是真相。騙了你對我又有什麼好處？」

「我還是存疑。」

「那你就錯了。關於退役軍人的真正死因，我毫不知情，神鐵被竊一案也是一樣。謀殺布拉尼的兇手給了我大好的機會，利用匿名告發的方式來除掉你。我毫不猶豫地接受了，因為我恨你。我恨你的機智、恨你不管任何代價都要堅持到底的決心、恨你不願妥協的固執。凱姆，他是我最後的機會；如果你能讓他當代罪羔羊，那麼我們就算達成了互不侵犯的合約了。」

「幕後操縱的人該不會就是你那個冒牌的目擊證人吧？」

孟莫西搔了搔發紅的腦袋，「亞舍將軍的確主導策劃了一項陰謀，但是我找不到線索。我們既然有著共同的敵人，何不攜手合作呢？」

帕札爾沉默不語，事情似乎有了轉圜的餘地。

「你的堅持維持不了多久的。」孟莫西肯定地說：「或許你的確靠著不妥協的個性爬上了高位，不過，這條繩子已經繃得很緊，不要再拉了。我對人生有相當的體驗，聽我的建議準沒錯。」

「我想想。」

「好極了！我已經準備好盡釋前嫌，把你當成朋友了。」

「如果你不是這項陰謀的主謀，」帕札爾一邊思考著說道：「那麼事情要比我想像得嚴重了。」

孟莫西露出窘迫的神情，他原以為門殿長老會有另一番結論。

「你那名證人的身分也就成了關鍵的線索了。」帕札爾接著說。

「不要再逼我了。」

「那你只好一個人承擔了，孟莫西。」

「你敢指控我……」

「陰謀危害國家的安全。」

「陪審團不會聽你的。」

「開庭就知道了。指控的理由已經多得足以讓他們有所警覺了。」

「我如果說出他的名字，你會放過我嗎？」孟莫西還想抓住最後一線希望。

「不會。」

「你瘋了！」

「我絕不接受任何要脅。」

「這麼說來，我說了也沒有好處。」

「隨便你吧。待會法庭上見了。」

孟莫西的手緊緊握著短刀柄。這麼多年來，他第一次感到了進退兩難的窘境。

「你打算讓我將來變成什麼樣子？」他十分緊張地問。

「你的未來得由你自己決定。」

「你是個優秀的法官，我是個好警察。錯誤是可以彌補的。」

「作偽證的人是誰？」

孟莫西當然不會自己承擔一切，「牙醫喀達希。」

他說完後，仔細地觀察帕札爾的反應。但是帕札爾依舊不發一語，他遲疑著不敢離去，接著又說了一次：「喀達希。」

轉身離開的孟莫西只一心期盼著這個告白能救自己一命，卻沒發現一旁有個第三者，一直目不轉睛地盯著他。狒狒高倨在門殿屋頂上，猶如一尊托特神像。牠端坐著，雙手平放在膝上，似乎在

沉思些什麼。

帕札爾知道警察總長沒有說謊。否則，狒狒早就撲上去了。

他出聲呼叫殺手。狒狒起先還猶豫著，然後才循著一根小圓柱滑下來，牠面對著帕札爾，伸出了手。

當狒狒再度見到凱姆時，立刻跳上前去抱住他的脖子，而凱姆則高興地熱淚盈眶。

* * *

成群的鵪鶉飛越過農田，朝稻穀猛撲而下。經過長時間的遷徙飛行，疲累的領隊竟沒有發現陷阱。此時，穿著紙莎草鞋、匍伏在地的獵人們，早已張著一面密密的網，一待助手們起身揮動布條，受到驚嚇的鳥兒便會大批大批地自投羅網了。烤鵪鶉可是飯桌上最令人垂涎的佳餚之一呢。

帕札爾見到這幅景象卻不感到欣喜。凡是剝奪自由的舉動，即使對象只是一隻鵪鶉，都一樣讓他痛心。向來對他的思緒一清二楚的奈菲莉，忙不迭便拉著他往郊區走去。他們倆走到一處水面無波無紋、四周種滿了無花果樹與檉柳的湖邊，這座湖是一個底比斯國王為了他偉大的皇族妻子所開鑿的。據說每到黃昏，哈朵爾女神便會到湖裡洗浴。奈菲莉希望眼前天堂般的景致能夠安撫丈夫的心。

若警察總長的告白屬實，不正表示打從帕札爾到了孟斐斯開始調查之初，便已經把矛頭指向陰謀計劃的成員了？喀達希毫不猶豫便收買了孟莫西，將法官送入牢營。帕札爾突然感到一陣暈眩，他不禁懷疑喀達希是否只是執行者，在他的背後還有一隻黑手負責策劃路線，並強迫他不計代價地遵循。

確定喀達希有罪後，帕札爾心底產生了一些疑問，而這些問題在沒有證據的情形下是不能倉促下結論的。他心中彷彿有一把無名火焚燒著，有時候真叫他無法忍受；然而太急於發掘真相，是不是反而可能因為衝得太快而扭曲了事實呢？

奈菲莉早已經下定決心要讓他暫時脫離辦公室和那些公文，因此也不管他的反對，便拉著他來到了這處幽靜宜人的西山鄉間。

「我把寶貴的時間都浪費了。」帕札爾幽幽地說。

「跟我作伴的感覺真的這麼沉重？」奈菲莉反問他。

「對不起。」

「你有必要緩衝一下。」

帕札爾於是將情形剖析給妻子知曉。「從牙醫喀達希可以推展到化學家謝奇，然後到亞舍將軍，然後到五名退役軍人被殺，可能也和戴尼斯夫婦有關！這些陰謀分子全是國家的上層菁英。他們想利用軍事叛變與獨一無二的新式武器奪得政權。所以他們才要除掉未來卡納克的大祭司布拉尼，以免他支持我進入神廟調查神鐵失竊案；所以他們才要誣陷我殺害恩師，藉機除掉我。事情牽涉太廣了，奈菲莉！可是我不確定自己想得對不對。而我又怕這些假設全是真的。」

她牽著他走在環湖的小徑上。此時正是酷熱的午後，農夫都在樹蔭下或草屋中睡午覺。

奈菲莉走到岸邊跪了下來，摘下一朵含苞未放的蓮花插在髮間。有一條銀色圓腹的魚跳出水面，又隨即消失在金光閃閃的漣漪之下。

奈菲莉跟著走進了水波裡；浸得溼透了的亞麻洋裝緊緊黏在身上，使得她曲線畢露。她鑽進水中，暢意歡笑，優遊自得，還用手學著前面的鯉魚左右游動。出水之後，她身上的香氣也更加濃厚了。

「你不跟我一起嗎？」

注視著她的感覺是如此地享受，帕札爾竟一時看傻了眼。接著他脫下了纏腰布，她也褪下了洋裝。兩個赤裸的身軀交纏在一起，緩緩滑進了一處紙莎草叢，在這裡他們沉浸在做愛的歡樂中渾然忘我。

＊　＊　＊

帕札爾極力反對奈菲莉的做法。御醫長奈巴蒙找她去還能有什麼好事？一定是設了陷阱要尋求報復。

不過奈菲莉還是在凱姆和狒狒的保護下去了。狒狒也進入了奈巴蒙的庭園裡，若是御醫長一有邪念，牠便將以最粗暴的方式反擊。

不過奈菲莉一點也不怕，反而很高興能得知自己最頑強的敵人的企圖。雖然帕札爾百般勸戒，她還是答應了奈巴蒙的條件：和他一對一的談判。

通過門房守衛的大門後，她走進了一條櫸柳小徑，只見夾道的垂柳枝條濃密錯雜；櫸柳的果實外覆長毛，須得在晨露中採摘，再置於太陽底下曬乾後食用，味道十分甜美。櫸柳木則可用來製造著名的棺木——就跟奧塞利斯的棺木類似——以及用以對付埋伏在暗處的敵人的棍棒。由於偌大的宅院裡出奇地安靜，奈菲莉頓時有點後悔沒有隨身攜帶這樣一根棍子。

沒有園丁、沒有挑水伕、沒有僕役……豪華別墅的四周空無一人。奈菲莉遲疑地跨過了門檻。寬敞的會客室裡涼風陣陣，由於只有少數幾盞燈照著，光線黯淡。

「我來了。」她大聲說。

沒有人回答。整棟宅子似乎是空著的。奈巴蒙會不會忘了他們的約定，回城裡去了？她滿腹疑惑地又往私人的臥室裡頭走。

在一間有壁畫裝飾，描繪著水鴨撲翼與白鷺棲息的房間裡，御醫長仰臥在大床上沉睡著。他的臉頰消瘦，呼吸短促而不規律。

「我來了。」奈菲莉又輕輕地說了一聲。

奈巴蒙這才醒過來。他不敢置信地揉揉眼睛，坐起身來。「妳竟敢……我實在不敢相信！」

「你真的這麼令人害怕嗎？」

他定神凝視眼前這個輕飄飄的人兒，說道：「我曾經是的。我總希望帕札爾就此消失，妳也一蹶不振。知道你們過得幸福快樂，真讓我痛苦萬分；因為我要妳跪在我跟前，苦苦地哀求。你們的幸福甜蜜讓我無法快樂起來。為什麼我吸引不了妳呢？有那麼多人都為我傾倒了！但是你跟她們都不一樣。」

奈巴蒙蒼老了許多；他原本富有磁性、令人著迷的慵懶聲調，如今卻微微顫抖著。

「你生了什麼病？」

奈巴蒙沒有回答，岔開話題道：「我這個主人真差勁。妳要不要嚐嚐蜜棗果醬夾心的金字塔蛋糕？」

「我不是個貪好美食的人。」

「但妳卻熱愛生命，為了生命，妳甘心毫無保留地奉獻自己！我們本來可以是一對令人稱羨的佳偶。帕札爾配不上妳，妳也知道的；他這個門殿長老當不了太久，而財富也將從妳的手中溜走。」

「財富有這麼重要嗎？」

「一個貧窮的醫生是無法進步的。」

「可是你的財富就能讓你免於痛苦嗎？」

「我得的是血管瘤。」奈巴蒙唉的一聲。

「這並非不治之症。要想減輕痛苦，我建議你採用無花果樹在春初尚未結果前所萃取出來的汁液。」

御醫長點頭讚許道：「很好的藥方。妳對醫藥的認識果然非常徹底。」

「手術還是避免不了的。我會以鋒利的蘆葦切開患部，再以火加熱去除腫瘤，然後再用柳葉刀燒灼。」

「如果我的身體承受得了，妳這樣做是對的。」

「你已經衰弱到這個地步了？」

「我的日子不多了，所以我才遣散了親信和僕人。所有的人都讓我厭煩。現在宮裡一定是一片混亂，我不在就沒有人做主。那些對我唯命是從的笨蛋想必是個個手足無措了。真是可悲又可笑……不過臨終前能再見到妳，我也夠欣慰的了。」

「讓我幫你聽診好嗎？」

「隨妳高興吧。」

她仔細地聽著他微弱而不規律的心跳聲，奈巴蒙說得沒錯，他的確病得很重。他靜靜地躺著，呼吸奈菲莉身上散發出的香氣，享受她的手輕觸著肌膚、她的耳朵輕貼在胸前的感覺。如果能讓這一刻就此停住，就算要他付出一切他也甘心情願。不過，他再也沒有這種機會了；在最後審判的天秤旁，噬人的惡魔正等著他。

奈菲莉聽診過後，問道：「誰在幫你治療？」

「我自己，埃及王國最傑出的御醫長！」

「你怎麼治療的？」

「用自我鄙視的方法。」奈巴蒙露出一抹苦笑：「奈菲莉，我討厭我自己，因為我沒有辦法讓妳愛我。我的人生是一連串的成功、謊言與卑鄙的行徑，但是我卻缺少了妳，缺少了那份可能吸引妳的熱情。現在我也將孤獨地死去。」

「我不能捨棄你。」

「不要再猶豫了，把握這個機會吧!萬一我痊癒了，我又會變成一頭猛獸，又會千方百計要除去帕札爾來擄獲妳的心。」

「病人就需要治療。」奈菲莉態度很堅定。

「妳願意擔任我的醫生嗎？」

「在孟斐斯還有許多優秀的醫生。」

「我只要妳，其他誰都不要。」

「別耍孩子氣了。」

奈巴蒙看著她，用一種絕望的深情問道：「如果沒有帕札爾，妳會不會愛我？」

「你知道我的答案。」

「那麼就請妳為我說一次謊吧！」

「今晚你的僕人就會回來了。我會吩咐他們準備清淡的飲食。」

奈巴蒙坐了起來，說道：「我向妳發誓，我絕對沒有參與妳丈夫所說的任何陰謀計劃。對於布拉尼被殺、退役軍人的死以及亞舍將軍的詭計，我一概不知。我唯一的目的只是想把帕札爾關進牢營，然後逼妳嫁給我而已。我這輩子是不會再娶其他人為妻了。」

「既然知道不可能，何必那麼堅持呢？」

「我堅信，風總有轉向的一天！」

第十六章

豹子愉快地撫摸著蘇提的胸膛。他剛才交歡時的激情有如漲潮一般，朝著山石洶湧猛撲。

「你為什麼悶悶不樂？」

蘇提不知如何啟齒，只是懶懶地答道：「沒什麼，只是一點小事。」

「現在有好多謠言。」

「什麼謠言？」

「有人說拉美西斯大帝的運勢開始走下坡了。上個月，碼頭發生了一場火災；河裡也有好幾起意外事件；還有一些金合歡樹被雷電劈成了兩半。」

「無稽之談。」

「你的同胞們可是很認真的。他們都覺得法老的神力已經用盡了。」

「我還以為什麼了不起的事呢！他只要舉行再生儀式，人民就會高興得歡呼了。」

「那他還等什麼？」

「拉美西斯總會在最適當的時機作出最適當的決定。」

「那麼你又在煩惱什麼？」

「我說過了沒什麼。」

「跟女人有關。」豹子慍道。

「是我的調查工作。」

「你的調查怎麼樣？」

「我必須……」

他話還沒說完，豹子便接口說：「結婚，還要簽訂正式的合約。也就是說你不要我了。」

然後她摔破了好幾個陶碗，還把一張用稻草填塞的椅子拆了，整個人像發了瘋似的問：「她是個什麼樣的人？長得高還是矮？年紀多大？」

「她個子小小的，頭髮很黑，比妳醜。」

「很有錢？」

「當然了。」

豹子一聽，又發起飆來，「我滿足不了你了，因為我根本沒錢。你對我這個金髮婊子沒興趣了，跟那個黑髮的有錢女人在一起，你才能體面風光，對不對？」

「我要向她打聽消息。」

「這樣就一定要結婚嗎？」

「只是形式嘛。」

「我怎麼辦？」

「耐心一點，我一打聽清楚就馬上離婚。」蘇提極力安撫她的情緒。

「到時候她會怎麼樣？」

「她也只不過跟我玩玩，很快就會忘記了。」

豹子考慮了一下，還是覺得不妥。「不要，蘇提。你錯得太離譜了。」

「我不可能錯。」

「不要再聽帕札爾的話了。」

「婚約已經簽訂了。」

＊　＊　＊

帕札爾，堂堂一個門殿長老，孟斐斯的首席大法官，公認的道德權威，此時竟像個小孩子一樣地鬧脾氣。他無法接受妻子為奈巴蒙所付出的心力。奈菲莉請了幾位大夫到病榻前為他治療，還幫他把僕人都找了回來，以便病人隨時有人照顧。這份用心讓帕札爾萬分氣惱，他抱怨著說：「我們不能幫助敵人。」

「法官可以說這種話嗎？」

「法官才必須這麼說。」

「但我是醫生。」

「這個魔鬼曾經企圖毀掉妳我呀。」

「可是他失敗了。現在，他體內的病痛也在慢慢地毀滅他。」

「他犯的錯不能因為生病而一筆勾銷。」

「你說得對。」

「妳承認我說得對，就不要再照顧他了。」

「這跟我怎麼想沒有關係，我只是在盡我的職責。」

帕札爾這才露出了一點笑容。奈菲莉斜睨著他問道：「你該不會是嫉妒吧？」

帕札爾一把將她拉過身來說：「沒有人比我更嫉妒了。」

「你會答應我替我丈夫以外的人看病嗎？」

「如果於法有據，我絕不答應。」

勇士擔心地看著主人，然後將右前腳遞給奈菲莉，左腳遞給帕札爾。每次男女主人稍微一起口角，牠就會不快樂。結果牠這個耍寶的動作，果真逗得主人開懷大笑，牠便也放心地跟著尖聲亂叫一通。

＊　　＊　　＊

蘇提推開了兩名抱著一堆紙軸的書記官，撞倒了一名檔案管理員，衝進帕札爾的辦公室，後者正在喝用銅器盛過的水。帕札爾見到這名戰爭英雄長髮凌亂、怒不可遏的神情，不禁問道：「有麻煩嗎，蘇提？」

「有，就是你。」

帕札爾隨即起身關上了門，他知道接下來將有一場大風暴。「我們可以到別處去談。」

「不用了！這個地方正是我生氣的原因。」

「你受了什麼冤屈嗎？」

「你有錢了哦？帕札爾！看看你的四周：抄寫員、沒什麼知識的職員，全都是一些只顧著自己升遷的小人物。我們的友誼呢？調查亞舍將軍的事呢？你似乎不再追求真相，也不再信任我了。現在的你已經被頭銜和榮耀收買了。我明明親眼見到亞舍刑求、殺害一個埃及人，我知道他是個叛國賊，而你卻在這裡像個貴人一樣神氣活現地擺闊。」

「你喝醉了。」帕札爾只淡淡地說。

「是啊，喝太多劣等的啤酒了。我需要借酒澆愁。沒有人敢像我這樣跟你說話。」

看他這樣胡鬧，帕札爾也不生氣，「你說話一向直來直往，可是我知道你並不笨。」

「不要再侮辱我了。難道你敢否認我說的話嗎？」

「你坐下。」

「我不會跟你和解的。」

「那至少休戰一下吧。」

蘇提有點搖搖晃晃，但還是穩穩地蹲了下去，沒有跌倒。

「不用想跟我甜言蜜語，這套把戲我早就看穿了。」

「你運氣真好，我可就暈頭轉向了。」

蘇提一聽，訝異地轉身看著帕札爾，問道：「這是什麼意思？」

「你看清楚：我實在被工作壓得喘不過氣來。當初擔任區域的小法官時，我還有一點時間作調查。現在，我卻得處理無數的申請與文件，還要安撫這些人的怒氣與那些人的不耐。」

「所以我才說是陷阱啊！辭職吧，跟我合作。」

「你有什麼計劃？」

「絞死亞舍將軍，讓埃及從邪惡的勢力中解脫。」

「第二個目標是達不到的。」

「當然達得到。只要把主謀的腦袋砍下，叛亂自然就平息了。」

「那麼殺死布拉尼的兇手呢？」

蘇提冷冷一笑，「我是個調查高手，可是我卻得和塔佩妮結婚。」

「我很感激你的犧牲。」

「不這麼做她就不會透露。」

「現在你也是有錢人了。」

「豹子卻沒辦法接受。」蘇提有點沮喪。

「你這個談情高手應該很容易就能擺平才對。」

「要我結婚……我寧願被關進苦牢！時機一到，我立刻離婚。」

「婚禮還順利嗎？」

「極度的保密。她不想要任何人參與。她一到了床上，簡直是放浪到了極點。我呀，就像是隨時供應她享用的點心。」

「調查的結果如何呢？」

「殺死布拉尼的那種針只有幾個貴婦人使用。其中最傑出熟練的是妮諾法夫人。雖然她的國庫督察只是個虛職，不過她確確實實是布料的總管，而且精通此術。」

竟然是妮諾法夫人！運輸商戴尼斯的妻子，美鋒的勁敵！然而，她擔任亞舍一案的陪審員時，卻沒有利用職權判帕札爾有罪。帕札爾再次有了敲錯門的感覺。罪行似乎很明顯，但罪證實在不夠。

「馬上逮捕她吧。」蘇提建議道。

「我們沒有確切的證據。」

蘇提真不懂帕札爾怎麼老是這麼婆婆媽媽，「事實這麼明顯了，你為什麼總是不接受？」

「不接受的不是我，而是法庭啊，蘇提。要判定謀殺罪，陪審團一定會要求罪證確鑿。」

「可是我都已經結婚了。」

「盡量再多探聽一點。」

「你越來越苛求了。你把自己關在狹小的法律天地裡，結果越來越不切實際。亞舍是個叛徒兼殺人犯，他野心勃勃地想掠取亞洲軍團，而妮諾法則殺死了你的老師。這是事實，你卻不願意接受。」

「為什麼亞舍將軍不採取行動？」

「因為他正在把自己的人安置到埃及本國和鄰近的保護國內。他既負責訓練亞洲軍團的軍官，必定能拉攏許多忠心的書記官與軍人。在他的同夥謝奇的協助下，他很快就能擁有強力的武器了，然後他更能肆無忌憚地攻擊其他軍隊。你要知道，控制了兵力就等於控制了國家。」

帕札爾還是有疑問，「兵變奪權是毫無機會成功的。」

「現在已經不是黃金時期了，現在的法老王是拉美西斯啊！在外省有成千上萬的外國人；而我們親愛的同胞則成天想著如何發財，根本忽略了要遵守眾神的旨意。古老的道德觀已經死了。」

「可是法老還是神聖的。亞舍將軍沒有這麼高的地位，不會有任何階層的人支持他，全國的人也都會唾棄他的。」

這個論點生效了。蘇提承認自己的推論在其他亞洲國家都可能發生，惟獨在拉美西斯大帝所統治的埃及行不通。無論武器裝備再如何精良的亂黨，絕對得不到神廟的同意，更加得不到人民的認同。要想治理南北埃及兩地，光靠武力是不夠的。而是必須要有一個具有神力的人，能和眾神達成協議，並使這片土地輝耀著愛的神蹟才行。這番論調對希臘人、利比亞人與敘利亞人而言，或許荒唐可笑，但對埃及人卻是理所當然；無論亞舍有多麼足智多謀、詭計多端，他就是缺乏這樣的力量。

「真奇怪。」帕札爾說：「我們找出了謀殺布拉尼的三個嫌疑犯；門殿長老遭到放逐，如今由於營養不良已經奄奄一息；奈巴蒙患了重病；孟莫西則是自身難保。這三個人都可能是寫紙條引誘我到老師家，設下陷阱害我的人。而你現在又加進了妮諾法夫人。其實，我覺得這件事與前任的門殿長老無關；他只不過是一個久待官場、精疲力竭、不願多惹是非的法官罷了。奈巴蒙也向奈菲莉發誓，說他與任何陰謀計劃都毫無關聯。至於一向精明幹練、自信滿滿的警察總長，卻又像個傀儡一樣，完全不像是主謀。我們曾經錯得這麼離譜，你說我怎麼能不對妮諾法夫人多一番考慮呢？」

「你仔細聽著，這就是你要知道的陰謀！亞舍將軍雖然擁有菁英部隊卻不滿足，他還需要貴族與有錢人的支持。於是他找到了孟斐斯的大富商戴尼斯夫婦！藉由他們的財富，他可以買通證人、收買人心。所以說這整個事件的主腦有兩個人。」

「可是我的就職賀宴，是戴尼斯主辦的呀！」

「他難道不會想連你一起收買嗎？目的無法達成，他就捏造對自己有利的事實。你，謀殺布拉尼的兇手；喀達希，兇殺案的目擊證人……順便趁機解決掉你忠心的下屬，凱姆。」

這一次，儘管蘇提仍稍有醉意，卻也說服了帕札爾。

「如果真像你說的這樣，那麼我們的對手可就比我們想像的更多、更強了。戴尼斯會擁有國家領導人的能力嗎？」

「絕對沒有！他太自大了，根本目中無人；而且太短視，他只在乎他自己的財務和個人利益。倒是妮諾法夫人還比較可疑，我相信她有攝政的能力。我們不是在作夢啊，門殿長老！五具退役軍人的屍體、布拉尼遭謀殺、多番滅口的企圖……埃及已經幾十年沒有這麼亂了。你的調查也屢次受干擾。既然你有一定的權力，就該好好利用！你那些紙上作業可以緩一緩。」

「國家的安定與民生樂利就是靠這些紙張來維持的。」

「要是陰謀得逞，這些紙還有什麼用？」

帕札爾站了起來，神情嚴肅地說：「蘇提，無所事事讓你渾身不舒服對吧？」

「英雄本來就需要戰績。」

「你願意冒險嗎？」

「我的意願跟你一樣高。我非見到亞舍將軍接受懲罰不可。」

* * *

西莉克斯肚子痛得讓丈夫著了慌，因為擔心是痢疾，美鋒不得不三更半夜親自去找奈菲莉。奈菲莉讓西莉克斯吃了一點芳香蒔蘿的籽，因為蒔蘿籽具有鎮靜與消化功能，可舒緩腸胃痙攣的現象。若加入瀉根與芫荽製成軟膏，則有助於減輕頭痛症狀。由於腹瀉的情形實在太嚴重了，光靠這種黃色傘形花序植物是不夠的；每隔一刻鐘，西莉克斯還得喝一杯由角豆果莢所製成的啤酒加入油和蜂蜜後，混合而成的藥水。一個小時過後，症狀就減輕了。

「妳真是太高明了。」病人有氣無力地謝道。

「妳放心，明天就會痊癒了。這種角豆啤酒要持續喝一個星期。」

「會不會有什麼併發症？」

「不會的，只是普通的食物中毒。如果治療不當，可能會變得很麻煩。最近，妳只能吃穀類食物。」

美鋒感激萬分地向奈菲莉道謝，並把她拉到一旁悄悄地問：「妳有把握嗎？」

「你絕對可以放心。」

「我請妳吃一點點心吧。」

奈菲莉沒有拒絕，她也剛好可以稍作休息，然後又得展開漫長的一天，去探訪十多個貧富懸殊的病患。天很快就要亮了，就算要睡也睡不了多久。

「自從我進了國庫就每天失眠。」美鋒坦承道：「西莉克斯睡覺的時候，我還要準備隔天的工作。有時候，胃會覺得脹得很不舒服，好像要抽筋一樣。」

「你的生活太緊張了。」

「國庫的工作那麼多，我沒辦法休息。我承認妳責備得有理，奈菲莉，不過我也得說說妳。你每天在城裡東奔西跑的，有人找妳，妳從來不拒絕。妳應該有更好的待遇。宮裡就缺乏像妳這麼優秀的醫生。奈巴蒙周圍的人全是一些平庸無能之輩，有也等於沒有。他之所以把妳趕出他的團隊，主要是因為妳太厲害了。」

「宮中醫生的人選由御醫長決定，無論你我都無法改變。」

奈菲莉說得坦然，美鋒卻為她不平，「妳治癒了首相和其他幾位朝中顯貴。我要請他們作證，然後上呈紀律委員會。再笨的人也不得不承認妳的優秀。」

「我完全不想為自己爭取。」

「帕札爾身為門殿長老，為了避免偏袒之嫌，不能出面為妳討公道。但我不同。我決定為妳出戰。」

* * *

底比斯此時陷入了一片不安的情緒。這個南方大城向來堅守著古老傳統，對於北方的孟斐斯太過輕易就進行許多經濟改革頗不以為然。現在，底比斯市民正迫不及待地等著新任大祭司人選的公佈；擔任大祭司者，將必須統理八萬名員工、六十五個鄉鎮、一百萬名直接或間接為神廟工作的男女、四萬頭牲畜、四百五十個葡萄園與果園以及九十艘船舶。法老負責提供祭祀用品、食糧、油、焚香、香脂、衣服與土地，在地界的四個角落並豎有四根大石柱以為標誌；而大祭司則負責徵收商品與漁獲的稅。阿蒙神的大祭司可以說治理著國家中的一個小國，因此法老必須選派一個完全忠誠而服從，卻又不失威信的人。布拉尼便有這樣的特質；而他突然間喪命著實讓拉美西斯感到為難。眼看翌日就是就職日了，他卻還沒有公佈人選。

帕札爾和蘇提一塊兒動身前往底比斯，一方面是為了好奇，另一方面也有此必要。他們請教過孟斐斯普塔赫神廟的大祭司，但是他對神鐵被竊的事一無所知。那麼毫無疑問地，這種貴重的金屬必定來自南部的神廟；現在也只有卡納克神廟的大祭司能指引他們正確的方向了。

以門殿長老之尊，帕札爾輕易地便上了碼頭，蘇提則扮成他的助手。尼羅河道與神廟間的船塢停了許多小船；一排一排的樹蔭為船隻遮蔽了陽光。

他二人在一名祭司的帶領下，走過了眼神威嚴令人不敢逼視的人面獅身像。每個守衛面前都有一條水渠，引水流向一個深約五十公分、種滿了花的坑洞。如此一來，這條自外界通往神廟的神聖道路，便顯得五彩繽紛而耀眼了。

帕札爾和蘇提進到了第一個大庭院，有一些理了光頭、穿著亞麻長袍的祭司，正細心地把花放上祭壇。無論在什麼情況下，這個儀式都不能忽略。自金字塔時期以降，凡是虔誠的信徒、祭司、神的僕人、奧祕大師、保管儀式書者、天文學者與樂師，無不兢兢業業於律法所賦予他們的職責。只有一小部分人長期住在神廟內，其他人則是定期到廟裡祭拜，每次禮拜的時間短則一星期，長則三個月。這段期間，早晚各需淨身兩次，因為他們認為身軀潔淨無垢與靈修同樣的重要。

帕札爾兩人坐在一張石椅上，四周的靜謐、莊嚴，讓他們忘卻了煩惱與疑問。在這裡，生活不受時間的侵蝕，給人另一種不同的感受。就連不信神的蘇提，此時都覺得靈魂飽滿。

* * *

法老已經將象徵權責的一根金杖與兩枚戒指，交給了卡納克神廟的新任大祭司。從今以後，埃及規模最大、最富裕的神廟的住持，將負起監管神廟珍寶的責任。每天早上，他都要打開祕密聖殿的兩扇大門，這裡是阿蒙神以東方神祕儀式重生的光明之域。宣誓過後的他還要遵行宗教儀式、更換祭品，並使神殿中維續著神最初創造萬物時的平衡。明天，他得好好想想複雜的人事安排，其中包括人事總管、廟務總管、內侍，以及多名書記、祕書與領班；明天，他也將開始懷念那段因法老的決定而結束的平靜生活。在此緊張的時刻，他默念著律法中一則重要的訓示：「切勿在廟中大聲談笑，因為神不喜喧嘩。但願你長保一顆多情的心。切勿胡亂請示，因為神喜愛安靜。靜默猶如生長於園中的果樹；果實甘甜，蔭涼宜人，一生便在生根發芽的園中茁長、枯萎。」

大祭司在至聖所中，面對著神像所在的內中堂，冥想了許久。昨日的憧憬與微不足道的願望都已化為泡影，他從未料到自己會有如此令人激動的際遇。阿蒙神大祭司的長袍使他脫俗超凡，連他自己都認不出自己了。但這並不重要，因為他再也沒有時間去管自己的喜好或疑惑了。

大祭司一邊後退，一邊揩去足印。他一走出至聖所，便即回轉過身來迎接神廟重任的挑戰。

* * *

當新任大祭司出現在拉美西斯所建造的柱子大廳廳口時，響起了一片歡呼聲。從此他便得以金杖開路，並率領一支和平軍為光耀阿蒙神之名而努力。

見到大祭司，帕札爾嚇了一跳，「太不可思議了。」

「你認識他？」蘇提問他。

「他就是那個菜農卡尼。」

第十七章

卡尼在大庭院中接受顯貴們的致意時，特別在帕札爾面前停留了很久。帕札爾向他行了個禮。在二人互換的眼神中，都有著說不出的歡喜。

「我希望能盡早請教你幾個問題。」

「我今晚就可以見你。」卡尼答應道。

＊　＊　＊

大祭司邸就在神廟入口處附近，是一棟宏偉堂皇的建築。讚頌大自然神祇的壁畫，有一種賞心悅目的美。卡尼在他個人的工作室裡接見帕札爾，室內已經堆滿了一捲捲的紙軸了。

兩個老朋友一見面便熱情地擁抱。帕札爾先開口說：「我真替埃及高興。」

「但願你是對的。本來這個職位是布拉尼的，他可以說是賢人中的賢人，有誰能比得上他呢？以後，我每天早上都會向廟中他的雕像獻上祭禮，以表追思。」

「拉美西斯的決定沒有錯。」

「我也確實喜歡這個地方，就好像我已經在這裡住了好久。我能有今天全拜你所賜。」

「我的幫助太微不足道了。」帕札爾謙遜地說。

「卻具有關鍵性。我覺得你似乎有心事。」

「我現在進行的調查工作太困難了。」

「我能幫上什麼忙嗎？」

「我想進入科普托思神廟調查，但願能發現亞舍將軍的同謀謝奇那批神鐵的來源。為了定亞舍的罪，並證明謝奇的罪行，我必須循這條線索追蹤。沒有你的同意，是不可能辦到的。」
「共犯中會有祭司嗎？」
「不排斥這種可能。」
「我們不能向困境屈服，給我一個禮拜的時間吧。」

＊　＊　＊

帕札爾刮淨了全身的毛髮之後，住在卡納克聖湖旁的一間小屋中，並以「正祭司」的身分參加禮拜儀式。他天天寫信給奈菲莉，向她讚揚神廟的壯麗與寧靜。蘇提因不願犧牲那一頭長髮，便躲到一個女性友人家裡。這名女子是他有一回參加水上力搏賽認識的，還沒有結婚，而且對孟斐斯十分嚮往。為了讓她把注意力集中在自己身上，他可真是使盡了渾身解數。
到了事先約定的那天，大祭司在他的會見廳裡接待帕札爾和蘇提。卡尼變了；即使這名曾以種植草藥為主業的園丁臉上，仍留著被太陽曬黑後明顯突出的五官與深深刻畫的皺紋，他的步伐卻變得更加沉穩莊重了。拉美西斯之所以選擇他，想必是看出了此人樸質外表下的特質。他根本不需要適應期；在短短幾日內，卡尼便已經完全進入情況了。
帕札爾向他介紹了蘇提，他這個好友一進到莊嚴肅穆的場所就不自在。
「要調查的的確是科普托思。」大祭司說：「貴金屬與稀有礦物的專家都隸屬神廟住持管轄，而住持本身從前曾先後當過礦工與沙漠警察。想要知道神鐵的來源，問他就沒錯了。所有前往礦坑與露天採礦場的大規模隊伍，都以科普托思為出發點。」
「會跟他有牽連嗎？」
「根據他所呈上來的報告看來，應該沒有。他雖然負責監管，但是他本身也受到嚴密的監視。而且他負責運送珍貴材料到埃及各個神廟，二十年來從未出錯。此外，他還是金礦場的負責人。不過，我還是給你一道手諭，讓你可以調閱神廟的檔案資料。我覺得漏洞應該出在別的地方；他也得和礦工、探勘人員打交道不是嗎？」

＊　＊　＊

風猛烈地吹著蘇提的黑髮，他站在駛往孟斐斯的船頭，滿腔的怒火難消，因為帕札爾實在太冷靜了。

「科普托思、沙漠、沙漠之寶……你簡直瘋了！」

「利用卡尼給我的諭令，我就可以徹底搜查科普托思神廟了。」

「荒謬！像這種竊賊是不會笨到留下蛛絲馬跡的。」

「你的想法我覺得很合理，所以……」

「所以你就要充英雄，帶著一群無法無天、並且樂意為了金子自毀前程的人出發冒險。要是在以前，我一定很有興趣，可是我已經結婚了，而且……」

「你呀，小富翁一個！」帕札爾調侃道。

蘇提倒也不否認，「我的確想好好享用一下塔佩妮的財富，我也會提供忠實而上等的服務。況且，你不是要我拴住她以便套出更多內情嗎？」

「靠女人過日子，這不像你的作風。」

「叫你的努比亞警察去吧！」

「他一去就會被認出來的。這次我要親自追查。」

「你在胡說什麼？你撐不了兩天的。」

「我在牢營不也活過來了？」

「那些尋礦的人都很習慣乾渴、酷熱，也很習慣和蠍子、蛇、野獸搏命！別做傻事了！」

「追求真相是我的職責，蘇提。」

＊　＊　＊

奈菲莉匆匆忙忙趕到奈巴蒙的病榻前。雖然有三位醫生寸步不離的照顧，病人卻在差人去請奈菲莉之後，陷入了昏迷。

北風溫順地讓女主人騎上了背，然後快步朝御醫長的別墅而去。

奈菲莉到達以後，奈巴蒙又恢復了意識。他不僅胃痛，連手臂和胸口也疼痛難當。「心臟病發作了。」奈菲莉診斷後說。她把手放在病人的胸口，利用磁氣感應治療直到疼痛減到最弱為止。接著她將一節瀉根放進油中煮熟，再加入金合歡葉、無花果與蜂蜜製成藥水。

「你每天要喝四次。」她對病人說。

「我還能活多久？」

「你的病情很嚴重。」

「妳一向不會說謊，奈菲莉。多久？」

「我們的命運操縱在神的手中。」

「不用再對我說這些好聽話了！我怕死，我想知道我還剩下多少日子，我要找妓女到這裡來，我要飲酒作樂！」

「隨你高興。」

臉色已然蠟黃的奈巴蒙，猛然抓住她的手臂，「我一直在說謊，奈菲莉！其實我只要妳。吻我，我求求妳。一次就好，只要一次……」

她輕輕地掙脫開來。

只見奈巴蒙臉上滿是汗珠，虛弱地說道：「另一世的審判必定十分嚴厲。我的人生乏善可陳，但是我很高興能領導最傑出的醫生團體。我只缺少一個女人，一個真正的、或許可以減輕我罪惡的女人。去見奧塞利斯之前，我要幫擊敗了我的帕札爾一個忙。告訴他說喀達希是用一些護身符收買我的，這些護身符很特別，是他從前的總管幫他保管的。他竟然付出這麼大的代價，這件事牽連一定很廣，很廣……」

奈巴蒙說完這些話就斷氣了，臨死前雙眼仍深情款款地注視著奈菲莉。

* * *

帕札爾並沒有忘記牙醫喀達希那個紀錄不良的總管；其實，他當初牽涉的案子就是護身符的非法交易，而他的主人本身也對此十分熱衷。他不就曾經以一整籃的鮮魚換得一個天青石護身符嗎？無論生死，每個人都希望能藉此神奇護符對抗黑暗的勢力。這些護身符的形狀可能是一個眼睛，也可能是一條腿、一個手掌、一段天梯、各種工具、蓮花或者紙莎草，各形各色全都是正面能量的匯集。很多埃及人，不論年紀與社會階級，都會把護身符戴在頸間，讓它直接與肌膚接觸。

喀達希浮出檯面了。帕札爾於是出動所有的行政資源追蹤牙醫的前任總管。調查進行得很迅速，也很有收穫；那個人目前在埃及中部的一個大財主家從事類似的工作。而這個大財主正是喀達希的摯友──運輸商戴尼斯。

* * *

首相與其親密工作夥伴在每週聚會上，討論了無數的議題。巴吉向來喜歡簡潔的發言，他最厭惡說話冗長不知節制的人；他自己作結論時，也是簡短扼要、說一不二。與會的還有兩名書記官，一人負責記錄，另一人則將會議決定改寫為公文形式，再由首相蓋章確認。

「有什麼建議嗎，帕札爾法官？」

「一件事──撤換警察總長。孟莫西已經瀆職了，而且他所犯的過失不可原諒。」

首相的祕書卻抗議道：「孟莫西對國家有很大的貢獻。他認真負責地維持國家秩序，精神堪稱楷模。」

「首相大人知道我的理由。」帕札爾解釋道：「孟莫西不但說謊，而且擅改公文，踐踏司法。為什麼只有前任的門殿長老受罰，他的共犯卻逍遙法外？」

「警察總長可不是天真無邪的小羊！」

「夠了！」首相制止道：「事實俱在，文件也記錄得一清二楚。你大聲唸出來，書記官。」所有的罪行都很重大。帕札爾並未稍加渲染，他只是將孟莫西的卑鄙行徑一一條列出來。

「誰想讓孟莫西繼續留任？」聽完控訴理由之後，首相問道。

沒有人開口支持孟莫西。於是首相作了決定。「解除孟莫西之職。他若想上訴，直接來找我。二審的結果如果還是有罪，他將被判牢營監禁。我們現在馬上指派接任的人吧。你們有適當的人選嗎？」

「凱姆。」帕札爾以平穩清晰的聲音說。

「太可笑了！」一名書記官怒斥道。

接著又出現了幾個反對的聲音。

「凱姆的經驗豐富。」帕札爾仍不放棄，「他看到不公平的情形，總是心如刀割，但是他還是會依法行事。的確，他一點也不喜歡人類，不過他卻把警察的職務奉為聖職。」

「他是個出身低賤的努比亞人，他……」

「他也是個腳踏實地、不好高騖遠的人。他絕對不會受人賄賂。」

首相打斷了他們一來一往的針鋒相對，「我決定任命凱姆為孟斐斯的警察總長。反對的人，可以將他的理由呈遞到我的法庭。假如我認為理由不成立，他將被判誹謗。散會。」

* * *

在門殿長老的見證下，孟莫西將杖端雕成手形以象徵警察總長權力的象牙杖，和一個護身符交給了凱姆；護身符呈新月形，上頭刻了一隻眼睛和一隻獅子，二者皆是警戒的標誌。雖然被任命為警察總長，但凱姆卻不願意以他的弓箭、劍和短棍交換一套尊貴的服飾。

凱姆沒有向幾乎就要癱瘓的孟莫西道謝。他一句話也沒有說。做事謹慎的他馬上就試了一下官印，以免前任總長在上面動了手腳。

「你滿意了吧？」孟莫西語帶諷刺地問帕札爾。

「我只是為首相下令進行的職務交接儀式作證。」帕札爾平靜從容地回答：「我身為門殿長老，有必要記錄職權的轉移。」

「說動巴吉把我撤職的根本就是你！」

「首相是根據他的職責行事。是你自己犯錯，沒有人害你。」

「早知道我就把你……」

話已經到了嘴邊，但孟莫西還是不敢說出口，因為凱姆正瞪著他看。新任的警察總長嚴厲地說：

「以死恫嚇可是有罪的。」

「我又沒有說什麼恐嚇的話。」

「你不要再想對帕札爾法官不利，否則我一定不放過你。」

「你的屬下還在等你呢，你還是盡快離開孟斐斯吧。」帕札爾說道。

孟莫西被派往三角洲的漁場擔任管理員，從此他就要住在一個沿海的小城市，那裡的人除了根據魚的大小重量計算價位之外，是不會耍什麼陰謀詭計的。

他本想用尖酸刻薄的話回嘴，但一看到凱姆眼中鋒利的光芒，便連大氣也不敢喘一下了。

凱姆將司法權杖和官方護身符放進一個木箱，藏在他收集的許多亞洲匕首底下。他把枯燥的行政工作全部交代給熟悉作業程序的書記官後，便關上了孟莫西辦公室的大門，並下定決心能不來就盡量不來。街道、鄉野、大自然一直都是他的最愛，以後也還是；光是看那些寫得整整齊齊的草紙文件，怎麼抓得到犯人呢？因此能陪帕札爾出遠門，他打心裡高興。

* * *

他們在神聖語言之神托特的聖城荷摩波利斯上了岸；高高坐在專門供名人騎乘的驢背上，驢子馱著他們走過了一處風光明媚又寧靜的鄉區。現在正是播種時節；退潮後，農地裡遍佈了溼軟的河泥，極有利於犁和鋤的破土耕作。播種人的頸子和頭上都戴著花，手裡則忙著把裝在紙莎草編成的小籃子裡的種子，大把大把地灑向農田。經過綿羊、牛和豬重重奔踏過後，種子就能深入土中了。有時候，農夫還會在泥沼中挖出被困的魚。牡羊會帶領羊群到正確的地點；必要時，牧羊人也會揮動皮條發出啪呏聲，喚回離群的羊隻。種子一旦入土，便會遵循一種類似奧塞利斯死後重生的過程，使埃及的土地再度肥沃豐盈。

戴尼斯的土地十分遼闊，連貫了三個村落。帕札爾和凱姆在最大的村子裡，喝了一點羊奶，並吃了一點用瓦罐盛裝的鹹乳酪；他們把乳酪塗抹在麵包上，上面還灑了少許的香料。此外，村民利用卡吉綠洲運來的明礬使牛奶凝結，又不會變酸，如此製成的乾酪極受好評。

二人吃飽了之後，便往戴尼斯巨大的農場走；農場裡有好幾棟主要農舍，還有穀倉、食物儲藏室、壓榨廠、牲口棚、馬廄、家禽餵養場、麵包店、肉店和工作坊。他們洗淨了手腳，要求見農場總管，有一名馬夫立刻到馬廄去通報。

農場的主管一見到帕札爾拔腿就跑。凱姆動也不動，但狒狒卻往前一撲，把那名想要逃跑的人壓在地上後，隨即一口咬住他背上的肌肉，總管也馬上停止了掙扎。凱姆認為現在正是訊問的最好時機。

「很高興再見到你。」帕札爾說：「可是你看到我們好像很害怕。」

「把這頭猩猩拉開！」

「僱用你的人是誰？」

「運輸商戴尼斯。」

「喀達希向他推薦的嗎？」

總管遲疑著沒有回答。狒狒見狀又用力咬了一口。總管忍不住痛連忙道：「是的，是的！」

「這麼說你偷了他的東西，他並沒有記恨了。理由應該很簡單：戴尼斯、喀達希和你根本是同黨。你剛才之所以想逃，是因為你藏了一些罪證在這個農場上。我擬了一份搜索令，可以立刻執行。你願意幫我們嗎？」

「你弄錯了。」

凱姆本來想再讓狒狒動手，不過帕札爾卻希望採取比較平和、有條理的方式。他讓總管起身後，將他雙手反綁，並命令幾名向來對他的殘暴恨之入骨的農民看守著他。農民們告訴帕札爾說有一個倉庫，用好幾個木栓鎖起來，總管不許任何人進入。凱姆便用一把短刃破壞了木栓，進到了倉庫。

倉庫裡有許多箱子，箱蓋有的平坦、有的鼓起、有的呈三角形，箱蓋頂上和側面則各有一鈕，分別以細短繩的兩端纏繞著。此外，還有各式各樣價格昂貴的傢俱。凱姆將細繩割斷，打開箱子；其中幾個無花果木箱中，裝的是幾件高級亞麻服飾，以及長袍和布料。

「這些是妮諾法夫人的珍藏？」

「我們會要她開出工廠出貨證明。」

接著兩人走向幾個色調柔和，以烏木鑲貼、細木鑲嵌的木箱，打開一看，裡面有數百個天青石護身符。

「好大一筆寶藏！」凱姆嚷道。

「這些成品的手工這麼精巧，來源應該不難查出。」

「交給我吧。」

「戴尼斯和同謀把這些護身符以高價賣到利比亞、敘利亞、黎巴嫩以及其他熱衷埃及魔力的國家。也許也推銷給貝都因人，讓他們刀槍不入。」

「可能危害國家的安全嗎？」

「戴尼斯一定不會承認，而且會把罪過推諉給總管。」

「就連門殿長老你也不信任司法。」

「不要這麼悲觀，凱姆；我們這不是以官方身分來到這裡了嗎？」

在三個用平坦的蓋子蓋住的箱子底下，藏了一個不尋常的東西，讓他們倆驚訝萬分。

那是一個實心的金合歡木製成並鍍了金的箱子，高約三十多公分，寬二十，深十五。烏木箱蓋上，有兩個製作得十分精細的象牙鈕。

「這麼精緻的物品只有法老才會有。」凱姆悄聲地說。

「這應該是……陪葬的事物。」

「那麼我們是不能碰了。」

「我要清查箱內裝的東西。」

「不會犯了褻瀆之罪嗎？」

「不會的，箱子上沒有刻任何銘文。」

凱姆便讓帕札爾動手解開繫住象牙鈕與箱側鈕的細繩，帕札爾慢慢地掀起了蓋子。頓時，一片金光閃閃令人目眩神迷。

原來竟是一隻純金打造、巨大的聖甲蟲。甲蟲兩旁分別放著一個神鐵材質的小鑿子和一個天青石的眼形護身符。

「這是重生者的眼睛，鑿子是為他在冥世開口用的，而置於心口的聖甲蟲則能保他金身永恆不壞。」

甲蟲的腹側用象形文刻了一段文字，但由於經過猛烈的錘擊，幾乎無法辨識。

「是一個國王。」凱姆大驚失色地說：「他的陵墓遭到侵略了。」

在拉美西斯大帝統治下，似乎不可能發生如此罪大惡極的事。幾百年前，曾經有貝都因人侵略三角洲地區，掠奪了幾個陵墓的寶藏。自從解放之後，法老死後便都葬於國王谷地，並有守衛日夜看守。

「只有外國人才會想出這麼可怕的計劃。」凱姆又說，聲音不由得顫抖起來。

帕札爾不安地蓋上了箱子，然後說：「我們把這箱寶物搬到卡尼那裡，卡納克會是個安全的地方。」

第十八章

卡納克的大祭司卡尼下令神廟中的手工藝匠，仔細檢視木箱與箱中的物品。一有了結果，他立刻將帕札爾找來。兩人緩緩走在柱廊的涼蔭下。

「無法判定這些寶物的主人。」卡尼遺憾地說。

「是國王嗎？」

「從聖甲蟲的體積看來，很可能是，不過表徵不夠明確。」

「新任的警察總長認為有盜墓之嫌。」

「不太可能。如果真有人盜墓，事情一定會爆發出來，這種消息誰也壓制不住。這可以說是最重大的罪行，有可能神不知鬼不覺嗎？而且已經有五百多年沒有發生過了！拉美西斯公開譴責過這種行徑，罪犯姓名也必定會被公告出來，受萬人唾棄。」

卡尼說得沒有錯，凱姆的驚慌似乎有點杞人憂天。

「這些手工精細的物事，」卡尼認為，「可能是在工作坊被偷的。戴尼斯若不是打算作交易，就是留著為自己陪葬用的。」

深知戴尼斯虛榮個性的帕札爾，倒是傾向於第二個可能性。

「你到科普托思調查了嗎？」

「我還沒有時間。」帕札爾應道：「況且我也不知道該用什麼方式。」

「你可千萬要小心。」

「有新的消息嗎？」

「卡納克的金銀匠們肯定一點：製造聖甲蟲的金子來自科普托思礦區。」

＊　＊　＊

位於底比斯北方不遠處的科普托思是個奇怪的城市。街道上，來往的幾乎全都是礦工、採石工人和沙漠探險者，有些人正準備出發，有些人則是剛從灼熱多岩的荒野地獄回來。每一個人都暗自立誓，下次再有機會，一定要挖到最大的寶藏。除此之外，還有一些販售著遠從努比亞運來的貨物的沙漠旅隊，也有為神廟或富貴人家帶回獵物的獵人，以及一些試著融入埃及社會的游牧者。

所有志願探險的人都等著下一道聖旨的到來，才能自由選擇前往碧玉、花崗岩或斑岩礦場，或者紅海邊上的克賽港，又或是西奈的綠松石礦區。大家都夢想著金子，夢想著一些祕密的或是未開採的礦脈，夢想著這種神廟特地為神與法老所保留的神的血肉。無數的人計劃了一樁樁的陰謀蓄意奪取，卻也一次又一次地失敗，因為除了目光敏銳鋒利而無處不在的專業警察外，還有一群兇猛殘暴、體力驚人、令人不得不畏懼的警犬；這些警犬對於再偏僻的小徑、再小的乾河床都瞭若指掌，而且在凡人難以存活的艱險環境中，牠們也毫不費力便能找到脫險的方向。警犬不僅會獵殺野山羊、羱羊和羚羊等動物，也會幫警察找回監獄的逃犯，但牠們最喜愛的獵物卻是專門襲擊沙漠隊伍、打劫旅客的貝都因人。這些盜賊為數眾多、訓練精良，但是目光鋒利的沙漠警察卻絕不讓他們有機可趁，進行卑鄙的勾當。如果不幸讓某一群較為狡猾的貝都因強盜得逞，警察便會立刻下令：警犬出動，殺無赦。多年來，從無盜匪有過足以誇人的輝煌成果。而對於礦工的監視也十分嚴密，因此絕對沒有人能偷走大量的貴重金屬。

帕札爾往科普托思的華麗神廟走去；這個廟中保存著一些極為古老的地圖，埃及豐富礦產的位置在圖上一覽無遺。途中，帕札爾遇見一支押著犯人的警察隊伍，那些剛被警犬追回的逃犯，個個傷痕累累。

此時帕札爾心裡既感到不耐又覺得不安；不耐是因為他迫不及待想知道在科普托思是否能有所收穫；不安則是因為擔心神廟住持也是陰謀分子之一。不管是或不是，在採取任何行動之前，他都一定要弄清楚。

卡納克大祭司的推薦果然有效；一出示推薦函，神廟的門便一扇接著一扇地開了，住持也立刻接見他。住持已經上了年紀，但體格壯碩，顯得極有自信。尊貴的外表卻掩不住他過去從事勞力活動的痕跡。

「能得到閣下的關注真是太榮幸了！」他以令屬下不寒而慄的低沉聲音諷刺地說：「門殿長老獲准搜索我這間簡陋的廟宇，這真是我作夢也想不到的恩寵。你帶領的警察大隊作好入侵的準備了嗎？」

「我只有一個人。」

科普托思神廟的住持不由得皺起了雜亂的濃眉，「你的做法我不明白。」

「我希望你幫我。」

「我們這裡也聽到了不少關於你起訴亞舍將軍的消息。」

「大家都是怎麼說的？」

「支持他的人比反對他的人多。」

「你又是站在哪一邊呢？」

「他是個強盜！」住持不假思索地說。

帕札爾暗暗地鬆了一口氣，倘若住持沒有說謊，一切真相就要大白了。

「你對他有什麼不滿？」

「我本來是個礦工，也曾經當過沙漠警察。一年以來，亞舍不斷地想控制沙漠警隊，可是只要我還有一口氣在，他就別想得逞！」

住持憤慨的神色並非裝出來的。

「孟斐斯有一個名叫謝奇的化學家，我們在他的實驗室中搜出了一大批的神鐵，現在只有你能告訴我這批神鐵的來源了。當然，謝奇一再聲稱自己是受人陷害，對於這些貴重的金屬他毫不知情。不過，他卻試圖製造無法摧毀的武器，也許是為了亞舍將軍吧。無論如何，他都需要這種特別的金屬。」

「跟你說這種話的人根本是在開玩笑。」住持不屑地說。

「為什麼？」

「因為神鐵並不是無法摧毀的！那是從隕石提煉得來的。」

「不是無法摧毀……」

「這種說法流傳得很廣，但也只是傳說罷了。」

「知道這些隕石的所在嗎？」

「任何地點都可能有隕石墜落，不過我有一張地圖。現在只有一支由沙漠警察管制的公家探險隊，才有權利挖掘神鐵，然後運送到科普托思。」

「可是有一整塊被挪用了。」

「這也沒什麼稀奇。很可能是有一塊尚未登錄位置的隕石，無意間被盜賊發現了。」

「亞舍會加以利用嗎？」

住持還是不以為然，「有什麼用呢？他知道神鐵只限於宗教儀式之用，若拿來製造武器，無非是自找麻煩。反倒是賣到國外，尤其是賣給對神鐵情有獨鍾的赫梯人，還能有點利潤。」

販賣、投機、交易……有這方面專長的並不是亞舍，而是既貪婪又庸俗的運輸商戴尼斯！謝奇當經手人，還能賺一筆佣金。帕札爾一直都錯了。謝奇只不過是幫戴尼斯窩藏金屬而已。可是，亞舍將軍卻又想把勢力延伸進沙漠警隊。

「你保管的貴重金屬曾經遭竊嗎？」

「我周遭有一堆警察、祭司和書記官監視著，同時我也監視著他們，我們互相牽制。難道你懷疑我？」

「老實說，的確是。」

「我很欣賞你的坦白。你可以在這裡住幾天，那麼你就會明白竊取是不可能的。」

帕札爾於是決定相信住持。「我在一個非法交易護身符的人所收集的寶物中，發現了一個非常大而且是純金的聖甲蟲。用的就是科普托思礦區的金子。」

當過礦工的住持有些不安地問：「誰說的？」

「卡納克的金銀匠。」

「那應該不會錯。」

「我想這麼貴重的物品，你的檔案應該有記載吧。」

「所有人叫什麼名字？」

「刻字被敲擊掉了。」

「可惜。自遠古以來，從礦區挖出的每一塊金子的確都做了記錄，檔案裡都可以查到金子後來的歸屬：也許是某間神廟，某個法老或某個金銀匠。可是沒有姓名，就查不出什麼結果。」

「礦區有沒有手工藝匠在裡面工作？」

「有時候有。有些金銀匠就直接在挖掘的地點進行加工。這座神廟現在是你的了，徹底搜查吧。」

「這倒不必。」帕札爾搖搖手說。

「祝你好運。希望你盡快為埃及剷除那個亞舍將軍，他是個不祥的人。」

*　*　*

帕札爾確實了科普托思的住持與這項陰謀並無牽連。也許他應該放棄追查神鐵的來源，因為戴尼斯似乎對他這項新的地下交易品擁有無限的權利。可是又似乎有礦工、金銀匠或沙漠警察利用職務之便，竊取礦區內貴重的寶石或金屬，或許是為了戴尼斯，或許是為了亞舍，甚至可能是為了他二人。這些人結盟之後，恰足以累積一大筆的財富來發動攻勢，而帕札爾卻一直猜不透這到底會是怎麼樣的一番攻勢。

假使殺人犯亞舍最後證明是一群竊金賊的首腦，他絕對逃不過嚴厲的制裁。但是若不混入探勘者的行列，又怎麼證明呢？要找到如此勇敢的人並不容易，甚至是不可能。這樣的行動太危險了。他向蘇提提出建議，也只是惹得他發火罷了。

唯一的解決之道就是他自己出馬，為此他還得準備好充分的理由，說服奈菲莉才行。

*　*　*

勇士的吠聲使帕札爾心中洋溢著喜悅。他的愛犬飛快地衝了出來，然後在主人的腳邊停下喘息著，帕札爾則憐愛地撫摸著牠。他知道驢子北風性情較為多疑，隨即走上前去表達關心之意，北風也立刻報以愉快的眼神。

當他抱住奈菲莉時，感覺到她顯得擔憂又疲憊。

「有件事很嚴重。」她說：「蘇提逃避到我們家來了。一個星期以來，他一直躲在房間裡不出門。」

「發生什麼事？」

「他只願意跟你談。今天晚上，他喝了好多酒。」

*　*　*

「你總算回來了！」蘇提興奮地喊道。

「我和凱姆發現了一些重要線索。」帕札爾明白地說。

「要不是奈菲莉收容我，我就被押送到亞洲去了。」

「你犯了什麼罪？」

「亞舍將軍告我自軍營脫逃、侮辱長官、擅離職守、遺失制式武器、臨陣退縮和惡意誹謗。」

「你會勝訴的。」

「絕對不會。」

「你怕什麼？」

「我離開軍隊時，忘了填寫一些免除所有軍人義務的表格。現在期限過了，亞舍剛好可以名正言順地拿這件事作文章。我真的成了逃兵，非送軍方牢營不可了。」

「真麻煩。」

「在亞洲勞動營待一年是免不了的。你想想亞舍的那些書記官會怎麼對待我。我看我是死定了。」

「我會出面。」

「我的確犯了錯啊，帕札爾！你可是門殿長老，你會去做牴觸法律的事嗎？」

「我們身體裡面留著相同的血呢。」

帕札爾的維護卻使蘇提不安，「所以你就要跟我一起淪落了？這根本是個陷阱。我現在只有一條路，就是接受你的建議去當探勘員，消失在沙漠裡。這樣一來，我不但可以躲避塔佩妮、豹子和這個殺人魔將軍，還可以大賺一筆。走向黃金道路！還有比這個更美的夢嗎？」

「可是你自己也說過，探勘的行動是非常危險的。」

「我不適合過平穩的生活。我會很想念女人，可是我還是想碰碰運氣。」

「我們不想失去你。」奈菲莉反對地說。

蘇提感動地看著她，「我會回來的。我會帶著財富、權勢與榮耀回來的！全世界的亞舍都將在我面前顫抖，跪在我的腳邊哀求，但是我絕不容情，還要把他們一個一個踩扁。我會回來親妳的雙頰，享受妳為我準備的宴會。」

「依我看，」帕札爾卻說：「最好是現在馬上設宴請你，你也馬上放棄那個瘋狂的計劃。」

「我從來沒有這麼清醒過。我要是留下來就會被判刑，也會連累你；你這麼固執，一定會堅持替我辯護，替我打一場不可能贏的官司。那麼，我們所有的努力都將白費。」

「但你有必要冒這種險嗎？」奈菲莉問道。

「如果不創一番轟轟烈烈的事蹟，怎麼能彌補我的過失？軍隊我是永遠進不了的，如今我只剩下一個要命的選擇：尋金！不，我沒瘋，這次我真的會發財。我感覺得到，我的腦袋、手指、肚子都有這種直覺。」

「你真的不改變心意？」

「這個禮拜來我沒出門，一個人想得很仔細了。就算是你，也改變不了我的決定。」

帕札爾和奈菲莉互看了一眼；蘇提不是開玩笑的。帕札爾於是說道：「這樣的話，我要告訴你一個消息。」

「有關於亞舍？」

「我和凱姆破獲了一宗護身符非法交易案，戴尼斯和喀達希都涉嫌在內。而將軍則很可能有侵占金礦的嫌疑。也就是說，這些陰謀分子聚積了一大筆財富。」

「亞舍偷金子！太離譜了！這要判死刑，不是嗎？」

「假使罪證確立的話。」

「你是我的好兄弟，帕札爾！」

蘇提撲上前去抱住了帕札爾，承諾說：「他的罪證，我會替你帶回來。我不但要發大財，還要讓這個惡魔名譽掃地。」

「你別激動，這只不過是假設罷了。」

「不，是事實！」

「你若如此堅持，我就正式把任務派給你吧。」

「用什麼方法？」

「經過凱姆同意，十五天前你已經成為沙漠警隊的一員了。你還可以領到薪水。」

「十五天前……這麼說來，比亞舍將軍控告的日期還早囉！」

「凱姆不注重紙上作業。最重要的是這項任命已經生效。」

「我們來乾一杯吧！」蘇提嚷道。

奈菲莉順從了他。

「你要去加入礦工的行列。」帕札爾建議道：「但是除非遇到了迫在眉睫的危險，否則不要向任何人暴露你警察的身分。」

「有什麼人嫌疑比較重的嗎？」

「亞舍很希望能掌控沙漠警察，因此他一定派了密探潛伏其中，或是收買了一些心腹。礦工裡面也可能有他的人。以後我們盡量用郵遞或其他任何不會對你構成威脅的方式聯絡。我們必須互相通知彼此調查的進展。我的識別暗號就用……北風吧。」

「既然你承認自己是頭驢子，那麼智慧之路就不至於遙不可及了。」

「我要你親口答應我。」

「我答應你。」

「不要一心只想著碰運氣。要是情況太危險，就回來吧。」帕札爾不放心地叮囑道。

「你應該了解我的個性。」

「的確。」

「我是暗中行動，而你卻是目標明顯的標靶。」

「你的意思不會是說我的處境比你危險吧？」

「如果所有的法官都變聰明的話，這個國家也就還有救。」

第十九章

戴尼斯把無花果乾的數目算了又算。經過幾次核對之後，證明確實遭竊。實際的果實數目比書記官統計的少了八個。他怒氣沖沖地把工作人員都找來，並威脅偷竊的人出面自首，否則就要給予最嚴厲的處罰。有一名上了年紀的女廚子因為不想惹事，便推出了一個十來歲的小男孩，竟是書記官自己的兒子！於是戴尼斯罰書記官杖打十板，他兒子則挨了十五板。戴尼斯向來要求下人要有良好的風紀，只要是屬於他的東西，再怎麼微不足道也不能隨便拿。

怒氣過後，他覺得餓了，便吃了一點烤豬肉和新鮮的乾酪，並喝了點牛奶。不料帕札爾卻突然來訪，大大掃了他的興。但他還是假裝露出愉悅的神情，請法官一塊兒享受現成的餐點。帕札爾坐在圍起了棚架的矮石牆上，同時以銳利的眼光打量著戴尼斯，開口問道：「喀達希前任的總管曾經有竊盜的前科，你為什麼還僱用他？」

「那想必是負責聘僱的人不小心犯的錯，我和喀達希都以為這個可惡的傢伙已經離開省區了。」

「他的確是離開了，但是卻到你位於荷摩波利斯附近的大農場去當總管了。」

「他一定是用了假名，我向你保證明天就炒他魷魚。」

「不用了，他已經進監獄去了。」

戴尼斯摸了一下那圈細細的鬍子，把幾根不順的鬍鬚捻平，「進監獄！他犯了什麼罪？」

「你不知道他是個窩主？」

「窩主？罪名太大了吧？」戴尼斯顯得十分惱怒。

「他把那些以不當手段得來的護身符藏在箱子裡。」帕札爾解釋道。

「在我的農場上？太不可思議了，太荒謬了！長老，你絕對要替我保守祕密，我可不能讓這傢伙所犯的罪行，影響到我的聲譽。」

「這麼說你也是受害者囉？」

「我可是被他騙得好慘。」戴尼斯一臉委屈地說：「你要知道我從來不上那個農場的；孟斐斯的事業已經夠我忙了，更何況我一點也不喜歡鄉下。我希望你要重重地懲罰他。」

「難道你對你總管的行徑一點都不知情？」

「毫不知情！這點我可以發誓。」

「你知不知道你的農場上，藏了一件寶物？」

戴尼斯滿臉驚慌訝異，「寶物？現在？什麼樣的寶物？」

「這個我不能透露，你知道喀達希人在哪裡嗎？」

「就在這裡。因為他精神狀態很差，所以我請他到家裡來小住幾天。」

「如果他的健康情形允許的話，我能不能見他一面？」

戴尼斯於是差人去把牙醫請來，喀達希緊張地比手畫腳，手足無措，他作了一連串的解釋，卻大多是不知所云，只知道他承認請了一位總管，但早就把他趕出家門了。

對於帕札爾提出的問題，他總是回答得斷斷續續、沒頭沒尾。這個頭髮斑白的牙醫若不是精神不正常，就是故意裝瘋賣傻。

於是帕札爾打斷了他的話，「如果我沒有聽錯，你們兩人的意思是，護身符的非法交易是瞞著你們暗中進行的。」

戴尼斯讚揚門殿長老說他真是明察秋毫，而喀達希則招呼也沒有打便退下了。

「請你原諒他，他年紀大了，又疲勞過度……」戴尼斯為喀達希解釋。

「我已經開始調查了。」帕札爾補充說道：「總管不過是聽人擺佈，我一定會找出幕後的主使者，將他繩之以法。進展如何我也一定會通知你的。」

「感激不盡。」

「我想跟你的夫人談談。」

「可是她進宮去了，不知道什麼時候回來。」

「那麼我今晚再來。」

「有這個必要嗎？」

「絕對有。」帕札爾冷冷地回答。

* * *

妮諾法正在從事她最喜愛的消遣──裁縫，下人帶領帕札爾到她的工作室去。

她在縫一件長袍的袖子，經過精心打扮的臉上難掩怒氣，「我很累。在我自己家裡還要這樣受人打擾，實在很不好受。」

「只好請妳見諒了，妳的手工好精巧。」

「你也會注意到我縫紉方面的天分？」

「太令人懾服了。」

妮諾法似乎有些不知所措，「你這是……」

「妳使用的布料從哪裡來的？」

「這是我的事。」

「妳錯了。」

妮諾法丟下手上的工作，氣憤地站起來，「我要你把話說清楚。」

「在你們中部的農場裡，發現了一些可疑物品，有亞麻服飾、長袍和布料。我想那應該是妳的吧。」

「你有證據嗎？」

「實際的證據，沒有。」

「那就不要在這裡胡亂假設，馬上出去！」

「既然妳這麼說，我只好走了。不過我要強調一點：我沒有上當。」

* * *

豹子終於大功告成了。

從前一天病死的人身上剪下的頭髮、在某個小孩尚未填好的墳墓裡找到的幾粒大麥、幾粒蘋果籽，加上一點黑狗血、酸酒、驢尿和木屑：這劑春藥一定會很有效。兩個禮拜來，這個金髮的利比亞女子費盡了力氣尋找這些材料。無論用什麼方法，她都要讓對手喝下這劑藥；剛開始她對愛的需求會更熱烈，但是過後將永遠性冷感，蘇提失望之餘，必定會馬上離開她。

就在這時候，豹子聽到了響聲，有人通過小花園，走進了白色小屋。

她吹滅了廚房的燈火，拿起一把刀子。那個妖婦竟然這麼大膽！竟想在她的屋簷底下向她挑戰，大概是想除掉她吧。

入侵的人溜進了房裡，打開旅行袋，便把衣服胡亂往裡頭塞。豹子舉起了武器，「蘇提！」

那人聽到她的叫聲，回頭一看，以為她想對自己不利，立即往旁邊撲倒。豹子則放下了拿刀的手。

「妳瘋了呀？」他站了起來，抓住她的雙腕，並將刀刃踩在腳下。「這是真刀子吧？」

「我要把她碎屍萬段。」豹子喃喃地說。

「妳在說誰啊?」

「你娶的那個女人。」

蘇提哈的一聲,便勸她,「忘了她,也忘了我吧。」

豹子打了個寒顫。「蘇提……」

「妳看,我要走了。」

「去哪裡?」

「有祕密任務。」

「騙人,你要搬到她那兒去了。」

他放聲大笑,鬆開她的手,把一件纏腰布丟進旅行袋,背起袋子。「妳放心,她不會跟著我的。」

豹子抓住了愛人,緊張地問:「你讓我好害怕。求求你,把話說清楚。」

「我現在成了逃兵,所以要盡快離開孟斐斯。要是讓亞舍將軍捉到,下半輩子就得在集中營裡過了。」

「你那個好朋友帕札爾不能保護你嗎?」

「是我一時疏忽犯了錯。假如我能完成他交代的任務,我就能打敗亞舍,再回到這裡來。」

他說完,給了她熱情的一吻。她則信誓旦旦地說:「你要是騙我,我就殺了你。」

* * *

凱姆在卡尼直屬部下的協助之下,進入了製作上等護身符的工廠進行調查,卻一無所獲。接著,他離開底比斯搭船前往孟斐斯繼續進行類似的調查工作,結果仍然令人失望。

警察總長仔細想了想，這些非法交易的上等護身符絕不可能來自大街上的工作坊。因此，他帶著狒狒詢問了許多線民。其中一個原籍敘利亞的矮子答應透露消息，但是要求三袋大麥和一隻不到三歲的驢子作為回報。如果依照程序以書面申請，太浪費時間了，凱姆只好犧牲自己的薪水，並嚴令矮子不得說謊，否則就打斷他所有的肋骨。

據矮子說，兩年前在北區一個造船廠附近，開了一間地下工廠。幾天來，凱姆打扮成挑水伕，暗中觀察著來往的人。每當造船廠下工之後，就會有幾名工人鬼鬼祟祟地溜進一條看似沒有出口的死巷中，直到天快亮的時候才挑著幾個封蓋的籃子出來，然後再把籃子交給一名船夫。

到了第四天晚上，凱姆闖進了那條狹窄的巷道。巷子盡頭有一面假牆，是燈心草板外面塗上泥巴曬乾後做成的。他出其不意地衝了進去。裡面四個男人一見到這個又高又壯的黑人，帶著一頭猩猩闖入，都大驚失色。凱姆打昏了最瘦弱的一個，狒狒則咬著另一人的小腿肚，還有一個逃走了。至於最年長的那個人，則早就嚇得氣也不敢喘。他的左手上，有一個天青石製成的伊西絲神之結，非常精緻美麗。當他看到凱姆朝自己走來，嚇得手一鬆，天青石便掉到地上。

「你是老板嗎？」凱姆問。

他搖搖頭。這個頂著一個圓滾滾的大肚子、個子不高的男人，簡直嚇壞了。

凱姆撿起了地上的伊西絲之結說：「手工很精細。你一定不是學徒，這項手藝是在哪學的？」

「普塔赫神廟。」男人囁嚅著說。

「你為什麼離開神廟？」

「我是被趕出來的。」

「為什麼？」

工匠低下了頭，「因為我偷了東西。」

這個工坊的天花板很低，通風不良。乾泥土牆邊堆了幾個箱子，箱內裝的是從遙遠山區運來的天青石塊。在一張矮桌上，放著做好的護身符；至於製作失敗或有瑕疵的半成品則置於籃中。

「你的雇主是誰？」

「我……我不記得了。」

「算了吧，老兄！說謊是很愚蠢的行為，而且還會惹火我的狒狒。你要知道，牠叫做『殺手』可不是浪得虛名。我要知道這裡的首腦是誰。」

「你會保護我嗎？」

「你到了竊賊牢營就安全了。」

小個子的男人很高興自己能離開孟斐斯，即使要前往地獄也無所謂。一時只顧著竊喜卻忘了答話。

「我等著呢。」凱姆提醒他。

「牢營……非去不可嗎？」

「這要看你自己了。尤其要看你供出的人是誰。」

「他根本沒有留下任何線索。他一定會否認，我的證詞是不夠的。」

「這些司法程序上的事，你也就不必管了。」

「你最好放開我。」

工匠以為凱姆沒有注意他，便偷偷往巷子跨了一步，但馬上就被一隻強健有力的手給扣住了脖子。

「快說是誰！」凱姆厲聲喝道。

「謝奇。化學家謝奇。」

＊　＊　＊

帕札爾和凱姆沿著貨船往來的運河而行。水手們有的要啟程，有的剛回來，有人相互斥罵，有人高聲歌唱。埃及顯得繁榮、幸福、和平，然而，門殿長老卻夜夜失眠，他有預感即將有不幸要發生了，偏偏又無法察知原由。每天晚上，他都會把自己的煩惱告訴奈菲莉，而就連天性樂觀的她，也覺得丈夫的憂慮不是沒有道理的。

「你說得不錯。」他對凱姆說：「審訊謝奇不會有什麼結果。他一定會堅持自己的清白，而且一個被逐出神廟的竊賊所說的話毫無分量可言。」

「可是他沒有說謊。」

「我知道。」

「法律到底有什麼用？」凱姆又抱怨道。

「給我一點時間吧。現在我們已經知道戴尼斯和喀達希、喀達希和謝奇之間的密切關係了。也就是說這三個人是同黨。此外，謝奇很可能為亞舍將軍賣命，那麼就等於有四個人涉入多起刑案了。蘇提會帶回亞舍的罪證；我相信偷取神鐵，策劃天青石，甚至金子等寶石的非法交易的一定是他。加上戴尼斯既是亞洲貿易的專家，辦起事來也就更便利了。這個戴尼斯野心勃勃，不計一切地追求財富與權勢；他還控制著喀達希和謝奇，讓他們為他的陰謀計劃貢獻專業能力。另外還有妮諾法夫人，她對貝殼針如此熟悉，而這又剛好是殺死我恩師的凶器。」

「四個男人和一個女人……他們又怎麼靠著自己的力量推翻拉美西斯呢？」

「我也在想這個問題，可是現在還沒有答案。如果真的是這夥人，他們又為什麼要去劫掠王室陵墓呢？凱姆，我們還有太多不確定的疑點，以後要做的事還多著呢。」

「雖然我已經是警察總長，但我還是繼續一個人調查。除了你，我對誰都不信任。」
「我可以免除你一些行政工作。」
凱姆猶豫再三才說出一句，「恕我大膽……」
「說啊。」
「你應該跟我一樣小心。」
「我的祕密只告訴蘇提和奈菲莉。」
「他們一個是和你立了血盟的兄弟，一個是你永遠的伴侶，假如背叛了你，勢必會遭天譴而下地獄。」
「你為什麼對人這麼不信任呢？」
「因為你忘了一個重要的問題：陰謀分子真的只有五個人，或者還有更多？」

* * *

午夜時分，她頭上包著布巾潛進了倉庫裡，先前她已經以其他友人的名義約了暗影吞噬者在此會面。經過大家抽籤決定，由她出面交代任務。通常程序並非如此，但由於情況緊急，不得不採取面對面的接觸，以確保刺客對下達的命令了解無誤。她的臉上化了濃濃的妝，穿著一件村婦的粗布長袍和一雙草鞋，整個人都變了樣，根本不用擔心被認出來。

在帕札爾法官又有了新發現後，戴尼斯立刻召來其他同謀緊急商議。那一大塊神鐵被沒收也許只是一點金錢上的損失，但是齊阿普斯墓穴中的陪葬物事也一併出籠，情況就麻煩多了。不錯，他們把法老的姓名字樣敲擊掉之後，帕札爾的確無法辨識，他也不可能知道拉美西斯目前所面臨的窘境。這個全世界最有勢力的人一句話也不能說，他只能自己默默地承受，無論如何都不能吐露實情，說他已經不再擁有執政的信物，說他的王權已經不再合法。

戴尼斯主張以靜制動；儘管門殿長老的動作頻頻，他卻不驚慌。但其他人則大多與他意見相左。雖然帕札爾根本不可能得知真相，可是他們各自的行動的確受到了莫大的干擾。尤其以化學家謝奇所受的打擊最大；他才剛失去護身符地下交易的重大收益。那個積極、有耐心又嚴格的法官，最終一定會開庭審訊的；到時候恐怕會有某個或某幾個要人被起訴，或者被判刑，甚至被監禁。如此一來，不僅陰謀分子的勢力會大大削弱，另一方面受到法官懲治的受害者也將名譽掃地，而拉美西斯下台之後，聲譽卻是他們所最需要維護的。

女子一聽到要自己出面時不禁微微顫抖，不一會兒卻又感到欣喜。一種美妙而令人愉快的顫慄感遍佈了她的全身，就和當時她在吉薩司芬克斯的守衛長面前脫去衣服的感覺一樣。當她將守衛長拉近時，他完全失去了警戒心，死亡的大門也同時為他敞開。他們計劃的成功全有賴於她的魅力。

對於暗影吞噬者，她一無所知，只知道他曾經多次接受委託犯案，而且主要是為了殺人的快感，而非豐厚的酬勞。當她見到他坐在椅子上剝著洋蔥時，心中既感到驚恐又為之著迷。忽然聽見他說：

「妳遲到了，月亮已經通過港口的盡頭。」

「又得採取行動了。」

「對象是誰？」

「這次的任務非常棘手。」

「女人還是小孩？」

「是法官。」

「在埃及是不能行刺法官的。」暗影吞噬者不免有所顧慮。

「不用殺他，只要讓他殘廢就行了。」

「很困難。」

聽他這麼說，她馬上知道他要的是什麼，「要多少報酬？」

「金子。一大筆金子。」

「成交。」雖然數目不小，她仍一口便答應下來。

「什麼時候？」

「要有十分的把握才能下手。而且要讓所有的人都相信帕札爾出了意外。」

「對象是門殿長老！那麼還要更多的金子。」

「只許成功，不許失敗。」她咬咬牙說。

「我也不許自己失敗。帕札爾身旁總是有戒護，所以不能有期限……」

「這一點我們知道，不過越早越好。」

暗影吞噬者站了起來，說道：「還有一件事……」

「什麼事？」

他有如靈蛇出洞一般，迅速地抓住她的手臂往後拉扯，她不得不忍痛轉過身背對著他。

「我要先預支一部分酬勞。」暗影吞噬者說。

「你竟敢……」

他動手脫去了她的長袍。

她並未呼喊，只是冷靜地說：「你瘋了！」

「妳太不小心了。我對妳的面貌不感興趣，也不想知道妳是誰。妳只要好好配合，對我們兩個都好。」

當她感覺到他的性器已插入她的雙腿之間，便不再反抗。跟一名殺手做愛比起她平日的一切爭鬥經驗都還要刺激。這段插曲，她會保密，而他迅速而猛烈的攻勢，更讓她心滿意足。

「你的那個法官絕不會再騷擾妳了。」暗影吞噬者承諾道。

第二十章

棕櫚樹、無花果樹與角豆樹茂密的枝葉遮蔽了暑熱。午餐過後的休息時間，奈菲莉在花園裡享受著寧靜的片刻，然而才一會兒功夫，小綠猴就開始蹦蹦跳跳、爬上爬下、不停尖叫，還滿心歡喜地把摘來的水果獻給女主人。小淘氣簡直一刻也安靜不下來，就像奈菲莉一刻也無法坐下一樣。滿意了以後，牠就躲到椅子底下，看著狗兒勇士來回奔跑嬉戲。

埃及不正像是一座大花園嗎？在法老的庇蔭之下，無論在清晨的朝氣或夜晚的寧靜中，樹木都能成長茁壯。事實上，拉美西斯經常親自視察橄欖樹與酪梨樹的林園。他總喜歡在種滿了花卉的庭園中散步，也喜歡觀察果樹的生長情形。高大濃密的枝葉不但為神廟提供了蔭涼，也是神聖使者鳥兒們築巢的所在。聖賢曾經說過，焦躁不安的人就像一棵因內心乾枯而漸漸萎靡的樹；相反地，平和的心境卻能帶來豐碩的果實，並使四周散佈著一種清新的氣象。

奈菲莉在一個小坑洞裡種了一棵無花果樹；坑中還用一個鑿了很多洞的瓦罈承接水分，並保護著幼小的樹苗。樹根漸漸往下伸展之後，便會將脆弱的容器撐破，碎裂的陶土混入土中，則會使得腐植土更具養分。奈菲莉仔細地把乾泥巴邊緣弄得牢固一點，以免澆水以後水分流失得太快。

勇士興奮地吠著，看來帕札爾馬上就到家了。每當帕札爾到達門口的十五分鐘前，不管是什麼時間，勇士都會有準確的預感。如果他離家太久，勇士便會失去胃口，對小淘氣的挑釁也不理不睬。帕札爾一進家門，也不顧自己門殿長老的身分便往愛犬身邊跑，讓勇士攀趴在他的纏腰布上，然後留下兩個黑黑的爪印。帕札爾解下纏腰布，光著身子躺在妻子旁邊的一張草蓆上。

「太陽好溫暖啊。」

「你好像很累。」奈菲莉溫柔地問道。

「煩人的事情比平常多太多了。」

「你沒忘了喝銅水吧？」

「我根本沒時間想到自己。我的辦公室老是滿滿的一堆人，從戰士的遺孀到對自己晉升不滿意的書記官，什麼人都有，而每個人都滿懷委屈。」

奈菲莉在他身邊躺了下來，「你這樣說太不公平了，帕札爾法官。你看看你的花園。」

「蘇提說得對，我的確是掉進陷阱裡頭了。我真想再回鄉下去當個小法官。」帕札爾楞楞地說。

「命運之神是不容許你往回走的。蘇提出發到科普托思了嗎？」

「今天早上帶著武器和行李走了。他答應我要帶回亞舍的人頭和一大堆金子。」

「以後，我們每天向探勘者的保護神敏神以及沙漠之神哈朵爾祈禱。我們的友誼是可以跨越時空的。」

「妳的病患怎麼樣了？」

「有幾個人讓我很擔心。我還在等幾味珍貴的藥材配製藥方，可是中央醫院的藥局卻把我的申請擱置下來了。」帕札爾閉上了眼睛。

奈菲莉於是關切地問道：「有其他事情困擾你嗎，親愛的？」

「果然是瞞不了妳。是跟妳有關的事。」

「我犯了法？」奈菲莉怪道。

「宮中御醫長的繼任人選還沒有確定。我身為門殿長老，必須檢核候選人的在法律上是否符合資格，然後再把名單呈遞給專業醫師委員會。我卻不得不承認第一個候選人的資格。」

「是誰？」

「牙醫喀達希。如果他當選了，美鋒為妳準備的文件馬上會被束諸高閣。」

「他可能成功嗎？」

「他有一封奈巴蒙所寫的推薦函。」

「是偽造的？」

「有兩個證人證明這封信函確實出自奈巴蒙之手，而且當時他精神狀態良好。這兩個人就是戴尼斯和謝奇。這一夥強盜越來越光明正大了。」帕札爾重重地嘆了一口氣。

「我的事業前途無所謂，只要有一間私人診所能讓我繼續治病就好了。」

「他們打算讓妳的診所關門。甚至還打算告妳。」

「反正有最優秀的法官會為我據理力爭，我擔心什麼？」奈菲莉笑著說。

「喀達希……我一直猜不透他的角色，現在謎底揭曉了。御醫長有什麼特權？」

「為法老治病，任命宮中的內外科醫生與藥劑師等醫療團隊，經手並管制有毒物質、毒藥與危險藥物，決定公共衛生政策，然後在首相與法老同意後負責落實。」

「讓喀達希有這樣的權力……這正是他所覬覦的職位。」

「要想影響委員會決定人選並不簡單。」

「妳錯了。戴尼斯一定會賄賂委員的。在眾人眼裡，喀達希年高德卲，又已經執業多年，而且……而且拉美西斯只有一樣病痛纏身：牙周病。這次的任命也是他們計劃的一部分，我們一定要極力阻止。」

「怎麼阻止呢？」

「還不知道。」

「你是擔心咯達希會危害到法老的健康嗎？」

「他還不至於敢這麼做，太冒險了。」

這時候小淘氣跳上了帕札爾的肚子，並用力拉扯了一下他的體毛。帕札爾痛得大叫，右手也順勢打了過去，不過卻撲了個空，因為小綠猴早就又躲到女主人的椅子底下去了。

「要不是念在我們第一次見面時，這隻該死的小畜生還有點貢獻，我早就好好打牠一頓了。」

為了表示歉意，小淘氣爬上一棵棕櫚樹丟下了一個椰棗，帕札爾一伸手便抓個正著。勇士一見立刻飛奔過來，把椰棗吃了。

奈菲莉突然顯露出戚然的神色。

「妳為什麼難過？」

「我有過一個很瘋狂的念頭。」

「妳想做什麼？」

「我放棄了。」她搖搖頭說。

「告訴我。」

「有什麼用呢？」她蜷縮在他身邊，幽幽地說：「我想要……有個小孩。」

「我也想過。」

「你希望我們有個孩子嗎？」

「在一切事實都還黯淡不明之時，這不是明智的決定。」

「我曾經想推翻這個想法，不過你說得應該沒有錯。」

「如果我繼續進行調查，我們就得再耐心等等。」

「我們不能忘記布拉尼的死，否則我們將成為最卑鄙無恥的一對夫妻。」

他抱住她柔聲問道：「妳覺得有必要再穿著這件衣服嗎？夜裡的氣候是這麼的舒服。」

* * *

暗影吞噬者的任務並不簡單。首先，如果離開工作崗位過於頻繁或時間過長，很容易惹人注意；而他因為顧慮到有了同黨就很可能受牽連，因此總是單獨行動。既然必須獨自摸清帕札爾的習性，自然需要多一點耐心。其次則是委託人要他使門殿長老殘廢，而不是殺了他，還要以意外事故粉飾得天衣無縫。

這個計劃實行起來確實非常困難。因此，暗影吞噬者要求以三塊金條作為報酬，有了這筆財富，他就可以在三角洲買個農場，無憂無慮地度過下半輩子了。以後他便可以在欲望強熾的時候以殺人為樂，手下還會有一大群僕人供他使喚，把他照顧得無微不至。

等金子一到手，他就要開始打獵，他一想到自己完成這項傑作的種種好處，不由得興奮了起來。

* * *

爐子已燒成了白熱狀態。謝奇事先已經放入了模子，其中流動的液體金屬將會塑造成大塊大塊的金條。此時的實驗室裡高溫難耐，戴尼斯早已揮汗如雨，而留著黑色小鬍子的化學家卻一滴汗也沒有流。

「我已經和我們的朋友說定了。」戴尼斯說道。

「不後悔了？」

「我們沒有選擇的餘地。」

戴尼斯說著，從一只布袋中拿出了齊阿普斯的金面具，以及原本掛在法老胸前的金項鍊。

「這些足夠打造兩塊金條了。」

「第三塊怎麼辦？」

「向亞舍將軍買。他侵占公有金礦的行動毫無破綻，只可惜什麼事都逃不過我的法眼。」

謝奇注視著這名建造了大金字塔的法老的面容。他無比莊嚴的五官，有種神聖不可侵犯的美。當初雕刻的金銀匠，給了他了一種青春永駐的感覺。

「他讓我覺得害怕。」謝奇不諱言地說。

「只不過是一副陪葬的面具罷了。」

「可是他的雙眼……活靈活現的。」

「別再幻想了。」戴尼斯不耐煩地說：「那個法官偷了我們原本要賣給赫梯人的神鐵，和我打算用來陪葬的金聖甲蟲，已經讓我們損失慘重了。如果繼續留著金面具和項鍊，實在太危險。何況我們還要付酬勞給暗影吞噬者呢。快動手吧。」

謝奇又跟平常一樣，聽從了戴尼斯的話。尊貴的面容和金項鍊在爐中消失了。不久，融化的金子就會沿著細溝槽灌注到模子裡。

「金手肘呢？」謝奇問道。

戴尼斯突然神采奕奕地說：「可以用做……第三塊金條啊！那麼就可以不用找亞舍了。」

謝奇卻有點猶豫。

「最好還是趕快解決掉。」戴尼斯肯定地說：「只要留著最重要的物件就行了，也就是眾神的遺囑。我們藏的地方，帕札爾是絕對找不到的。」

戴尼斯一邊冷笑，一邊看著齊阿普斯的金手肘消失在爐子裡，「親愛的謝奇，你就將要成為全國最重要的人物之一了。今晚就把第一部分的酬勞付給暗影吞噬者。」

＊　＊　＊

這名沙漠警察身長至少兩公尺。纏腰布的腰帶上插著兩把刀柄老舊的匕首。他從來不穿鞋子；由於他經常行走於碎石子上，腳底下長出的厚繭就連金合歡的刺也穿不透。他問道：「你叫什麼名字？」

「蘇提。」

「打哪兒來的？」

「底比斯。」

「幹哪行的？」

「挑水、撿亞麻、養豬、捕魚……」

突然來了一隻高大卻眼神空洞的牧羊犬，把鼻子湊到蘇提身上聞個不停。這隻狗應該有七十幾公斤重；毛很短，背上到處都是傷疤，好像隨時都可能撲上來似的。警察繼續問話：「你為什麼想當礦工？」

「因為我喜歡冒險。」

「你也喜歡口渴、酷熱、角虫奎蛇、黑蠍子、急行軍、在密不通風的狹窄空間裡面工作嗎？」

「每個職業都有缺點。」蘇提聳聳肩，無所謂地說。

「你選錯行了，老弟。」

蘇提卻故意露出傻裡傻氣的微笑，那名警察便讓他通過了。

在招募礦工的辦公室外排隊的人群裡，他算是挺中看的一個。他氣宇軒昂加上一身健美的肌肉，讓旁邊的幾個候選者更加顯得瘦弱而不適任了。

辦公室裡有兩個年長的礦工又問了剛才警察問過的問題，他便將答案又重複了一次。他覺得他們看他的眼神，就好像在挑選拉車的牲口一樣。

「很快就會出隊了，你能去嗎？」

「可以。」蘇提一口就答應了，連忙又問：「要去哪裡？」

「加入我們的行列，只有服從，不要多問。通常會有一半的新手半途昏倒，他們必須自己想辦法回到谷地來，我們是不會花費精力去照顧軟腳蝦的。天亮前兩個小時出發，這是你的裝備。」

蘇提拿到了一根手杖、一張草蓆和一捲被子。他用一條細繩把被子和草蓆綁在手杖上。在沙漠裡，旅客絕對需要一根手杖來敲擊沙地，以防毒蛇近身。

「水呢？」

「到時候會定量分配。別忘了最寶貴的東西。」

蘇提在脖子上掛了一個小小的皮袋，一旦幸運發現了金子、光玉髓、天青石或其他寶石，就可以裝到裡頭去。除了支領薪水之外，袋子裡裝的也都屬於他。

「這玩意裝不了多少啊。」他看著袋子說。

「小子啊，有很多人的袋子可一直都是空的。」

「技術太差。」蘇提不屑地說。

「你的話真多，進了沙漠你就會懂得要閉嘴了。」

* * *

約有兩百多人聚集在東城門，路徑的邊緣。大部分的人暗暗向敏神許下了三個心願：希望能平安歸來，不要渴死，並且能用皮袋帶回寶石。人人的頸間都配戴著護身符。知識水準較高的人事先都去請問過一個占星大師，有些人還因為星象不吉而取消了行程。不信神的人也會從前輩口中聽到這樣的經驗之談：「出征沙漠心中無神，回歸谷地與神同在。」

探險隊的隊長艾弗萊是一個身材高大、手臂極長、滿臉落腮鬍的人。他全身披覆著又黑又濃密的毛，活像一頭亞洲黑熊。大家一見到他，有幾個菜鳥馬上就放棄了；聽說艾弗萊又粗暴又殘酷。他繞著隊伍巡視了一遍，每走到一個志願者身邊總要多停留一會兒。

「你就是蘇提？」

「正巧是我。」

「你好像很有野心。」

「我當然不是來撿石頭的。」

「在這之前，就讓你背背我的袋子。」

巨人隊長說著便把一個沉重的背包丟給他，蘇提也二話不說就背上了左肩。艾弗萊冷笑著說：

「趁現在風光一下吧。很快你就神氣不起來了。」

隊伍在日出前出發了，一直到中午以前，路線四周全是光禿荒涼的景象。在農村生活、不習慣沙漠地形的人，腳下都已皮破血流；艾弗萊避開了滾燙的沙地，專挑一些遍佈著小石塊的路走，而這些碎石個個都像金屬一樣的鋒利。隊伍首先經過的高山讓蘇提感到驚心動魄；這群山彷彿是一道無法穿越的天險，將人類屏除在山中的神祕國度之外。在那裡，有一塊塊專供建造神居所用的岩石，並聚積了驚人的能量。高山是岩石之母，她孕育了珍貴的礦產，而這些豐富的寶藏則只有持之以恆、堅忍不拔的人方能得見。蘇提一時心神出竅，不自覺地放下了行李。

才一失神，便立刻有人在他屁股上踹了一腳，使他整個人翻滾到沙地上。

「我可沒有允許你休息。」艾弗萊嘲弄著說。

蘇提站起來後，艾弗萊又說：「把我的袋子弄乾淨。吃東西休息的時候，也不可以放到地上。你要是敢不聽話，我就讓你沒水喝。」

蘇提真懷疑是不是有人告發他，不過仔細看來，其他志願的人也都受盡了隊長的刁難。艾弗萊就喜歡用極端的手段來考驗手底下的人。有一個努比亞人才做出揮拳的樣子，就馬上被痛打一頓，並被丟棄在路徑旁邊。

傍晚時，隊伍到了一處露天的採砂岩場。採石場上有石匠敲下石塊，然後做上自己小組特有的標記。沿著每一條礦脈，然後循著預定的石塊四周，都有一些細心挖掘的小溝槽。工頭把楔子敲進沿著拉線分布的切口後，便能將石塊完整無缺地從母岩上採挖下來了。

艾弗萊跟他打了個招呼，「我帶了一群懶鬼到礦場來，你要是需要幫手，儘管開口。」

「當然再好不過了。不過他們不是走了一整天了嗎？」

「他們想吃東西，就得先幹點活才行。」

「這樣不合規定吧？」

「法令是我來決定的。」

見他如此堅持，工頭便說：「礦場頂端有十多塊石塊要運下來，要是有三十幾個人一起搬，會快得多。」

艾弗萊便指定了幾個人去幫忙，其中也包括蘇提在內。他拿回自己的行李後說：「喝點水後就爬上去。」

工頭原本設計了一道滑槽，可是半途崩塌了。因此必須先用繩索把石塊吊到中斷處，再解開繩索讓石塊沿著滑槽滑到底端。為了防止石塊墜落得過於快速，便由五個人分站兩邊，用力將繫著石塊的纜繩平穩地拉住。其實等到滑槽修好之後，就不再需要這套繩具了。但由於工作進度有點落後，艾弗萊的提議也算是幫了工頭一個大忙。

意外就在搬運第六塊石塊時發生了。因為平衡繩索的人太累了，無法減緩石塊下降的速度，以致於纜繩受力過猛，把拉繩的人都甩到了一旁。其中有一名五十來歲的工人，卻頭朝下地往滑槽裡跌落，他原想拉住蘇提的手臂，不料另外兩名同伴使力將蘇提往後一拉，使他抓了個空。

出事工人的慘叫聲很快就聽不見了。大石塊輾過了他的身子，由滑槽滾了出去，然後在一聲轟天巨響中摔個粉碎。

工頭忍不住掉下淚來。艾弗萊卻說：「至少已經完成一半的工作了。」

第二十一章

羱羊紋風不動站在一方懸岩上，頭上兩隻長長的角彎向天空，下巴一小搓山羊鬍，兩眼則注視著在太陽底下緩緩前行的礦工。「羱羊」在象形文字中是祥和高貴的象徵，也代表了一種奉神旨意而存在的生命。

「在那邊！我們殺了牠！」一名礦工喊道。

「閉嘴，你這個笨蛋！」艾弗萊訶斥道：「那可是礦區的保護者。要是殺了牠，我們就全死定了。」

那隻大公羊爬上陡坡後，一個大跳躍，便消失在山的另一邊了。

日夜不停走了五天，全隊的人都累壞了，只有艾弗萊仍跟出發前一樣精神奕奕。蘇提也還是很堅強；廣漠的景致重新給了他力量。無論是探勘隊隊長的暴虐，或是令人精疲力竭的行程，都動搖不了他的決心。

那個又粗又壯、滿臉大鬍子的隊長命令大家集合後，便自爬上一塊大石頭。這樣才能使這些游民在他腳下顯得更渺小。

「沙漠是很大的。」他用洪亮的聲音說道：「你們在沙漠中比一隻螞蟻還不如。看看你們，老是嚷著口渴，就像一群行動不便的老太婆。你們根本不配當礦工，也不配到地底下去尋寶。可是我卻帶你們來了。這些金屬礦都比你們有價值。你們在山邊亂墾亂挖的時候，山是會覺得痛的，所以它也會想辦法吞掉你們以求報復。能力不夠的人也只好自求多福了。現在開始搭營，明天天一亮就開工。」

工人們開始搭起了帳篷，第一個要搭的就是隊長的，由於實在太重了，把五名搬運的工人累得連氣都喘不過來。在艾弗萊虎視眈眈之下，他們非常小心地把帳篷攤開、架起於營地的正中央。然後有些人準備晚餐，有些人把地面弄溼以免塵土飛揚，還有些人喝著羊皮袋中清涼的水止渴。幸虧礦區附近鑿了一口井，才不至於缺水。

蘇提睡夢中，忽然被人踢了一腳，痛得他全身像是要裂開一樣。

「起床了。」艾弗萊命令道。

蘇提忍住怒氣，照他的話做。

「每個到這裡來的人都多少惹了些麻煩。你呢？」

「那是我的祕密。」

「我要你說。」

「你少來煩我。」

「我最討厭故弄玄虛的人。」

聽隊長略帶威脅的口吻，蘇提只得應道：「我是從勞動隊偷偷溜走的。」

「哪裡的勞動隊？」

「我住的村子，在底比斯附近。他們要我到孟斐斯疏通運河，但我寧願脫逃到這裡當礦工碰碰運氣。」

「我不喜歡你的樣子。我相信你一定在說謊。」

「我要發財。誰也阻止不了我，你也一樣。」

「小子，你實在讓人受不了。我非打扁你不可。我們赤手空拳打一場吧。」

艾弗萊指定了一名裁判。此人的任務是將犯規的人判決出局，只要不動口咬人，怎麼打都沒關係。

一開始，大鬍子便出其不意地衝向蘇提，抓起他的上半身高舉過頭，轉了幾圈之後，用力將他拋到幾公尺外。

被摔破了皮的蘇提，忍著肩痛站了起來。艾弗萊則雙手插腰，輕蔑地看著他的對手。其他的礦工都笑了。

「有種的話就上啊。」

艾弗萊聽他出言挑釁，毫不猶豫便往前撲去，但是這次他長長的手臂卻抓了個空。蘇提在最後關頭避開了這一擊，也使他重拾了信心。對自己的力道有十足把握的艾弗萊，來來去去總是這麼一招。蘇提不禁暗暗感謝眾神——雖然神是不存在的——讓他有一個好戰的童年，才能讓他學習到打鬥的技巧。前後十多次，他都巧妙地躲過了對手毫無章法的攻勢。蘇提的閃躲使艾弗萊惱怒到了極點，也開始感到疲倦並喪失了理智。此時更不容蘇提犯錯了，否則一被抓到定要粉身碎骨的。他靈活的一個勾腿，讓艾弗萊失去重心，然後身影一晃鑽到對手搖搖晃晃的龐大身軀下方，最後以自己的力量在他的頸子上用力一扳。艾弗萊於是重重地摔在地上，蘇提則跨坐在他的頸背，還一邊揚言要把他的脖子扭斷。

「幹得好，小子！」被打敗的隊長用拳頭捶打著沙地認輸了。

「你該死。」

「你要是殺了我，沙漠警察不會放過你的。」

「我才不在乎。我送去見閻羅王的人那麼多，你又不是第一個。」

艾弗萊開始覺得害怕，「你想怎麼樣？」

「我要你發誓再也不虐待隊上的人。」

一旁的礦工不再嬉笑，大家都圍了過來，聆聽隊長的回答。蘇提不耐地催促著，「快點，不然扭斷你脖子。」

「好，我向敏神發誓！」

「還要向西山女神哈朵爾發誓，說啊。」

「我向西山女神哈朵爾發誓。」

蘇提這才放開了他。在這麼多神明面前發的誓是不能不算數的。艾弗萊若有違誓言，他將背負一輩子的惡名，永世不得超生。

礦工們立刻高聲歡呼，並將蘇提高高抬起。當喜悅的氣氛緩和下來，他以堅定的口吻對大家說：

「這裡做主的還是艾弗萊。因為只有他知道路徑、飲水點和礦區所在。沒有他，我們就無法再回到谷地。大家要聽從他的話，也希望他能遵守承諾，那麼一切都會很順利的。」

大鬍子滿臉訝異地把手搭在蘇提肩上，「小子，你不但很強壯，也很聰明。」隨後又把他拉到一邊說：「我真是看走眼了。」

「我想發財。」

「我們可以當朋友。」

「要對我有利才行。」

「一定會有利的，小子。」

* * *

幾名女子正緩緩地將貢品送進哈圖莎王妃的宮殿；她們身穿白長袍，上半身有一條吊帶在裸露的胸前交叉，外頭還套著一件菱形珠網式的罩衫，頭上的假髮則用緞帶紮起，一個個顯得如此純真美麗，就連戴尼斯看了也覺得血脈賁張。他每次出遠門，總會背著妮諾法夫人偷情，但他的保密工夫做得很好，也必須做得很好。一旦傳出誹聞，他的名聲就完了，因此他從來沒有固定的情婦，也向來以短暫的一夜情為滿足。雖然他偶爾也會和妻子做愛，然而妮諾法屢屢反應冷淡，更使他有藉口尋求婚外情了。

後宮總管到花園來找他。他本想趁機跟總管要個女孩，但最後還是放棄了；後宮是個以工作為重的經濟中心，而不是低三下四的尋歡場所。戴尼斯以運輸商的名義求見拉美西斯赫梯籍的妻子；她接見他的廳堂四角各有一根柱子，牆面漆成了亮黃色，地板則是紅綠相間的馬賽克圖案。

哈圖莎坐在一張兩邊各有扶手、椅腳鍍金的實心烏木座椅上。她黝黑的眼睛、白皙的皮膚、修長的手指，無不展現了亞洲女子的異國魅力；戴尼斯在她面前不敢稍有輕忽。

「真是稀客啊。」她語帶尖酸地說。

「我是運輸商，妳是後宮的女主人。有誰會對我們的會面起疑呢？」

「可是你以前卻認為這樣做很危險。」

「情況已經大大轉變了。帕札爾如今成了門殿長老，他就憑著這個身分，多方阻撓我的行動。」

「這跟我有什麼關係？」

「不知道妳是否改變心意了？」

「拉美西斯嘲弄我，使我的人民受辱！我一定要報仇。」

戴尼斯滿意地摸摸下巴發白的短髭鬚，「妳會如願的，王妃。我們的目標仍然一致。拉美西斯是個昏庸無能的專制暴君，他只會守著過時的傳統，對未來完全沒有展望。時機對我們越來越有利，可是我有些同伴已經等不及了；所以我們才決定要讓拉美西斯更加不得民心。」

「這樣就能動搖他的地位？」王妃質疑道。

戴尼斯不免感到緊張，他不能透露太多內情。和這個赫梯公主合作只是一時之計，等到法老下台以後便得盡快將她剷除了。

「妳要相信我們，我們的計劃絕對萬無一失。」

「你要小心點，戴尼斯，拉美西斯可是個精明又勇敢的戰士。」

「他已經受制於我們了。」

哈圖莎眼中閃起了興奮的光芒，「我不能多知道一點嗎？」

「告訴妳並沒有用，而且還會有風險。」

哈圖莎撇了一下嘴；強忍住的怒氣使她顯得更動人。「你要我怎麼做？」

「擾亂所有的商品運輸。在孟斐斯，我毫無困難便可以辦到，可是在底比斯卻需要妳的協助。成功以後，法老就會招致民怨。國內經濟蕭條，他的王位也將不保。」

「要收買多少人？」

「不多，但是很重要。必須讓控制食品運送的主要書記官連連犯錯。行政調查很複雜，會花很多時間，但我們只需要幾個星期就能造成混亂了。」

「我的心腹手下會採取行動的。」

戴尼斯對於這個計劃一點信心也沒有；這回再度向法老出擊，效果應該很有限。但是他至少消除了哈圖莎的疑慮。

「我還要告訴妳一個祕密。」他小聲說道。

「說吧。」

他走向前去，將聲音壓得更低，「幾個月後，我就會有一批數量驚人的神鐵了。」

從哈圖莎的眼神可以看出她很感興趣。利用神鐵的奇異功能，便又多了一樣對付拉美西斯的新武器了。

「你要什麼代價？」

「先付三塊金條，將來再付三塊。」

「你離開後宮時，行李袋裡就會有金子了。」

戴尼斯行禮後退下。這項交易他的同夥人並不知情，而王妃也永遠拿不到神鐵。出售他已經不再擁有的東西，還獲得如此豐厚的利潤，戴尼斯心中真是欣喜若狂。安撫王妃不難；若是她反應過於激烈，他大可以把責任推到謝奇身上。那個留著小鬍子的化學家卑躬屈膝、唯命是從的個性，已經幫過他很多忙了。

* * *

女傭送來了一些橄欖、紅皮白蘿蔔和一棵萵苣。西莉克斯則自己和調味料。

「謝謝你們接受我們的邀請。」美鋒對奈菲莉與帕札爾說：「能請到你們一塊兒用餐是我們的榮幸。」

「你千萬不要這麼客氣。」帕札爾強調。

廚師在小圓桌上的銅盤裡放了幾塊烤羊排，還有一些胡瓜和小青豆。新鮮可口的餐飲讓客人讚不絕口。西莉克斯特意戴了一副精緻美麗的耳環，兩個小小的圓盤上裝飾著玫瑰花結和螺線。

「我做了個很嚇人的夢。」她告訴客人，「我夢見自己連續喝了好幾杯熱啤酒。我很擔心，就去請教解夢師。他分析的結果把我嚇壞了！他說這個夢代表財物會失竊。」

「妳不用太擔心，解夢師也常常會出錯的。」奈菲莉安慰她說。

「但願如你所說吧。」

「我妻子太過於焦慮了。你能不能開點藥給她?」美鋒問道。

飯後,奈菲莉替西莉克斯開了幾帖具有鎮靜作用的湯劑,美鋒和帕札爾則到庭園裡去散步。

「我根本沒有心情欣賞大自然。」美鋒嘆道:「我的工作時間越來越長。每晚我回到家時,孩子都睡了。無法看著他們成長,無法跟他們一起玩耍,對我而言犧牲實在太大了。我又要管理穀倉、又要經營造紙業、還有國庫部門……每天的時間都不夠用!你不覺得嗎?」

「會啊,我經常這麼覺得。當門殿長老一點也不輕鬆。」

「對於亞舍將軍的調查有進展嗎?」

「開始慢慢有些了。」

「有件異常的事讓我非常擔心,我想還是提醒你一聲。你知道哈圖莎王妃的個性相當好戰,而且她也從來沒有原諒拉美西斯使她離鄉背井。」

「她的敵意確實很明顯。」帕札爾點點頭說。

「她會做到什麼地步呢?要是公然反抗法老、密謀策反,無異於自殺的行為。然而,她最近接見了一個令人意外的訪客:運輸商戴尼斯。」

「你確定嗎?」帕札爾驚訝地問。

「我有個生意夥伴到後宮去,看到一個人很像戴尼斯。他訝異之餘向宮裡的人打聽,果然是他沒錯。」

聽美鋒說得如此肯定,帕札爾實在覺得不可思議,「戴尼斯會有這麼荒謬的舉動嗎?」

「哈圖莎有她自己的商船隊。但是後宮是隸屬於國家的機構,私人運輸商根本起不了什麼作用。假如純屬禮貌性的拜訪,這其中又有什麼涵義呢?」

法老第二后妃赫梯公主與一名陰謀分子結盟……美鋒的推斷具有一定的重要性。哈圖莎會不

會就是主謀，而戴尼斯只是執行命令的一員？如此下定論未免過於草率。沒有人知道他們談話的內容，但隱約可知的是這次的會面牽涉到一起危害國家人民的利益結合。

「他們的勾結很可疑，帕札爾。」

「會有多大的影響呢？」

「我不知道。你有沒有想到可能是北方鄰國計劃入侵？沒錯，拉美西斯的確已經弭平了赫梯人的叛亂，但他們難道就真的不再有擴張領土的野心了嗎？」

「這麼說來，亞舍就是必要的中間人了。」

敵人的輪廓越清晰，即將面臨的陣仗也更顯得艱難，未來也更不確定了。

* * *

當晚，宮裡的使者帶著拉美西斯母后圖雅的一封信去找奈菲莉。皇太后希望能盡快向她求診。圖雅雖然隱居深宮內院，但在宮裡仍極有勢力。她性情高傲，對平庸低下之輩深惡痛絕，對國事每每有所建言卻不直接下令，為了守護這個偉大的國家，她確實是兢兢業業唯恐有失。拉美西斯不但仰慕並深愛著母親；自從他心愛的妻子奈菲爾塔莉失蹤後，母親便成了他唯一傾訴的對象了。有些人還言之鑿鑿地說，拉美西斯所有的決定都是事先和皇太后商量過的。

圖雅手下的宮人極多，而且在每個重要都市都設有一座宮殿。位於孟斐斯的宮殿內共有二十多個房間，還有一間四柱大廳專門用來接見身分顯赫的訪客。一名內侍帶領著奈菲莉到了太后房中。

六十歲的圖雅是個瘦削的婦人，她眼光鋒利，有一個又尖又挺的鼻子，雙頰滿佈著皺紋。她戴了一頂正式場合專用、與她身分相符的假髮，假髮的形狀有如一隻禿鷹將雙翼環繞著她的臉。

「連我都聽說妳的名氣了。巴吉首相一向不輕易稱讚人的，卻也盛讚妳的神奇醫術。」

「太后陛下，我可以列出我許多失敗的例子。一個會誇耀自己成就的醫生就應該轉業了。」

「我身子不舒服，需要借重妳的長才。奈巴蒙那些助手什麼都不懂。」

「太后陛下哪裡不舒服呢？」

「眼睛。除此之外，肚子也會感到劇痛，耳朵又聽不清楚，頸子也很僵硬。」

奈菲莉很快就診斷出是子宮出現異常分泌現象。她在篤薅香脂中加入上等油加熱，讓太后進行煙燻療法。

檢查了眼睛之後，她更擔心了——顆粒性結膜炎，也就是砂眼併發了眼瞼發炎，很可能會轉為青光眼。

太后看出了醫生的不安，便說：「老實說吧。」

「這種病我知道，可以治得好。但是需要很長的治療時間，太后自己也必須多加留意。」

以後太后一起床，要以大麻製成的藥水洗眼睛，這種藥水對抗青光眼很有效。同樣用大麻製成的藥膏再加上蜂蜜，塗抹於局部，則可以舒緩子宮異常分泌所引起的疼痛。另一劑以黑色燧石為主要成分的藥方，可以為眼角消炎，也可以消除不健康的分泌物。至於治療砂眼，患者則須在眼皮塗上一種含有勞丹脂、方鉛礦、烏龜膽汁、黃色赭石與努比亞土等成分的藥膏。最後，還要用一根掏空的禿鷹羽管點眼藥。製眼藥要用蘆薈、珪孔雀石、藥西瓜粉、金合歡葉、烏木片加冷水混合，使成糊狀，待乾燥後磨碎加水。然後再將製成品置於屋外受露水濕潤後加以過濾。藥水除了直接點入眼睛之外，還要做成敷料外敷，每日四回。

「我真是又老又病了。」太后嘆道：「我不喜歡這麼麻煩地照顧自己。」

「太后陛下是生病了，所以需要一點時間治療，以後就會痊癒的。」

「看來我再不樂意，也不得不聽妳的話。這個妳收下吧。」

圖雅給了奈菲莉一條光彩動人的項鍊，是由七排光玉髓圓珠與努比亞金珠串成的，兩頭的搭扣則是蓮花式樣。

奈菲莉遲疑著不敢接受，「至少等見到療效吧。」

「我已經好些了。」

太后親自為她戴上項鍊，並欣賞著，「妳真美，奈菲莉。」

奈菲莉臉上不由得泛起一片緋紅。太后又說：「而且妳很幸福。我的親信說妳丈夫是個很傑出的法官。」

「為瑪特奉獻是他一生的職志。」

「埃及就需要你們這種人。」

圖雅喚來了司酒官，讓他送上甜美的啤酒和水果。她和奈菲莉二人便坐在鋪著軟墊的矮椅上。

「我一直在注意帕札爾法官的晉升與調查的情形。剛開始只是覺得有趣，後來是訝異，最後則感到憤慨！將他送進牢營實在是非常不公平也不容發生的事。幸好，他得到了初步的勝利；如今他貴為門殿長老，將擁有更豐富的資源得以繼續對抗。任命凱姆擔任警察總長是很好的開端，巴吉通過這項任命是對的。」

最後這幾句話並非信口說說而已。奈菲莉若將這番話轉告帕札爾，他一定高興極了；因為圖雅的認同，也就等於法老左右親信對他行為的支持了。

「自從我丈夫去世、兒子登基以來，我一直極力在維護國內的民生樂利。拉美西斯是個偉大的國王；他讓我們遠離戰爭的威脅、使神廟更富足、人民衣食無虞。埃及依然是一塊受眾神恩寵的樂土。但是我卻感到不安啊，奈菲莉；妳願意聽聽我心裡的話嗎？」

「如果太后認為我有資格的話。」奈菲莉謙遜地回答道。

「拉美西斯越來越顯得憂心忡忡，有時候甚至是心不在焉，好像突然間變老了似的。他的性子變了；我真怕他會就此不再奮鬥、不再將困難一一解決，也不再視障礙如無物了。」

「也許他病了呢？」

「除了牙病以外，他還是非常強壯而精力旺盛的。這是他第一次對我有戒心。我猜不透他心裡在想些什麼。倘若他像以往一樣親口對我說出他的決定，不管決定如何，我都不會感到驚訝。但是不知道為什麼，他卻躲著我。把這個情形告訴帕札爾法官吧。我好為埃及害怕，奈菲莉。這幾個月來，那麼多的謀殺案，那麼多無解的謎，而國王也漸漸疏遠我，把自己封閉起來……希望帕札爾能繼續將這一切調查清楚。」

「法老像不像是遭到威脅？」奈菲莉若有所思地問。

「他很受崇仰愛戴的。」

「可是民間都流傳說他的運勢盡了，不是嗎？」

「一個國王在位時間太長，都會這樣。拉美西斯知道解決的辦法：那就是舉行再生儀式，強化他與眾神間的關係，使得臣民心中再度充滿喜悅。對於這些謠言我並不擔心；只不過國王為何要一再地頒旨，強調他自己原本就擁有的權力呢？」

「太后是擔心可能有奸險的邪惡力量使他心神受創？」

「果真如此的話，朝臣很快就會發現了。不是的，他的神智很清醒，但他就是不一樣了。」

啤酒果然香醇，水果也汁多味美。奈菲莉覺得她不該再提出問題了。這些高度機密應該由帕札爾來評估並加以運用。

「我很欣賞妳在奈巴蒙死時所表現出的高貴情操。」圖雅又說道：「他這個人一無是處，只是他懂得做表面功夫。他對妳種種不公平的待遇，我決定在此補償妳。孟斐斯中央醫院本來是由我們兩人負責的，現在他過世了，我又不是醫生。明天我馬上下旨由妳接管這家醫院。」

第二十二章

帕札爾用一塊泡鹼皂塊搓著身子，背後則有兩名僕人為他淋上溫水。洗過澡，他用一根芳香的蘆葦刷牙，然後再用明礬加蒔蘿漱口。刮鬍子用的是他最喜愛的剃刀，形狀有如細木工匠所使用的鑿子，然後在脖子上塗抹野生薄荷油以防蚊蟲與跳蚤。另外，他還用一種以天然含水蘇打和蜂蜜為基本成分製成的乳膏按摩全身其他部位。白天裡必要的話，他也會使用角豆與乳香來消除體味。

梳洗完後，無可救藥的病突然又發作了。

他連續打了兩次、五次、十次的噴嚏。又是感冒，老是治不好感冒，還會有咳嗽和耳鳴等症狀。是的，的確是他自己不好：工作過度、不聽從醫生的指示、又失眠。不過，藥方也確實該換一換了。

可是要怎麼問奈菲莉呢？她每天六點起床，準備一下就出發到她最近接管的中央醫院去，他已經一個禮拜沒見到她人了。奈菲莉從此就是埃及最大的醫護中心的負責人了，因為希望能在新崗位上有所表現，她努力付出不遺餘力。太后圖雅的意旨立刻獲得首相的同意，而醫院裡的全體內外科醫師與藥劑師也都一致表示支持。曾經扣住藥物不讓奈菲莉使用的那名臨時行政人員，已經成了護士，專門照顧長期臥病在床的病人。

奈菲莉向負責管理醫院的書記官坦承，她的專業是醫療救護，而不是管理一群公務員，因此他們只要遵守首相辦公室所下的指令，便不需要再和她商量了。這番聲明使得奈菲莉這個新任的女院長博得不少同事的好感，也使得她與不同專業人才的合作更形密切。到這間醫院來看診的都是城裡或鄉下的醫生無力醫治的病人，以及一些經濟寬裕並希望盡早預防某些疾病的發生或惡化的人。此外，奈菲莉還特別注意藥局作業，因為這裡專事配藥與有毒物質的配製與使用。因為鼻竇炎似乎更加嚴重，身邊又沒有人幫忙，帕札爾於是決定前往唯一能獲得關注的地方：孟斐斯中央醫院。

進到醫院，一名女護士親切地問來客，「需要我為你服務嗎？」

「我要掛急診。我想請院長奈菲莉幫我看病。」

「今天恐怕不可能。」

「我是她丈夫也不行嗎？」

「你是門殿長老？」護士訝異地說。

「我想是的。」帕札爾苦笑了一下。

「請跟我來。」

護士帶著他穿過一個設備完善的海水浴療養中心，許許多多隔間內都備有三個石槽，第一個槽供全身浸浴，第二個槽供坐浴，第三個槽則是浸泡腳與小腿用的。其他有些房間是睡眠療法專用室。還有一些空氣流通的小隔間，住著由醫生長期照護的病患。

奈菲莉在複查一劑依照醫生處方調配的藥，並利用水鐘記錄某種物質凝結的時間。有兩個資深的藥劑師在一旁協助。帕札爾等他們實驗結束後才現身說道：「能不能麻煩妳看個病人？」

「這麼急嗎？」

「是急診。」

奈菲莉力作正經地將他拉進一間看診室。帕札爾又打了十幾次好大的噴嚏。

「嗯……你不是假裝的。會覺得呼吸困難嗎？」

「自從妳不照顧我以後，呼吸的時候會有嘶嘶的響聲。」

「耳朵呢？」

「左耳塞住了。」

「有發熱嗎？」

「有一點。」

「躺到石床上去，我要聽聽你的心跳。」

「我的心跳聲妳很熟悉啊。」帕札爾半開玩笑地說。

「我們所在之處是個嚴肅的地方，帕札爾法官，所以請你也正經一點。」

她聽診時，帕札爾果然默不作聲。「你想的沒有錯。的確需要開新的藥方。」

奈菲莉拿著一支占卜用的小木棍來挑選適當的藥物。棍子指向了一棵十分茁壯的植物，植物有五片淡綠色的大葉子和紅色的漿果。

「瀉根。」她解說道：「含有劇毒。稀釋之後服用，可以排除你體內的積血，使氣管暢通。」

「妳確定嗎？」

「我有責任向你保證。」

「快點把我治好吧，我遲到這麼久，書記官們一定都開罵了。」

* * *

法官的辦公室爆發了不尋常的騷動。在裡面辦公的公務員，平常總是輕聲細語、舉止端然穩重，遇到這種情形，大家你看我我看你的，不知道該如何是好。有些人建議說老板不在，就採取觀望態度吧；有些人則主張採取強硬態勢，但卻不願意自告奮勇出面；還有人堅持找警察。只見地板上到處都是打碎的書板和撕毀的草紙。帕札爾到達之後，大夥兒才靜了下來。

「你們受到攻擊了嗎？」帕札爾問。

「可以這麼說。」一名老職員神色慌張地說：「我們控制不了她的怒氣，她已經進你的辦公室了。」

帕札爾滿心詫異地穿過書記官辦公的大廳，走進他自己的辦公室。

豹子正跪在草蓆上翻弄他的檔案。

「妳是怎麼了？」帕札爾又驚又怒地問。

「我要知道你把蘇提藏在哪裡？」

「馬上起身離開。」

「我不問明白絕不走！」

「我不會對你動粗，可是我會請凱姆來。」

這個威脅果然有效，豹子馬上乖乖聽話。帕札爾便對她說：「我們到外面談。」

她從帕札爾面前走過，書記官們無不睜大了眼睛瞪著她。

「東西收拾一下，開始辦公了。」長老向目瞪口呆的屬下說。

帕札爾和豹子在一條擁擠的巷子裡快步走著。今天開市，農民擔著蔬菜水果出來兜售，而每個攤販旁也都擠滿了顧客，討價還價的聲音震天嘎響。他二人躲進另一條安靜無人的小巷道，才算避開了人潮。

「我要知道蘇提躲在哪裡。」她眼中泛著淚光，堅持地說：「他走了以後，我無時無刻不在想他。我甚至忘了要噴香水、要化妝，也忘了時間的存在，整天就在街道巷弄裡閒晃。」

「他不是躲起來，而是去執行一項艱難而危險的任務。」

「跟另外一個女人嗎？」

「他單獨一個人去的。」

「可是他已經結婚了。」

「他認為要作進一步的調查，就有必要結婚。」

「我愛他，帕札爾法官，我甚至可以為他犧牲生命！你能了解嗎？」

帕札爾微笑道：「我了解的程度不是妳想像得到的。」

「他在哪裡？」

「豹子，這是一項祕密任務，我如果洩漏出來，他就可能有危險。」

「我發誓不說出去！我一定會守口如瓶。」

這位熱情如火的情婦所表現的真誠感動了帕札爾，他終於說了出來，「他到科普托思加入了礦工的行列。」

豹子欣喜欲狂，抱住帕札爾親了一下他的右頰，「我絕不會忘記你的恩情。如果有一天我非殺他不可，我一定第一個告訴你。」

* * *

由南到北的各個省分都有謠言流傳著。無論是在三角洲的大皇宮皮拉美西斯宮，或是孟斐斯，或是底比斯，謠言很快地散佈到了各行政機構，也使得負責執行首相命令的官員開始人心惶惶。

門殿長老剛剛解決了一件不動產的案子，起因是由於一名不誠實的地主將同一塊地先後賣給一對表兄弟，使得兄弟反目成仇，後來地主被判定須以所得收益加倍償還。接下來要看的是亞舍將軍在極度擔憂的情形下，對埃及軍隊現況所作的報告。

將軍認為亞洲局勢很不穩定，因為埃及派駐監督鄰近小國的兵力，長期以來都十分薄弱，而如今各鄰國又在至今依然在逃的叛賊埃達飛號召之下，已經準備結盟了。目前武器裝備實在不夠精良；自從與赫梯一役戰勝後，便一直無人聞問。至於國內的軍事狀況，他同樣不滿：戰馬缺乏照顧、戰車破損未修、軍隊毫無紀律、軍官素質太差。若異國果真有意入侵，埃及能抵擋得住嗎？

這樣一份報告將造成深遠的影響，亞舍究竟有什麼用意呢？如果未來事實證明亞舍是對的，那麼他將成為有遠見的軍事預言家，並將獲得極崇高、甚至相當於救世主的地位。如果拉美西斯相信了他，那麼他也必定會以更嚴格的要求來鞏固自己的勢力。

帕札爾想起了蘇提。這個時刻他又走在哪條荒涼的路徑，尋找著幾乎不可能找到的證據，以便舉發這個企圖以軍方勢力控制整個國家的殺人兇手呢？

帕札爾把凱姆叫了來，「你能馬上對孟斐斯主要軍營進行調查嗎？」

「哪方面的調查？」

「軍隊士氣、軍事裝備的情形、軍人與戰馬的健康狀況。」

「沒問題，只要你下一道命令，我馬上去。」

「動作要快。」

帕札爾想了一個合情合理的藉口，搜尋一輛撞倒了數人並留下撞擊痕跡的戰車。

帕札爾接著趕往美鋒家中，美鋒正忙著清查穀物的收成。二人走上行政部門的陽台，以避免隔牆有耳。

「你看了亞舍的報告了嗎？」帕札爾問道。

「太可怕了。」

「如果他說的是真的，怎麼辦？」

「你抱持不同的看法嗎？」美鋒反問他說。

「我懷疑他是故意把情勢說得嚴重了，以便從中牟利。」帕札爾說出了心中的疑惑。

「有什麼線索嗎？」

「我們要盡快蒐集。」

「亞舍一定會遭受責備的。」

「那可不一定。」帕札爾不以為然地說：「假使拉美西斯認同他的看法，他就再也沒有顧忌了。試想還有誰敢與國家的救星對抗呢？」

美鋒同意了帕札爾的說法。只聽帕札爾又說：「你想幫助我，現在有機會了。」

「你要我做什麼？」

「我想知道有關我國派駐國外的軍隊，以及過去幾年軍事設備的投資情形等等情報。」

「這恐怕不容易，但我會盡力。」

回到辦公室後，帕札爾寫了一封長信給卡納克神廟的大祭司卡尼，向他詢問有關駐紮在底比斯地區軍隊的素質，與軍營中設備的好壞。這封信是以卡尼最熟悉的「草藥」術語所衍生的密語寫成的，送信的人也特別經過挑選。

* * *

「沒有什麼特別的。」凱姆說。

「說清楚一點。」帕札爾堅持道。

「軍營一切平靜，營房沒有問題，設備也很好。我檢查了營區裡的五十輛戰車，軍官們都很細心地維護，戰馬也照顧得無微不至。」

「他們怎麼看待亞舍將軍的報告？」

「他們很重視，不過也堅決相信報告中指的是其他軍營。為了更確實一點，我也去視察了都會區最南邊的營區。」

「結果呢？」

「一樣。沒有什麼特別的。那邊的士兵也以為這番批評是針對……別的營區。」

帕札爾和美鋒約在普塔赫神廟前的廣場碰面，那兒有許多閒著沒事的人，也不管來來往往的祭司，只是自顧自地聊著。

「關於第一點，我得到的答案和亞舍的描述有出入，他似乎有意封鎖亞洲軍團的消息。根據軍方對外宣稱，我方部隊人數減少，而亞洲鄰國卻蠢蠢欲動；但是有一名人事書記官向我透露，士兵名冊一直沒有更動過。至於第二點，事實很容易就查明了，因為軍隊的預算都要提報到國庫。這幾年來，軍備投資穩定，並未有裝備不足的情形。」美鋒將調查的結果詳細地說了。

「這麼說，是亞舍說謊了。」

「他的確很高明。他在報告中做了一些聳動的陳述，卻又未加以肯定。許多高級將官都支持他，也有不少朝臣懼怕赫梯人的陰謀詭計，亞舍可以說是個英雄……他該不會想趁機製造一次對自己有利的動亂吧？」

* * *

帕札爾靜坐在蓮花盛開的水塘邊，勇士則縮成一團睡在他的膝上。一陣微風吹來，將狗兒的長毛和主人的頭髮輕輕揚起。奈菲莉正在看一份醫學文件，小淘氣卻不停地要把紙給捲起來，無論女主人怎麼警告都不聽。別墅花園沉浸在落日最後的餘暉中，到處染得一片橙紅；山雀、紅喉雀和燕子也開始唱起了夜曲。

「我們軍隊的狀況非常好。亞舍的報告全都是胡謅的，目的在於使國家高層陷入恐慌，並打擊軍心士氣，以便讓他更容易掌控。」帕札爾開口說道。

「為什麼拉美西斯不責備他呢？」

「因為他過去戰績彪炳，所以法老信任他。」

「那現在怎麼辦？」

「我要把調查的結果交給首相，再上呈給法老。我剛剛收到了凱姆與卡尼的答覆，這些也都會一併呈上去。底比斯也和孟斐斯一樣，軍事潛力絲毫無損。首相一定會向全國人民澄清事實，並向亞舍提出抗議。」

「將軍的前途就到此結束了嗎？」

「不能這麼樂觀。他當然會辯駁，會重申他的真誠與愛國之心，會斥責屬下給與他錯誤的訊息。但至少能緩和他的攻勢。而且我想反敗為勝。」帕札爾的語氣突然變得十分堅定。

「你打算怎麼做？」

「挺身迎擊。」

＊　＊　＊

亞舍將軍在沙漠中監督戰車的演練。每輛車上有兩個人；軍官拉弓瞄準移動中的標的物，他的副手則負責拉控韁繩，讓戰車全速前進。凡是手腳不夠敏捷的人，全都被剔除於菁英部隊的名單之外。門殿長老到達後，兩名步兵請他在一旁稍候，不要冒險進入操練場，因為飛箭無眼，一不小心就可能受傷。

滿身塵土的亞舍終於下了休息令。然後才緩步走向帕札爾。

「這裡不是你該來的地方。」他口氣冷淡地說。

「沒有什麼地方是我不能去的。」帕札爾也冷冷地反擊。

亞舍那張猶如遭侵蝕過的臉，扭曲得幾乎要變形了。身材矮小、闊胸短腿的他忍不住惱怒，下意識地搔著那道橫過胸前，由肩膀劃向肚臍的傷疤。

「我要洗個澡、換個衣服。陪我來吧。」

亞舍和帕札爾一起走進高階軍官專用的衛浴間。當一名士兵為將軍淋浴時，帕札爾開炮了，「我要對你的報告提出異議。」

「憑什麼？」

「因為你給的訊息錯誤。」

「你又不是軍人，你的評估毫無意義。」

「這不是我的評估，而是事實。」

「我要反駁你的事實。」

「你都還不知道我說的是什麼呢！」

「猜就知道了。你在兩三個軍營裡晃來晃去，營區的人就讓你看一些全新的戰車，士兵也向你表示對現狀很滿意。好個天真又無能的法官。你上當啦！」亞舍一副嗤之以鼻的模樣。

「這也是你對警察總長和卡納克神廟大祭司的評價嗎？」

這個問題問得將軍無言以對，便支開士兵，自己擦拭身子，然後岔開話題說：「這些都是跟你一樣沒有經驗的新手。」

「你的說法太牽強了。」

「你到底想怎麼樣，帕札爾法官？」

「還是一樣：找出寶貴的真相。你的報告根本是捏造的，所以我已經向首相表達我的看法與抗議了。」

「你竟敢……」

「這不是敢不敢的問題，這是我的責任。」

亞舍氣得直頓腳，「你這麼做太蠢了！你會後悔的！」

「首相巴吉會做出公斷。」

「我才是這方面的專家！」

「我們的軍力完全沒有減弱，這點你很清楚。」

將軍穿上了一件短的纏腰布，從他笨手笨腳的模樣看得出他很緊張。

「你聽我說，帕札爾，報告的內容無關緊要，要緊的是其中的精髓。」

「請你說明白一點。」

「一個稱職的將軍就必須要預測未來，以便確保國家安全。」

「這樣就能毫無根據地公開聳動的言論嗎？」

「你是無法了解的。」

「這件事和謝奇的活動有關聯嗎？」帕札爾拐了個彎問道。

「你別再找他麻煩了。」

「我倒想問問他。」

「不可能的事。他躲起來了。」

「是你下的令？」

「不錯，是我下的令。」

「很遺憾，我一定要見他。」

亞舍忽然用一種甜得膩人的聲音說：「其實我會一再強調軍力薄弱，藉以引起國王、首相與朝廷的注意，完全是希望能重整軍隊雄風，並讓所有的人都能支持新式武器的製造，使我們出師百戰百勝。」

「將軍，我真沒想到你會如此天真。」

亞舍聽到這話，眼睛又像貓一樣瞇成了一條縫，「你在暗示什麼？」

「你所謂新式武器應該就是用神鐵製造、無法毀損的劍吧。」

「不但有劍，還有長矛、匕首……謝奇一直都在日以繼夜地趕工。我要要求你把扣在普塔赫神廟的神鐵塊還給他。」將軍命令著說。

「也就是說，神鐵是他的囉？」

「重點是他在使用。」

「再怎麼多疑的人終究也會受傳言所騙。」

「什麼意思？」將軍不解地問道。

「意思就是說，神鐵並不是無法毀損的。」

「胡說八道！」

「若不是謝奇騙你，就是他自己也蒙在鼓裡。你去問問卡納克神廟的專家，就會相信我說的話了。這種罕見的金屬在宗教儀式中所扮演的地位，讓你產生了幻想，而且是錯誤的幻想。你本來希望藉著強迫最高權力階層，讓自己擁有一項超強的武器，但你卻失敗了。」

亞舍臉上完全一副茫然不知所措的模樣。也許他這才意識到自己被同夥騙了吧。

等到帕札爾一離開衛浴間，亞舍立刻抓起一個裝滿了溫水的陶土罐，往牆上砸得粉碎。

第二十三章

蘇提解開皮帶，然後找了一塊平坦的大石把草蓆攤開。他疲累不堪地躺下，注視著天上的星星。沙漠、高山、岩石、礦坑，還有每每讓人爬得皮破血流的悶熱坑道……這趟行程獲利不多卻如此累人，大部分的人已經開始抱怨，甚至後悔了，但蘇提卻極為滿意。有時候，他內心受四周景致深深感動，連亞舍將軍都拋到腦後去了。雖然他熱愛都市的消遣娛樂，不過此地艱險的環境對他卻也絲毫不陌生，彷彿從小就住慣了似的。

他左手邊的沙地裡，傳來一陣獨特的嘶嘶聲。一隻角虫奎蛇從草蓆旁滑了過去，身後留下了一些蛇行的痕跡。打從第一晚，他便已經摸清了毒蛇的伎倆，原先恐懼慎戒，慢慢的也就習慣了。他下意識感覺到自己不會被咬；蠍子和毒蛇他都不怕。他進到牠們的地盤上，便該尊重牠們的習性，相較之下，那些天性嗜血又專門攻擊礦工的沙地壁虱，才更讓他害怕。一旦被咬，不僅疼痛難當，肌膚還會腫脹發炎。幸好壁虱對蘇提沒興趣，倒是艾弗萊可就忙著噴灑金盞花製成的藥水，以防被叮咬了。

儘管累了一整天，蘇提卻睡不著。他站起身來，慢慢地朝一道浸淫在月光下的乾河床走去。夜裡獨自在沙漠中行走真是瘋狂的行為，因為四周都充斥著惡神與怪異的野獸，一不小心就可能遭吞噬而屍骨無存。若有人想除掉他，此時此地正是絕佳的機會。

突然間，蘇提聽到了一聲響。一下大雨便會冒出水來的窪地深處，有一隻角如豎琴的羚羊不停地挖掘著，想找水喝。不久，又來了另外一隻，這隻則是兩角又直又長，而且全身雪白。這兩隻羚羊是塞托神的化身，因此有著用之不竭的精力。牠們果然沒有找錯地方；很快地牠們便舔起了從兩塊圓石中間湧出來的水。隨後，又出現了一隻野兔和一隻鴕鳥。蘇提坐了下來，整個人看得都入迷了。這幾隻神聖的動物幸福滿足的一幕，將成為他心中永遠的祕密。

忽然有一隻手搭到他肩上，原來是艾弗萊。「你很喜歡沙漠哦，小子，這可不是什麼好事。你要是再繼續執迷不悟，總有一天你會遇見獅身鷹首的怪獸，牠可是箭射不穿、繩索套不住的。到時候就太遲了，因為牠會一把抓起你，將你帶向黑暗深淵。」

「你為什麼討厭埃及人？」

「我的原籍是赫梯。我永遠無法接受埃及勝利的事實。至少，在這些路徑上，我是老大。」

「你帶領礦工隊伍多久了？」

「五年。」

「你沒有發財嗎？」

「你太好奇了。」

「如果連你也失敗，那麼我成功的希望就很渺茫了。」

「誰說我失敗的？」

「這樣我就安心點了。」

「別高興得太早。」

「你要是有錢，何必還這麼辛苦操勞？」蘇提繼續套他的話。

「我討厭谷地、田野和河川。就算我成了大富翁，我也絕不離開我的礦區。」

「大富翁……這個頭銜我喜歡。可是直到目前為止，你帶我們挖的礦坑老是空空如也。」

「小子，你應該很善於觀察才對。你說還有更好的訓練方式嗎？當真正的工作開始的時候，適應力最強的人也才有資格入山尋寶。」

「希望越早越好。」

「你這麼急嗎？」

「還等什麼呢？」

「有很多異想天開的人自己走上了尋金路線，可是幾乎全都失敗了。」

「沒有人知道礦脈所在嗎？」

「地圖都收藏在神廟裡，誰也拿不到。無論誰企圖偷金子，都會馬上被沙漠警察逮捕。」

「躲不掉嗎？」

「當然了，到處都是警犬。」

「你呢，你已經把地圖記在腦子裡了。」

大鬍子坐到蘇提身邊，嚴肅地問：「誰告訴你的？」

「沒有人告訴我，別緊張。像你這種人，檔案裡一定有記錄的。」

艾弗萊拾起一個小石頭，握在手中捏得粉碎。「你要是敢騙我，我絕不饒你。」

「我要跟你說多少次你才相信？我只想發財。我要有一大片土地，要有馬、有車、有僕人、有一片松林、有……」

「松林？埃及哪來的松林？」

「我說過要待在埃及嗎？這個鬼地方我已經待不下去了。我想搬到亞洲去，到一個法老的軍隊到不了的國家。」

「我開始對你有興趣了，小子。你犯了罪對吧？」

蘇提沒有作聲。

大鬍子又說：「警察在找你，所以你想躲到小國去避風頭。他們都像是緊追不捨的獵犬，想盡辦法也要逮到你。」

「這次我絕不會再讓他們活捉到我了。」

「你坐過牢？」

「我再也不進監獄了。」

「是哪個法官判的？」

「帕札爾，那個門殿長老。」

艾弗萊欽佩地吹了聲口哨，說道：「你可真是個大人物啊！這個法官要是死了，很多像你這樣的人都要狂歡慶賀了。」

「他真是死腦筋。」

「不過命運如何可就難說了。」

「我一毛錢也沒有，所以我很急。」

「我很喜歡你，小子，可是我不能冒險。明天我們就來玩真的，我倒要看看你有什麼能耐。」

* * *

艾弗萊把隊員分成兩組。

第一組人數較多，負責採集製造工具，尤其是石匠用的鑿子，所必備的銅。銅經過鍛打、洗選後，便當場立刻以簡陋的爐子融化，再倒入模子裡。西奈與沙漠地區蘊藏了豐富的銅礦，可是由於建商團體的需求量實在太大，因此還得從敘利亞和西亞地區進口。此外，軍隊也需要銅錫合金來製造堅固的刀刃。

第二組則只有十來個人，蘇提也是其中之一。他們每個人都知道艱難的任務就要展開了。他們

面對的坑道入口就像是地獄之口，而寶藏也許就藏在那黑暗深處。礦工頸子上都掛著那個小皮袋，只等著尋到寶物那一刻要裝得飽滿飽滿的。他們都只穿著一件皮製的纏腰布，還在身上抹上了沙。

誰先進去呢？這裡是最好的地點，但也是最危險的地點。有人推了蘇提一把。他立刻轉過身，動手打了推他的人。然後大夥兒便打成了一團。艾弗萊出面制止後，拉起一個愛打架的矮個兒的頭髮，痛得他哇哇大叫。隊長下令道：「你先進去。」

大家這才自動排成了一列。坑道十分狹窄，礦工們都彎下身子，尋找著可以倚靠的地方。一個個的眼神盯著岩壁，來回搜尋著某種貴重金屬的蹤跡，至於是什麼金屬，艾弗萊則沒有明說。帶頭的那人走得太快，揚起了不小的灰塵，跟在他後頭的人因為呼吸困難，推了他一下。結果他腳下一個不穩，便順著陡坡往下滾到一處平台，到了這裡，礦工們就可以挺直身子了。

「他昏倒了。」一名同伴看了一眼說道。

「那樣最好。」另一人興災樂禍地說。

大家休息了一下，便繼續在這個空氣稀薄的礦坑裡往前走。

「你們看，金子！」發現的人大叫之後，馬上就被兩個貪心的同伴給打倒在地。

大鬍子則怒叱道：「笨蛋！那只是一塊發亮的岩石。」

蘇提覺得每走一步便多一分威脅。他身後的人個個都想除掉他。他憑著一種野獸的本能，就在同伴拿起大石頭要砸他腦袋的時候，他及時彎下了腰。第一個攻擊的人跌了個四腳朝天，蘇提也趁機將他的肋骨踩斷。

「再來一個我就踩死他。」他大聲地說：「你們瘋了嗎？我們要是再繼續這樣，恐怕誰也出不去。要嘛大家現在馬上自相殘殺，不然就平分寶藏。」

這些身強體壯的人都選了第二條路。接著他們又爬進了另一條坑道。有兩個人因為身體不適，只得放棄。蘇提接過了浸過芝麻油的油布火炬，毫不遲疑地便帶起頭來了。

黑暗中，又往下走了一段。忽然眼前光芒一閃，蘇提吞了一下口水，加快腳步，最後終於摸到了礦藏。但他隨即憤怒地嚷道：「銅礦，只是銅礦而已！」

* * *

蘇提打定主意非打得艾弗萊滿地找牙不可。但當他費力地爬出坑道後，卻發現工地安靜得很不尋常。所有的礦工都排成了兩列，一旁有十幾名沙漠警察和警察隨身的警犬監視著。帶隊的不是別人，正是當初詢問蘇提的那個大個兒警察。

「其他的人出來了。」艾弗萊向警察說。

於是蘇提和其他同伴也被迫進入行列中，就連受傷的人也不例外；警犬發出了低低的咆哮聲，似乎隨時都可能張口咬人。警察手上都拿著一個綁了九條皮帶的環圈，揮打起人來自然是殘暴而不留情。

「我們在追捕一個逃犯。」大個兒警察說：「他從勞役隊偷偷溜走，現在被起訴了。我相信他一定躲在你們這些人當中。遊戲規則很簡單。不管是他出來自首或是你們檢舉他，事情馬上就可以結束；可是如果你們都不出聲，我們就用皮帶環來進行訊問。誰也逃不了。而且必要的話，訊問過程會重複好幾次。」

蘇提和艾弗萊對看了一眼。這個赫梯人是不會得罪沙漠警察的，把蘇提供出來，艾弗萊和警方的關係將會更穩固。「勇敢一點吧。」大鬍子向隊員說：「逃跑的人下的賭注現在已經輸了。我們礦工可不是一群卑鄙的傢伙。」

沒有人出列。

艾弗萊朝礦工行列走去，蘇提已經沒有機會逃走了，其他工人也不會幫他的。警犬開始狂吠，並扯動著狗繩，而警察則靜靜地等著他們的獵物現身。

艾弗萊再度揪起那個矮壯好鬥的工人的頭髮，把他丟到小隊長的腳邊，說道：「逃犯交給你們了。」

蘇提感覺到那個大個兒警察的目光逼視著自己。有一度他還以為警察會質疑艾弗萊所檢舉的人。不過，嫌犯在眾犬的威脅下，卻坦白招供了。

* * *

「我還是很喜歡你，小子。」

「可是你卻捉弄了我。」

「我只是在考驗你。能活著走出這個廢棄礦坑的人，以後無論進哪個坑洞都沒有問題了。」

「你至少可以先跟我說一聲吧。」

「這樣的經驗就沒有意義了。現在，我已經知道你的能力。」

「那些警察很快又會回來找我的。」

「我知道。所以我們不能待在這裡。等到科普托思工頭要的銅礦挖夠了以後，我會命令四分之三的隊員把金屬送回谷地。」

「然後呢？」

「然後，我會帶著我選出的人，進行一項神廟沒有下令執行的探勘任務。」

「可是你沒有帶隊回去，警察一定會追究的。」

「我要是成功，他們追究也來不及了。這將是我最後一次出隊。」

「我們的人數不會太多嗎？」

「走尋金路線，有一段行程需要搬運工。不過通常呢，小子，我都是一個人回來的。」

＊　＊　＊

首相巴吉回家用餐之前先接見了帕札爾。他把祕書遣退之後，將腫脹的雙腳浸泡在用石器盛裝的溫鹽水中。雖然奈菲莉提供的治療讓首相暫時舒服了點，但是他卻還是天天吃妻子準備的油膩餐飲，繼續讓他的肝承受沉重的負荷。

帕札爾已經習慣巴吉的冷漠了。他肩背稍駝，一張又長又嚴肅的臉上總是一副不討喜的面容，眼神中又充滿詢問與疑惑，他根本不在乎別人對他有沒有好感。在他辦公室牆上掛著各省的地圖，其中有幾幅還是他擔任土地測量專家時畫的。

「你實在令人不放心，帕札爾法官。通常，門殿長老只要做好分內的工作，並不需要親自到現場調查。」

「事態嚴重，我不得不這麼做。」

「我最好提醒你一下，軍事區可不是你的管轄範圍。」

「上次庭訊並未洗清亞舍將軍的嫌疑；而且我負責繼續進行調查。我只是針對他個人罷了。」

「那麼你為什麼把焦點放在他對我方軍情所做的報告上？」

「因為根據警察總長與卡納克神廟大祭司所提供的證據，他的確說謊。再度開庭時，這項報告將會加重他的罪名。將軍一直不斷地在扭曲事實。」

「再度開庭……你想這麼做？」

「亞舍是殺人兇手，蘇提並沒有說謊。」

「你的朋友現在處境很尷尬。」

帕札爾就怕他這麼說。

巴吉雖然沒有提高聲量，但是似乎有些惱怒，「亞舍對他提出了告訴。罪名有點重：是逃兵。」

「告訴不能成立。」帕札爾抗議道：「在將軍遞出訴狀之前，蘇提就已經受徵召入警隊了。凱姆那裡有正式的記錄。因此原本是軍人的蘇提一直在國家的部隊中服務，從未間斷也未棄逃。」

巴吉在一塊書板上做了記錄。「我想你的檔案應該毫無瑕疵吧。」

「是的。」

「你對亞舍的報告究竟有什麼看法？」

「我覺得他想藉著製造混亂的機會，讓自己成為國家救星。」

「假使他說的是真的呢？」

「我第一步的調查顯示並不然。當然，這些調查的範圍是很有限的；但是只要你願意出面，卻能夠讓將軍的論據完全站不住腳。」

首相靜靜地考慮著他的話。

帕札爾突然有一種疑懼。巴吉會不會也跟將軍有勾結？首相正直、廉潔、不輕易妥協的形象，會不會只是個障眼法？如此一來，他很快就會隨意假借一個名義，結束自己門殿長老的職務了。不過至少無須疑慮太久。只要巴吉一有了回答，他自然就會知道該如何應付了。

「做得很好。」首相說道：「你越來越能證實自己的能力，讓我很驚訝。如果當初我以年紀作為考量來聘任大法官，可就大錯特錯了；幸好我把你當成例外的個案，這點我自己覺得很安慰。你對亞舍的報告所做的分析，實在很令人不安；最近才上任的警察總長和卡納克大祭司的證詞，都使你的說法更加可信。而且，你對我的質問毫不退縮。因此，我決定對這份報告提出質疑，並且下令徹底清查我軍目前所擁有的一切軍備。」

帕札爾一直到抱著奈菲莉，告訴她這個好消息時，才忍不住喜極而泣。

* * *

亞舍將軍坐在一輛戰車的車轅上。整個軍營的人都睡了，哨兵也打著盹。埃及在法老的領導下，上下團結一致、國家富強康樂，建國以來的傳統價值更是穩固得連狂風也無法動搖，像這樣一個國家還有什麼好怕的呢？

亞舍為了成為一個有權勢、有聲望的人，不惜說謊、背叛、謀殺。他希望結合赫梯和亞洲各國，建立起一個拉美西斯想都不敢想的大帝國。但夢想破滅了，只因為他走錯了一步。幾個月來他一直受制於人。謝奇，那個惜言如金的化學家竟然利用了他。

偉大的亞舍！這個很快就要失勢的傀儡，再也無法抵擋帕札爾法官猛烈而持續不斷的攻勢。他甚至無法享受到將蘇提送往勞改營的快感，因為門殿長老的好友已經加入警隊了。告訴不成立，報告又被首相駁回！他若徹查此事，亞舍一定會因為擾亂軍心而遭受處罰。巴吉一旦插手，就一定會鐵面無私地管到底，就像是咬到了骨頭的狗絕不會鬆口一樣。

謝奇為什麼要慫恿自己寫這篇報告呢？亞舍一心想著成為埃及救星、想著獲得政治領袖的殊榮、想著民心的歸附，他早已經偏離了現實。為了欺騙他人，結果卻騙了自己。他也跟那個小化學家一樣，相信拉美西斯的王朝就要滅亡，相信民族的融合，相信那些從金字塔時期流傳至今的傳統即將顛覆。但他卻忘了還有首相巴吉和帕札爾法官這種傳統保守、全心為瑪特神奉獻並熱愛真理的人存在。

亞舍曾經被視為一名有勇無謀、前途有限、毫無野心的士兵，他也深以為苦。但是那些教官都錯看他了。他彷彿被侷限在一個沒有出路的死巷中，因而再也無法忍受軍中的生活。他若無法控制軍隊，就要加以毀滅。後來到亞洲偵察之後，他發現各國君主個個工於心計，說謊技術高明，也發現各族之間的爭鬥不斷，於是便萌生了陰謀叛國並與叛軍首領埃達飛勾結的念頭。

他未來的榮耀猶如魔術師玩弄於股掌間的道具，一轉眼就化為烏有了。然而這些假意與他稱兄道弟的人，卻都忽略了一件事：受了傷的野獸總會爆發出令人意想不到的潛力。連自己都自覺荒謬可笑的亞舍，為了不讓自己摔得太難看，自然得拉幾個同黨來墊背。

為什麼他會起這樣的邪念呢？他為什麼就不能安分守己地為法老效忠，愛自己的國家，並追隨那些盡忠職守的大將軍的腳步呢？然而陰謀野心就像病毒一樣侵蝕著他，加上想把屬於別人的東西據為己有的慾望，才會更使得他變本加厲。

亞舍一向無法容忍像蘇提或帕札爾那樣出類拔萃的人。因為這些人會把他比了下去，讓他無法大放光彩。世界上本來就是有人建設，有人毀滅；如今，他不幸淪為這第二類的人，眾神難道不是罪魁禍首？神明執意如此，又有誰改變得了？

生性如此，至死仍是如此。

第二十四章

半瞇著眼睛，抖動著小小的耳朵，鼻孔露在水面的河馬，打了個哈欠。後來因為被另一隻公河馬推擠了一下，埋怨似的低吼了幾聲。這兩隻鱷魚的剋星是孟斐斯南方尼羅河水域中，首要的生物族群。由於龐大的身軀經常會阻斷水流，因此河馬總喜歡游到深水處以遮掩笨重的形體，偶爾甚至還會給人優雅的錯覺。這些體重超過兩公噸的大怪物，睡午覺時最禁不起干擾，否則便要張開一百五十度的大嘴，然後用六十公分長的利牙在那不知死活的傢伙身上，戳幾個大洞。牠們性情暴躁易怒，經常張大了嘴巴嚇唬對手。通常，河馬都會在夜裡爬上岸來吃草，然後需要一整天的時間消化；牠們會到遠離住家的沙灘上享受日光浴，因為表皮十分脆弱，並不能經常泡在水裡。

這兩隻公河馬身上滿是疤痕，互相齜牙咧嘴的以示警告。其實原本打鬥的意願就不高了，後來乾脆都不再計較，一起肩並肩地游向河岸。但突然間牠們竟狂性大發，踩躪了農田，摧毀了果園，撞斷了樹木，使得農夫們驚慌失措。有個小孩還因為閃避不及被踩死。

公河馬一次又一次地破壞，而母河馬則盡力保護小河馬不受鱷魚的攻擊。好幾個村子的村長連忙向警察求救。凱姆到了現場以後，開始策劃獵捕行動。兩隻河馬總算被降服了，可是卻又有其他災禍降臨鄉村：麻雀之害、老鼠與田鼠激增、牛隻夭折、穀倉蟲害嚴重，而且還多了好些個農地書記官一個勁兒地在查核農民收入的申報。為了祛災解厄，許多農民都在頸間戴上了光玉髓的碎片；那火焰般的光芒能將邪惡勢力壓制到最弱。然而，謠言也蔓延開來了。紅色的河馬之所以踩躪農村，是因為法老護衛的神力減弱了。大家不都這麼說的嗎？漲水量不足就表示國王控制自然的力量已經用盡了，他應該舉行再生儀式，重建與眾神之間的關係。

首相巴吉下的命令正循序漸進地進行著。但帕札爾還是擔心；由於一直沒有蘇提的消息，他便用密語寫了一封信，告訴他亞舍將軍的勢力已逐漸瓦解，無須繼續冒險。也許他的任務很快就會失去目標了。

* * *

還有另一件事更叫人放心不下：據凱姆報告，豹子失蹤了。她是半夜走的，事前並未跟鄰居提起。警方的線民在孟斐斯也找不到她的行蹤。她傷心絕望之餘，會不會是回利比亞了？

趁著哲人的典範、書記官的護主因赫台的紀念日，帕札爾在家休養一天，並多喝了點稀釋的瀉根汁，以便早日治癒感冒咳嗽的症狀。他坐在一張摺疊凳上，欣賞著奈菲莉自己設計的一大把花束。她用棕櫚葉的纖維將酪梨樹葉和許多蓮花瓣繫在一起，也虧得她手藝精巧，才能不露痕跡地把纖維絲藏起來。勇士顯然也很喜歡這小小的傑作，牠直起身子，兩隻前腳趴在小圓桌上，做勢便要吃掉那些蓮花。帕札爾叫了牠十幾聲都沒用，最後只好拿一根骨頭引開牠的注意力。

眼看暴風雨就要來了。來自北方一大片厚厚的烏雲，也很快就會遮住太陽。人和牲口都變得緊張，昆蟲也變得粗暴；家裡的女傭慌張地奔來跑去，廚子還打破瓦罐。每個人都驚懼地等著大雨的來臨；滂沱的雨勢將沖毀簡陋的房舍，還會在沙漠邊緣地區造成土石流。

奈菲莉儘管貴為醫院院長，但對待僕人仍是面帶微笑、口氣溫和。下人們都很喜歡她，至於總是以嚴厲的外表來掩飾內心羞澀的帕札爾，懼怕的心理也就居多了。不錯，帕札爾的確覺得園丁有點偷懶，女傭動作太慢，廚子又太貪吃，不過既然他們每個人都能從工作中獲得樂趣，他也就不說話了。

帕札爾拿了一個輕便的刷子，親自替驢子清洗清洗，牠已經熱得快受不了了。沖個涼快的澡再吃一頓飽，躺在無花果樹蔭下的北風才算心滿意足。滿身大汗的帕札爾也想沖沖涼。他穿過庭園，園中的椰棗漸漸熟了，然後沿著圍牆，經過鵝群聒噪的家禽圈子，進入那個他已經逐漸習慣的偌大宅邸。

浴室裡傳來說話的聲音，顯然裡面已經有人。長凳上站了一個年輕的女僕，正拿了一罐水往奈菲莉金黃的身子上倒。溫水順著她柔細光滑的肌膚流下來，然後由地面石灰岩板底下的水管排了出去。

帕札爾遣走女傭後，代替了她的位置。

「真是太榮幸了！竟然由門殿長老親自動手……不知道長老願不願意幫我按摩呢？」奈菲莉玩笑著問。

「夫人最忠誠的僕人在此聽候差遣。」

於是他們一起進了按摩室。

奈菲莉纖瘦的腰身、健美的性感、堅挺的雙峰、微翹的臀部、細緻的手腳，在在使帕札爾心神蕩漾。他每天都覺得更加愛她，也經常為了不知道該單純欣賞不去碰她，或是該與她熱情繾綣一番，而猶豫不已。

她躺在鋪了草蓆的長石椅上，帕札爾也脫去衣服，並選了一些用彩色玻璃瓶和大理石罐裝的香脂。他把香脂用手輕輕地由下而上，從臀部到頸背，在妻子的背上推抹開來。奈菲莉認為每天按摩是很重要的療護；可以消除緊張與痙攣，舒緩神經，有利於器官內氣血的運行，而所有的器官又都與製造脊髓的脊椎一脈相連，因此更能維護身體的平衡與健康。

接著，帕札爾又拿出另一個盒子，外形設計是一個裸泳的女孩雙手推著一隻鴨子，中空的鴨身便是容器，鴨子的翅膀則設有活動機關。盒中裝的是一種茉莉花香的乳膏，他挖了一點抹在妻子的脖子上。

這一碰觸奈菲莉顫抖了一下，帕札爾當然也感覺到了，於是他的唇便順著手指滑過的痕跡而下，奈菲莉也轉過身來迎接情人的愛意。

＊　＊　＊

暴風雨並未來臨。

帕札爾和奈菲莉一塊兒在庭院裡用餐，而最高興的莫過於勇士了，牠就在幾張用燈芯草與紙莎草桿編成、擺滿了女傭送來的杯盤的小方桌之間，興奮地轉來轉去。帕札爾已經教過勇士好幾次，不許牠在主人用餐時討東西吃，可是效果不彰。因為勇士找到了奈菲莉當靠山；牠又怎麼抵擋得了美味食物的誘惑呢？

「我現在有了滿懷的希望，奈菲莉。」

「你很難得這麼樂觀。」

「亞舍應該逃不出我們的掌握。殺人又叛國……他怎麼能這樣玷污自己的名譽？我真沒想到要對付如此卑劣之徒。」

「也許還有更糟的情形呢。」

「怎麼現在換妳悲觀了？」

「我很希望快樂過日子，可是我覺得沒有那麼容易。」

「因為我的調查有了進展嗎？」

「妳的處境越來越危險了。亞舍將軍難道不會有所反抗？」

「我相信他只是次要角色，而不是主腦。他對神鐵抱有幻想，這表示他的同黨欺騙了他。」

「也許他是裝出來的呢？」

「絕對不是。」

奈菲莉將右手放在丈夫的右手上。只一個簡單的動作，兩人的心靈已然相通。綠猴和狗兒也都不敢去打擾他們，唯恐破壞了他二人靈魂結合那一剎那的美。

但這個幸福美滿的畫面還是被廚子破壞了。「又來了。女傭又偷吃了我用來裝飾盤面的肉片！」

奈菲莉只好跟著她去瞧瞧。偷吃帕札爾最喜愛的點心的女傭，知道自己闖了禍，便躲了起來。廚子叫了半天沒有人應，便屋裡屋外地搜。

忽然她尖叫了一聲，把狗兒嚇得躲到桌子底下，帕札爾急忙趕了過去。

只見女傭像是手腳被扭斷的玩偶，癱在會客室的地板上，廚子則滿臉淚水地俯視著她。奈菲莉幫她檢查了之後說：「她癱瘓了。」

* * *

當暗影吞噬者看到帕札爾從別墅走出來，暗暗咒罵了一聲。他如此精心策劃的陰謀，卻怎料運氣這麼差？他從一名多嘴的女僕人口中，打聽到了不少關於帕札爾的口味好惡。然後才假扮成漁夫，把一條肥美的鯔魚和一小塊肉色鮮紅而味美的魚肉片賣給廚子。

這塊肉片是用河豚的肝臟做成的；河豚是一種一遇到外力威脅便會充氣膨脹的魚，魚肝和魚刺、魚頭一樣都含有劇毒，只要一公斤食物中含有四毫克的量就能致命。暗影吞噬者將比例降低為一毫克，這樣才能讓法官不致於喪命，卻也得終身癱瘓。

不料，眼看計劃就要成功，竟被那個貪吃的蠢婦完全壞事了。他還會捲土重來的，直到最後成功為止。

* * *

「我們在醫院會照顧她，可是情況是不可能好轉的。」奈菲莉說。

「你查出引發癱瘓的原因了嗎？」帕札爾心煩意亂地問道。

「我猜是魚。」

「為什麼？」

「因為廚子向一個流動魚販買了一條鯔魚。魚販除了賣鮮魚以外，也賣調味魚，所以我想另外那塊魚片一定加了其他的肉。有些魚是有毒的。」

「是預謀……」

「分量經過計算後，只會使人殘廢，不會致命。而預謀陷害的對象就是你。在埃及不能謀殺法官，但卻可以讓你不能思想、不能行動。」

奈菲莉越想越害怕，縮在帕札爾的懷裡哆嗦著。她腦海裡浮現出他雙眼無神、嘴角吐著白沫、四肢無法動彈的癱瘓模樣。但儘管如此，她還是會一輩子愛他。

「他還會再下手。」帕札爾肯定地說：「廚子記不記得那人的面貌？」

「很模糊……只是個很普通的中年人。」

「不是戴尼斯，也不是喀達希。也許是謝奇，或者是他們僱用的殺手。他錯就錯在他現了身。我會派凱姆追蹤他的。」

* * *

由內外科醫生與藥劑師所組成、負責重新任命御醫長的委員會，接見了第一批經司法程序認定合格的申請人。其中包括了一名眼科醫師、一名來自愛利芬丁的普通科醫師、奈巴蒙生前的左右手以及牙醫喀達希。

喀達希也和其他人一樣，回答了一些技術性的問題，提出他執業期間的研究發現，並仔細說明自己失敗的例子與原因。委員花了很長的時間，詢問了他的計劃。

投票時，意見十分分歧，候選的四人都沒有達到最低的當選票數。有一個熱烈擁護喀達希的人，惹得其他委員很不高興，一再提醒他前車之鑑不遠，千萬不要重蹈覆轍；因為奈巴蒙那一套再也沒有人會接受。最後他也只好認輸了。

第二次投票的結果還是一樣。皇宮也只好繼續過著沒有御醫長的日子了。

*　　　*　　　*

「亞舍？在這裡？」

面對戴尼斯的訝異，總管又說了一遍，將軍的確就在別墅門口。

「告訴他說……算了，讓他進來吧。不要進屋子，到馬廄去。」

戴尼斯慢條斯理地梳整了一下，修剪了因為長得太快而破壞了落腮鬍整體美感的兩根白鬍鬚，又噴了點香水。一想到要跟那個眼光短淺的粗人說話，他心裡真是煩不勝煩；不過，既然他是代罪羔羊的最佳人選，總算還有一點利用價值。

將軍正欣賞著一匹灰色的駿馬，見戴尼斯來了便問：「養得真好。要賣嗎？」

「一切都是可以賣的，將軍；這是生活的定律。這世上只有兩種人：一種人有能力購買，另一種人沒有。」

「少賣弄你那套低級哲學了，你的同夥謝奇在哪裡？」

「我怎麼會知道？」

「他可是你最忠心的夥伴。」

「這種人我有好幾十個呢。」

「他本來奉我的命令在製造新式武器。可是他已經三天沒到實驗室來了。」

「我很同情你的遭遇，可是這跟我毫無關係。」

一臉坑坑疤疤的將軍擋住了戴尼斯的去路，說道：「你當我是可以隨意玩弄的傻瓜，而你的朋友謝奇又把我推下陷阱。這是為什麼？」

「你太多心了。」

「把謝奇賣給我。說出個價碼，我一定依你。」

戴尼斯心裡猶豫著。不錯，謝奇的奴顏婢膝遲早會讓他生厭，可是現在實在不是時候。而且他已經為他這個最大的支持者準備了另一個角色。

「亞舍，你的要求太過分了吧。」

「你不答應？」

「我是個很注重友情的人。」

「以前是我太笨，不過你也別小看我。這樣玩我，你會後悔的。」

＊　＊　＊

喀達希又開始比手畫腳起來。他滿頭白髮像堆亂草，身上裹著一條長圍巾，遮住了裡面那件豹皮上衣，鼻子上的青筋則像是隨時會爆裂開來似的。他呼天喊地地求眾神明為他的不幸作見證。

「冷靜一點。」戴尼斯厭煩地喊道：「你能不能學學謝奇？」

他們三人剛在飯廳裡、在一種極其沉重的氣氛下用過餐，喀達希抱怨的當頭，化學家謝奇就靜靜地盤坐在飯廳最陰暗的角落。妮諾法夫人仍然繼續在宮裡和美鋒耍心機，但由於進展有限，因此脾氣越來越暴躁。

「要我冷靜？我申請御醫長一職被駁回的事，你怎麼解釋？」

「這只是暫時的失敗。」

「可是我們收買的醫生都跟奈巴蒙一樣啊。」

「純粹是意外；一切包在我身上，我會去提醒他們別忘了我們的約定。下一次投票絕對不會再有意外發生了。」

「你答應過我會讓我當上御醫長的。我坐上了那個位置以後，我們就能掌握所有的藥品與毒品。最重要的是能管制公共衛生。」

「這個職位和其他權力機關一樣，遲早都會落入我們手中。」

「暗影吞噬者為什麼還不行動？」

「他需要一點時間。」

「時間，老是這麼拖時間！我已經老了啊，我現在就要享受新的權利。」

「你這麼沒有耐心只會壞事。」

滿頭白髮的牙醫便轉向謝奇說：「你說話呀！你說不應該加快腳步嗎？」

「謝奇必須先躲起來。」戴尼斯解釋道。

喀達希更加憤慨了，「我還以為一切都在我們的掌控中呢！」

「的確是的，不過將軍的地位漸漸動搖了。因為帕札爾對他的報告提出質疑，首相也接受了他的論點。」

「又是帕札爾！到底什麼時候才能解決他？」

「暗影吞噬者會處理的。我們有什麼好急的呢？你們看，現在民間抱怨拉美西斯的聲浪不是越來越高了嗎？」

謝奇啜飲了一口甜甜的飲料。喀達希接著又坦白地說：「我累了。你和我都已經很富有，何必還要奢求呢？」

戴尼斯嘴唇一抿，冷冷地說：「我不太懂你的意思。」

「我們就放棄了吧，好嗎？」

「太遲了。」

「戴尼斯說得對。」謝奇總算出聲了。

喀達希嚷著對謝奇說：「你就不能有你自己的想法嗎？一次也好啊。」

「戴尼斯做主，我就聽他的。」

「可是萬一他帶你走向失敗呢？」

「我相信很快就會有一個新國家，而且只有我們有能力建立。」

「這些話都是戴尼斯說的，不是你。」

「難道你不這麼想？」

「呸！」

喀達希賭氣不願再說，便走了開來。戴尼斯又說話了：「我承認眼看著最高權力就要到手，卻還要耐心等待，的確很煩。可是也只有這樣才能毫無風險，毫無破綻，你們說不是嗎？」

「亞舍會繼續找我嗎？」謝奇擔心地問。

「你不會有事的，他已經走投無路了。」

「這傢伙可是又頑固又難纏的。」喀達希反駁道：「他不也來騷擾你，甚至還威脅你嗎？亞舍絕不會就此罷手，他一定會拉我們一起下水的。」

「他當然有這樣的打算。」謝奇承認道：「不過這回他又想錯了。將軍手上根本沒有任何關鍵性的線索，你忘了嗎？他把自己當成民族救星，只不過是自找死路。」

「可是你不也這麼慫恿他嗎？」

「誰叫他越來越惹人厭呢！」

「至少，有了他，帕札爾法官才會有點事做。」戴尼斯饒有興味地說：「就讓他們兩人去拼個你死我活吧。他們鬥得越厲害，帕札爾就越看不清真相。」

「要是將軍反咬你一口呢？他一直覺得你把謝奇藏起來了。」

「你以為他會帶著軍隊來攻擊我的住所嗎？」

喀達希被他一陣搶白，氣得沉下了臉。

戴尼斯便安慰道：「我們就像神一樣。我們開出了一條河，誰也無法在河道上建壩攔水。」

*　*　*

奈菲莉幫狗梳著毛，帕札爾則讀著一篇書記官所寫、錯誤連篇的報告。忽然，一個怪異的景象吸引了他的目光。

就在離他十來公尺處，蓮花池的石欄上，有一隻鵲鳥正猛力地啄著牠的獵物。

帕札爾放下報告，起身把鵲鳥給趕走。然後他才赫然發現有一隻雙翅開展、滿頭是血的燕子。牠的一隻眼睛被剛才那隻鵲鳥啄瞎了，額頭也被啄破了。燕子可是法老的靈魂升天時所幻化的形象呢。這隻可憐的鳥勉強蹦跳了幾下，顯示牠還沒斷氣，於是帕札爾急忙喊道：「奈菲莉，快來！」

奈菲莉聞聲趕了過來。她也和帕札爾一樣，對這種象徵著「崇高」與「平和」的美麗鳥類，懷抱著敬仰的心。每當見到燕子在金黃的夕陽霞光中愉快地飛舞，總會讓人心胸舒坦歡暢。

奈菲莉跪在地上，把受傷的鳥兒捧在手中。那個溫熱柔軟的小身軀，放了心地癱著，慶幸自己終於找到了庇護。

「救不了牠了。」奈菲莉難過地說。

「我不該插手的。」

帕札爾對自己的輕率深感懊悔。人本來就不應該干涉大自然殘酷的定律，也不該介入生死的循環。

鳥爪深深嵌入奈菲莉的皮肉。牠勾著她就像勾著樹幹一樣，即使再痛苦，也不放鬆。

帕札爾一時慌張失去理性而犯了錯。他改變了燕子的命運，卻只是徒增牠的痛苦，他這樣的人還有資格當法官嗎？因為他的自負與愚蠢，使得他原本想拯救的生命反而遭受更大的折磨。

「殺了牠會不會好一點？必要的話，我……」

「你做不到的。」

「牠的苦都是我害的。以後還有誰能相信我呢？」

第二十五章

哈圖莎王妃正夢想著另一個世界。為了保障和平，她父王將她獻給了拉美西斯，但貴為后妃的她卻只是個孤單無依的女人。後宮富足的生活並不能使她滿足。她渴望有愛與君王的親密相伴，偏偏卻又像被打入冷宮般地寂寞難耐。她的生命被尼羅河水沖得越淡，她對埃及的恨意就越深。

她什麼時候才能再見到赫梯的都城呢？王城就建在一個高地上，往內地去全是一片荒涼的景象，溝壑、峽谷與陡峭的山陵連接著廣大的乾草原，城的四周則有高山為屏障。這座以巨石建成、高聳矗立的堡壘，俯臨著山丘與峭壁夾道的山谷，象徵了早期驍勇善戰、所向無敵的赫梯人的驕傲與野蠻。王城的城牆配合了山險峻岩，光是外觀便足以令敵人望之生畏。哈圖莎從小就在陡斜的街巷內奔跑嬉戲，還會把大人放在岩石上祭祀惡魔的蜂蜜偷走，也常和一些敏捷程度與能力都和她不相上下的男孩子玩球。

在那裡的生活，總是無憂無慮、不知寒暑。

凡是為了顯示議和誠意而被送往埃及宮廷的異邦公主，從未有人返回。將來，也只有赫梯的軍隊才能救她脫離這個貌似天堂的監獄。她的父王與家人一直都沒有打消佔據三角洲與尼羅河谷的念頭，該地將成為他們的奴隸集中營與巨大的穀倉。因此她必須侵蝕埃及的根基，破壞國家內部的結構，削弱拉美西斯的勢力，然後即位攝政。從前就有過不少女王，而她們也都曾經先後發起戰爭，對抗北方入侵的亞洲游牧民族。哈圖莎已無選擇餘地；她只有解放自己，才能帶給她的人民最光輝的勝利。

戴尼斯並不知道她一旦獲得神鐵，信心與力量將會大增。因為在赫梯，擁有這類金屬就代表獲得了神的恩寵。只要神鐵一到手，哈圖莎就會立刻打造護身符、項鍊、手鍊和戒指。她也會穿上神鐵衣，化身為火石之女披荊斬棘。

戴尼斯又愚蠢又自大，不過還有一點利用價值。瓦解食品業的確能重創拉美西斯的威望，然而另一項計策將能更快打開成功的大門。

哈圖莎已決定背水一戰。首先她得先征服一個人，才能使埃及分裂，並鑿出一個供赫梯軍隊大舉入侵的缺口。

* * *

中午時分，卡納克神廟一片沉寂。大祭司每天以國王的名義進行的祭拜儀式中，就以中午這次最短。由於黎明漫長的儀式已經使神明復甦，因此中午他只需在供奉神像的內中堂簡單地禮拜，使神力在冥冥中充斥於巨大的石廳，確保世間的和諧。

卡尼雖然搖身一變成為阿蒙神神廟大祭司，身分僅次於法老與首相，但他並未喪失農夫的本性。他的臉飽經風霜、肌膚滿佈皺紋、一雙手結滿老繭；對於畢業於首都最高學府的書記官那一套官僚理論，他全然不懂，他只會以栽培植物的方法管理下屬。而無論公務再怎麼繁忙，照顧藥草園的工作他也絕不讓人代勞。宗教界的高層人士一向取悅不易，不過出乎意外地都十分支持卡尼。從前當過菜農的他對自己的特權並不在意，只是秉持著對工作的熱愛與追求完美的信念，盡心盡力地拓展神廟產業，並遵循律法執行神職。他的直言不諱經常讓那些講究說話藝術的行政官員驚駭不已；但是由於他事必躬親，倒是頗能令人信服。雖然先前極不被看好，可是他上任後卻沒有發生嚴重的抗議事件，卡納克上下都能服從他。朝中大臣自然少不得要盛讚拉美西斯大帝的英明一番了。

全是廢話，哈圖莎心裡這麼想。

老謀深算的國王只是不想挑一個能力太強，而可能威脅到自己的人罷了。自從阿肯那頓統治以來，法老與阿蒙神大祭司之間的關係就一直十分緊張。卡納克神廟太富裕、太強盛、範圍太大了；那是勝利之神的轄區。不錯，大祭司是由國王任命，然而就任之後，豈有不開始擴展權勢之理？哪天若是國王的勢力漸漸退居於北方，加上又與統理南方的大祭司決裂，那麼埃及就要亡了。

卡尼的任命給了她這個機會。奢華的排場與財富必定會讓這個平凡的農夫感到飄飄然：成了神廟之主以後，他一定會渴望統治南部各省，進而是整個國家。他自己也許還不知道，但是哈圖莎卻有此信心。因此她必須去點醒卡尼，去喚醒他的野心，與她聯合對抗拉美西斯。最大的力量也大不過阿蒙神的大祭司。

* * *

哈圖莎穿得很素淨，沒有華麗的項鍊首飾；她在莊嚴肅穆的柱子大廳裡，等著見大祭司。卡尼若非戴著金戒作為表徵，與其他祭司還真是一模一樣。他理著光頭，胸膛厚實，舉止間也缺乏優雅的氣度。王妃暗自慶幸自己穿著得體，樸實的大祭司恐怕對花俏的打扮並無好感。

「我們走走。」他提議道。

「這地方真是雄偉。」

「這裡的氣勢可能壓垮人，也可能使人成長。」

「拉美西斯的建築師都很有才華。」

「他們奉行了法老的旨意，就像你我一樣。」

「我只不過是他的第二任妻子，外交政策上的一顆棋子。」

「妳代表了與赫梯之間的和平。」

「我不希望自己只是個象徵。」

「妳想退隱神廟嗎？阿蒙神的歌頌女眾會很歡迎妳的。自從皇后奈菲爾塔莉過世後，她們便自覺像一群孤兒。」

「我還有其他更遠大的計劃。」

「跟我有關係嗎？」

「你是關鍵人物。」

「怎麼可能？」卡尼只淡淡地應了一句。

「事關國家命運，卡納克的大祭司難道無動於衷？」

「國家命運操縱在拉美西斯手中。」

「就算他蔑視你，你也不在乎？」

「我沒有這種感覺。」

「那是因為你不了解他。他的表裡不一已經騙了許多人。阿蒙神大祭司的職權讓他不安，短期內，他也只有想辦法解除你的職務，由他自己擔任。」

「事實不正是如此？法老原本就是聖神與人民之間唯一的橋梁。」

「這些神學理論我不懂。」哈圖莎搖搖頭說：「但拉美西斯是個專制的人，你的權勢過大讓他不安。」

「那麼妳覺得我該怎麼做？」

「底比司人民和大祭司應該一起反抗專制暴政。」

「反抗法老就等於是否定了生命。」

「卡尼，你是平民出身，而我是公主。結合我們的力量，無論臣民都會向我們靠攏。我們可以創建另一個埃及。」

「南方若與北方對峙，埃及將會像斷了脊椎而癱瘓，我們也會遭到災難、貧苦與外敵入侵的命運。」

「這是拉美西斯一手造成的，只有靠我們自己才能避免。你支持我，我會讓你擁有傲人的財富。」

「王妃請抬起頭看看。還有什麼比天天注視著石中永生的神祇更大的財富呢？」

「你是我們最後的希望，卡尼。你再不插手，埃及就要毀在拉美西斯手裡了。」

「我知道妳一心想報復。妳因為自己的不幸，而想毀掉這個收容妳的國家。分化埃及、斷其命脈、使埃及成為赫梯的一部分……這才是妳的企圖吧？」

「是又如何？」

「這是叛國罪，要被處死的。」

「你太不會把握運氣了。」

「神廟之中沒有所謂的運氣，只有奉獻。」

「你錯了。」

「如果忠於法老是錯的，這個世界也就不值得留戀了。」

哈圖莎失敗了。她雙唇顫抖著問道：「你會舉發我嗎？」

「神廟只想要安靜。不要再說出毀滅的言語，妳就會得到寧靜了。」

* * *

燕子仍繼續與死神搏鬥。奈菲莉把牠放在鋪了稻草的籃子裡，以免貓或其他動物侵犯。她替牠把受傷的嘴巴沾溼。無法進食的燕子收起翅膀，靜靜地讓奈菲莉陪著。

奈菲莉向依然自責不已的帕札爾問道：「你為什麼不繼續詢問妮諾法夫人？她的嫌疑很重。」

「她又管布料、又是使針高手，我知道。但是我不覺得她像個冷血殺手。她容易激動，是個大嗓門，而且自信滿滿，自以為是……」

「也許她是個偽裝高手？」

「我承認她的確有殺人的體力。」

「殺手不是從布拉尼背後襲擊的嗎？」

「是的。」

「所以準度要比體力更重要。應該說殺手對人體結構有相當的認識。」

「那麼奈巴蒙最有嫌疑了。」

「他死前說的話是誠心的，不是他。」奈菲莉對奈巴蒙倒是很有信心。

「若傳喚妮諾法出庭，她一定會否認並無罪開釋。我沒有證據，只有零星的線索，因此再次審訊也沒有用。她不但會力陳自己的清白，還會動用關係告我無端騷擾她。我現在需要新的線索。」

「下毒事件你跟凱姆提了嗎？」

「提了，所以現在狒狒跟他日夜輪流保護我。」

「他不能差遣警察嗎？」

「我也這麼想，可是他不信任別人。」

「那就讓他保護你吧。」

「有時候這種感覺很不舒服。」

「門殿長老，你的職責比喜好重要吧。」

「妳會不會覺得我像個老公務員？」

她假裝深思著，神情甚至有點焦慮，「這個問題值得探討。今天晚上看看……」

帕札爾一下子便抱起了她，走進屋門，「我這個老人隨時都能配合妳，何必還要等到晚上？」

* * *

門殿長老的章一直懸著沒有蓋下去。

打從一大清早，帕札爾就開始批公文，內容主要和農耕作業、土地收入以及食糧運送有關。他快速地翻閱著，卻突然有一份報告讓他感到吃驚。

「有一批鮮果運送晚了五天？」

「是的。」書記官答道。

「不行，我不能蓋章。要求他們繳交罰款了嗎？」

「我已經把表格送到底比斯的書記官那兒了。」

「結果呢？」

「還沒有回應。」

「為什麼？」

「因為一切工作都延誤了。」

「已經亂了一個多禮拜，竟然沒有人向我報告！」

書記官嘟噥著一些藉口，「因為有更重要的事要調查……」

「更重要的事？可能有幾十個村子沒有新鮮糧食呢！你挺著個大肚子，所以覺得這個不重要，是不是？」

書記官越聽越不安，便呈上一疊報告，「還有其他物品也都延遲了。我們收到通知說中部的蔬菜至少要十天後才能送達孟斐斯的軍營。這個消息可能引起恐慌。」

帕札爾臉都白了。「你想想軍人會有什麼反應?到碼頭去，快!」

＊　＊　＊

凱姆親自駕車沿著與尼羅河平行的運河、倉庫、穀倉，最後停在貨船抵達的碼頭。一下車，帕札爾就往新鮮食糧的註冊室跑。裡面有兩個打著瞌睡的官員，旁邊則有個小男孩幫他們搧風。

「蔬果的儲存量如何?」帕札爾劈頭就問。

「你是誰?」

「門殿長老。」

兩人這才慌慌張張起身，向大法官敬禮解釋道:「請原諒。因為運輸作業中斷，我們已經好幾天沒事做了。」

「船隻困在哪裡?」

「船沒有被困，已經到孟斐斯了，可是載貨有問題。今天最大的蔬果貨船進港，卻載來了一堆石頭。我們能怎麼辦?」

「船還在嗎?」

「馬上就要返回底比斯了。」

帕札爾、凱姆和狒狒一同穿過造船廠，來到了港口邊，有一艘前往塞浦路斯的船隻正緩緩出海。蔬果貨船上，船員們正忙著張帆，帕札爾想也不想就要上船。

「等一等。」凱姆拉住他的手臂。

「我們沒有時間了。」帕札爾急著說。

「我有不祥的感覺。」

狒狒也皺著鼻子，站直了起來。

「我走前面。」

凱姆知道狒狒煩躁的原因。雜放在甲板上的木箱之間，有一只木籠，裡面有一隻豹走來走去的。

「叫船長出來。」帕札爾對船員說。

一個五十來歲、身形粗壯的人，即從舵輪旁走到法官面前，說道：「我們要開船了，請你們下船。」

「我是警察。」凱姆說：「我在執行勤務，由門殿長老親自監督。」

船長的聲調立刻緩和下來，「我一切都照規矩來，可是碼頭不讓我卸下砂岩。」

「原本載運的不是蔬菜嗎？」

「是的，可是我的船臨時被徵調。」

「徵調？」帕札爾訝異地問：「哪個公家單位徵調的？」

「我只是聽書記官的話。我可不想惹麻煩。」

「讓我看看你的航行日誌。」

帕札爾查看文件時，凱姆命人打開其中一個木箱，裡面裝的果然是神廟石匠所用的砂岩。

日誌中記載，在底比斯東岸，確實有一大批新鮮蔬果上了船。但航行途中，船隻臨時受海運書記官徵調，便在底比斯西岸卸了貨，然後往北行至蓋伯西西勒採石場，再由採石工人將一箱箱的砂岩裝船，運往……卡納克！由於目的地並未改變，因此貨船便駛向了孟斐斯；但碼頭監督卻不接受這批不符規定的貨。

凱姆滿心疑惑地檢查了其他箱子，結果全都是砂岩塊。

* * *

暗影吞噬者從上午便開始跟蹤帕札爾。任務本來就十分艱難，偏偏又有凱姆與狒狒形影不離地跟著。他只得重新計劃，隨時留意著他們鬆懈的空檔。

終於，機會來了。他混在一群工人裡頭，利用為船員搬運食糧的機會上了船，然後躲在主桅後面。帕札爾正專心地向船長問話，凱姆與狒狒在檢查貨艙，誰也沒有注意到他慢慢地爬向了獸籠。他將獸籠的五根木杆慢慢抽掉了四根。籠中的豹子似乎明白他的意圖，安靜等待著破籠而出的時機。

帕札爾發了火，第三次問船長：「河警的章呢？」

「他們忘了蓋，他們……」

「你們不許離開孟斐斯。」

「不行。我必須把砂岩運走。」

「我要扣留你的日誌，詳細檢查。」

帕札爾說完，便往舷梯走。

他經過獸籠時，暗影吞噬者抽掉了第五根木杆，並將身子貼在甲板上，豹聽到了帕札爾快速的步伐，立刻躍出牢籠橫在舷梯口，發出了低沉的吼聲。這隻在努比亞沙漠被捕的野獸，全身花紋斑爛耀眼。驚呆了的法官注視著猛獸的雙眼，牠的眼神中看不到一點恨意。牠若撲上來，只因為他剛好擋了牠的路。

忽然一聲怒吼，嚇得船員個個魂飛魄散。只見狒狒從貨艙跳了出來，杵在法官與豹子中間。牠張著大嘴，雙眼通紅，毛髮直豎，並不停揮動著長臂，向對手示威。

在大草原上，豹子若遇上一群大猩猩，無論如何飢腸轆轆，也會丟下獵物拔腿就跑。但這隻豹卻勇敢地張牙舞爪，面對在原地蹦跳不已、激動萬分的狒狒。

凱姆手握匕首，站在狒狒右側。他絕不會讓最優秀的下屬孤軍奮戰的。豹開始慢慢後退，最後又進了籠子。凱姆也立刻上前，眼睛盯著野獸，手上則忙著將木杆一一插回原位。

「那邊有個人逃跑了。」

暗影吞噬者順著一條纜繩逃離了貨船，然後消失在碼頭的轉角處。

「你能不能描述一下他的長相？」帕札爾問出聲喊叫的船員。

「沒辦法。我只看到他的背影。」

帕札爾緊握著狒狒強有力、毛茸茸的手，心中感激不盡。狒狒也平靜了下來，眼神中流露出一絲驕傲。

「有人想殺你。」凱姆說。

「應該是想讓我受重傷；他知道你一定會救我脫困，可是我會變成什麼樣子？」

「身為警察總長，我真想把你關在家裡。」

「身為門殿長老，我不會讓你任意拘禁我。對手如此急著行動，看來我們的方向應該沒有錯。」

「我真替你擔心。」

「除了前進，我還有其他選擇嗎？」

「這個也許能有幫助。」凱姆打開手心，原來是個瓶塞。「地下室，也就是船長的酒窖裡，有十幾個同樣的瓶塞。從上面的資料可以查出船東。」

瓶塞上的字跡潦草，但「哈圖莎王妃後宮」的字樣仍依稀可辨。

第二十六章

帕札爾沒有多問，貨船船長便坦承他的確是替哈圖莎王妃做事。但是帕札爾對這條單薄的線索以及船長的聲明都不滿意，決定深入調查。

凱姆召來了各區的河警負責人。但在底比斯附近，並沒有人下令檢查某艘蔬果貨船，也因此船長的文件上並無官印。於是帕札爾又把船長叫來，「你說謊。」

「因為我害怕。」

「怕什麼？」

「怕司法，怕你，尤其怕她……」

「哈圖莎王妃？」

「我已經為她工作兩年了。她雖然慷慨，可是卻很嚴厲。是她命令我這麼做的。」

「你知道這樣做打亂了整個新鮮食品的運輸作業嗎？」

「我不聽話就會失業。而且不是只有我一個人……還有其他船長也這麼做。」

兩名記錄員記下了船長的證詞。帕札爾重新看了一遍，確定兩份筆錄完全相同。船長也承認筆錄確實無誤。

又惱怒又焦慮的帕札爾，隨即差人送信去給美鋒。

* * *

兩人約在陶瓷區碰面；在這一區裡，隨處可見手腳靈活的工匠，製造大大小小的容器，從裝香脂的小瓶到儲存肉乾的大罐子，應有盡有。通常一個師傅總會帶著幾個學徒，學到一定的程度才能出師。

「我需要你幫忙。」

「我的立場有點尷尬。」美鋒坦承道：「妮諾法夫人已經決定跟我作戰到底了。她打算發動朝臣罷免我，首相可能會受其中某些人的影響。」

「首相會根據事實判斷的。」

「所以我才每天晚上都努力地查對會計憑證。我相信誰也找不出一點小缺失的。」

「妮諾法擁有什麼利器？」

「她陰險狡詐，老是背後中傷人。我不敢低估這些行為的影響，唯一的對策就是努力工作。」

「我剛剛發現一些事，可能對你不利。」

「什麼事？」

「有人想擾亂新鮮食品的運輸。」

「純粹行政上的疏失嗎？」

「不，是故意的。」

「那樣很可能發生罷工，甚至動亂的！」

「放心，我找出罪魁禍首了。」

「是誰？」

「哈圖莎王妃。」

美鋒調整了一下纏腰布，問道：「你確定嗎？」

「人證物證都有了。」

「這次她太過分了！可是若把矛頭指向她，擺明了是要跟國王過不去。」

「拉美西斯會讓他的子民挨餓嗎？」

「這個問題沒有意義；你想想看，這個妻子代表了和赫梯之間的和平，他會讓她被判刑嗎？」

「她犯的可是重罪啊。如果王室都不受司法管制，我們豈不是等於生活在一個充滿妥協、特權與謊言的國家？這件事我不會就這麼算了，但若沒有國庫出面指控，哈圖莎一定會封鎖整個訴訟程序的。」

美鋒想了一下，「我就賭上我的前途吧，國庫會依你的意思出面的。」

* * *

一整天下來，奈菲莉替燕子的嘴巴沾了十幾次的水。鳥兒將頭轉向亮處；奈菲莉輕輕地撫摸牠，跟牠說話，但心裡知道救不了牠的性命。

帕札爾很晚才到家，人顯得疲憊不堪。他問妻子：「燕子還活著？」

「好像比較不痛苦了。」

「有希望嗎？」

「老實說，沒有。牠的嘴巴還是緊閉著。牠的生命正一點一滴地耗盡，我們已經是朋友了。你怎麼累成這個樣子？」

「哈圖莎王妃打算讓孟斐斯市區和四周村落的人民挨餓。」

「太荒謬了！她怎麼可能成功？」

「她看準了行政效率不彰，打算用行賄的方式。不過的確很荒謬。太多層的關卡了，她真是喪失了理智。國庫會透過美鋒提出控訴，我要到底比斯去定王妃的罪。」

「你要把布拉尼、亞舍將軍和陰謀分子的事先擺在一邊？」

「如果哈圖莎和戴尼斯有所勾結，這些事不見得毫無關聯。」

「先是審問最負盛名的將軍，接著又是王妃……你可真是不平凡啊，帕札爾法官！」

「妳也不是個平凡的女人。你同意我去嗎？」

「你做了哪些防範措施？」

「沒有。我必須訊問她，讓她知道被起訴的理由。然後，我就要把案子交給首相；預審若過於草率，首相絕不會接受。」

「我愛你，帕札爾。」

兩人深情一吻之後，她又憂心地說：「毒藥、獵豹……這個想害你殘廢的人到底有什麼用意？」

「不知道，不過妳放心，我和凱姆會搭河警的警船前去。」

晚飯前，他去看了燕子。牠竟然抬起頭來了。被抓瞎的眼睛已經結痂，小小的身軀也似乎更有活力地抖動著。帕札爾看得目瞪口呆，動也不敢動。奈菲莉綁了幾根稻草，放在鳥爪下當作棲架。燕子緊抓著不放。

瞬間，牠突然以一種驚人的生氣，鼓動翅膀飛走了。

這時候，東方的天空出現了十來隻牠的同伴，飛過來包圍著牠，其中一隻更親密地親親牠，彷彿是母親找回了失蹤多時的孩子。接著第二隻、第三隻……一整群的燕子無不欣喜若狂。在底下看著燕群飛舞的奈菲莉與帕札爾，同時忍不住感動掉下淚來。

「牠們好團結啊。」帕札爾感慨道。

「你把牠從死亡邊緣救回來並沒有錯。只要現在牠能和同類團聚，明天如何又有什麼關係？」

＊　＊　＊

太陽當空照得一片亮麗。

帕札爾站在船頭欣賞著國家的美。他感謝眾神，讓他得以生長在這片融合了農田與沙漠之美的神奇土地上。棕櫚的冠冕下流淌著有助農田水利的運河之水，並遮蔽了平靜村莊的一棟棟白屋。金黃的麥穗閃閃耀眼，棕櫚樹林則綠得令人陶醉。世世代代的農夫所開墾的黑色土壤，長出了小麥、亞麻、果樹。金合歡、無花果樹與檉柳、酪梨樹競相媲美；尼羅河岸、碼頭的遠處，則有紙莎草與蘆葦蓊蓊鬱鬱。沙漠中的植物，只需要一點雨水就會冒了出來，而神聖的水資源更能在沙地深處保存幾個星期之久，只有靠占卜的小木棍才能找得到。根據先哲所示，人是定位在大自然的其他動物、礦物、與植物之後。因為只有驕傲狂妄的人類，偶爾會企圖扭曲生命，因此女神瑪特才會賦予人類司法，使歪曲的棍杖重新豎直。

「我不贊成你這麼做。」凱姆說。

「你以為王妃是清白的？」

「你會身敗名裂的。」

「我有充分的證據。」

「如果王妃矢口否認，你的證據又有什麼用？我覺得你根本是在幫那群混蛋拆你自己的台！你想想哈圖莎會多麼生氣。就連首相巴吉可能都保不了你。」

「她還是得守法。」

「很好的想法。很好但是沒用。」

「等著瞧吧。」

「你哪來的這份信心？」

「從我妻子的眼神，而且最近我看到一隻燕子飛上了天。」

*　*　*

忽然一陣強風在尼羅河上捲出了幾個漩渦。船首測水深的人幾乎無法作業。暴風突如其來，船員們全都來不及反應；桁桅斷了，主桅歪了，連船舵也不聽使喚。船胡亂漂流了一會兒，撞上了沙洲。船員連忙從船尾下碇；重達十一公斤的大石應該可以讓船在水流中穩住。甲板上人聲鬧哄哄的；凱姆用他宏亮的聲音要大家鎮定下來，然後和船長清查了損壞的部分後，下令立即進行搶修。

全身溼透了的帕札爾覺得自己一點忙也幫不上。因此當兩名受過訓練的船員下水檢查船身時，凱姆便讓他進船艙內休息。幸好船身受損不嚴重，等尼羅河的怒氣平息，就可以繼續上路了。

「船員一直很擔心。」凱姆透露說：「因為開船前，船長忘了為船首兩側的神奇之眼重新點睛。這種疏忽很可能讓船失去方向，造成船難。」

於是帕札爾從旅行袋裡拿出文具，把墨磨得又濃又黑，然後手勢穩健地親自重繪守護神之眼。

*　*　*

蔬果船的船長向哈圖莎王妃稟報之後，後宮便派出了五名侍衛守在底比斯北邊五十多公里處，等著帕札爾搭乘的警船經過。他們的任務很簡單：不擇手段將船攔下。事成之後，他們將會獲得一塊地、兩頭牛、一隻驢子、十袋小麥和五罈酒作為獎賞。

惡劣的天候讓他們省了不少事；還有什麼比船難溺斃更簡單的呢？對一個法官而言，死於尼羅河真是最好的結局；傳說中，溺死的聖人可以直達天堂，不是嗎？

五名後宮侍衛划著快艇，趁著暴風雨夜滿天烏雲密佈，朝著仍擱淺在沙洲上的警船前進。距目標二十公尺左右，他們下水游到警船船尾，輕易地便攀了上船。領隊的那人用一柄木槌敲昏了警衛；其他人則躺在草蓆上裹著被子睡得很沉。現在只須撞開船艙的門，抓起法官將他淹死，就大功告成了。他們不會有事，尼羅河才是元兇。五人打著赤腳悄悄地走到緊閉的門前，停了下來。其中兩人負責監視船員的動靜，其餘三人負責料理帕札爾。

此時，船艙頂上出現了一團黑影，瞬間帶頭的人便感到肩膀一陣劇痛，不禁驚呼失聲，而狒狒的利牙已經深深嵌入他的皮肉了。凱姆也雙手各持匕首，從薄薄的木板門後破門而出，衝向刺客。有兩個人受傷後生命垂危，另外兩人驚嚇之餘想要脫逃，但未成功，被從睡夢中驚醒的船員們給摁倒在甲板上。

狒狒聽了凱姆的命令才放開帶頭行刺的人。滿身是血的刺客痛得幾乎暈了過去。

「誰指使你來的？」

傷者不作聲。

「你再不說話，就換我的狒狒來問你。」

傷害這才氣若游絲地吐出這麼一句：「哈圖莎王妃。」

* * *

後宮再度使帕札爾法官嘆為觀止。各大庭園間有維護完善的運河流貫，這裡也是底比斯貴婦們經常散步、乘涼、展示新裝的地方。運河水量豐沛，花壇內百花爭妍，更有女樂師們練習著下回宴會中所要演出的曲目。紡織與陶瓷工坊裡，工匠努力地工作，但工作環境卻又華麗又舒適；搪瓷與木材專家打從天一亮便開始製作精美的物品，而挑夫們則忙著把一罐罐的香油裝上商船。

哈圖莎王妃的後宮與其他後宮一樣，就像一座小城，傑出的手工藝匠們可以在此以最輕鬆的心情，將心中所感受的美透過雙手展現於完美無缺的成品上。

在這個井然有序的天地裡，繁重的工作也看似輕鬆，若非有要事在身，帕札爾定要花上幾個小時好好漫遊一番，走一走鋪上了沙石的小徑，和除草的園丁說說話，和那些經過甄選入宮居住的遺孀聊聊天。但他還得以門殿長老的身分去見王妃。

他隨著內侍進入晉見廳，哈圖莎王妃正中高坐，兩旁各有一名書記官。

帕札爾才行了禮，王妃便說：「我很忙，所以請你長話短說。」

「我希望和王妃私下談談。」

「你在辦公事，恐怕不能這麼做。」

「正因為辦公事，才更需要這麼做。」帕札爾打開紙軸又說：「妳要書記官把妳的罪狀一一記下嗎？」

王妃只有不耐地揮揮手，讓書記官退下。

「你的用詞是否該注意一點？」

「哈圖莎王妃，我要指控妳侵吞食糧，並企圖謀殺本人。」

王妃美麗的雙眼冒出了火花，「你好大的膽子！」

「我有人證、物證與供詞筆錄。因此我要正式起訴妳；不過在開庭前，妳必須對這番行為作出解釋。」

「還沒有人敢這麼跟我說話。」

「也沒有任何后妃犯下過這種罪行。」

「拉美西斯會毀掉你的。」

「法老是瑪特的子孫，也是祂的信徒。既然我有事實作依據，他就不會封我的口。妳的地位是掩飾不了妳的罪行的。」

哈圖莎站起身，走下寶座，「你恨我這個赫梯人。」

「妳明知不是這樣。雖然妳想殺我，但我所做的一切完全沒有怨恨的情愫。」

「我只下令攔截你的船，不讓你到底比斯，如此而已。」

「妳的殺手卻可能會錯意了。」

「誰會冒險殺害埃及的法官呢？陪審團一定會認為你的證人說謊，使你告訴無法成立。」

「妳的答辯很有技巧，但妳怎麼解釋新鮮食糧被侵吞一事？」

「如果你偽造的物證和人證一樣沒有說服力，那麼還有誰會懷疑我說的話呢？」

「妳看看這份文件。」

哈圖莎看完之後臉色大變，雙手也緊握在一起，「我不會承認。」

「證詞明確，事實勝於雄辯。」

她昂然答道：「我是法老的妻子。」

「但是妳說話的分量跟貧窮的農民並無兩樣。甚至由於妳的地位，才讓妳的行徑更不可原諒。」

「我不會讓你開庭的。」

「開庭的人將會是首相巴吉。」

她頹喪地坐在台階上，「你為什麼非整垮我不可？」

「妳到底有什麼野心呢，王妃？」

「你真的想知道嗎，埃及大法官？」

帕札爾從她眼中感受到一股強烈的暴力，不覺全身緊繃了起來。

「我恨你的國家，恨你的國王，恨他的榮耀與權勢。親眼見到埃及人民餓死，小孩痛苦呻吟，牲畜暴斃，將是我一生最大的快樂！拉美西斯以為把我關在這個天堂的假象裡，就能撫平我的怒氣。可是我只有越來越憤怒。受到不公平待遇的是我，我再也忍不下去了。我只希望埃及滅亡，不論是被我的族人或其他野蠻族群所消滅，都無所謂。只要是法老的敵人，我都全力支持。相信我，帕札爾法官，他的敵人是越來越多了！」

「例如戴尼斯，是嗎？」

王妃激昂的情緒頓時冷卻了下來，「我可不是你的線民。」

「妳難道不是中了他們的計？」

「我跟你說的都是事實，你們埃及人最注重的事實！」

第二十七章

宴會同往常一樣盛大。妮諾法夫人依舊穿戴著豪華首飾，愉快地接受賓客殷勤的讚美。戴尼斯則剛剛簽訂了幾個合約，對於自己船運公司不斷的擴張，以及埃及所有重要人士所投注欣羨的眼光，他感到滿意極了。誰也不知道他手中已經掌握了至高的權力。他雖然緊張，但一直很有耐心，如今壓抑已久的興奮情緒日益高漲了；再過不久，反對他的人將受到嚴懲，支持他的人也將獲得賞賜。時機對他越來越有利。

妮諾法因為疲累先進房休息了。送走最後幾位客人之後，戴尼斯獨自在果園中走著，檢查是否有水果被竊。忽然有一名女子從黑暗中竄了出來。

「哈圖莎王妃？妳怎麼到孟斐斯來了？」

「不要說出我的名字。我在等你的貨。」

「妳說的是……」

「神鐵。」

「要有點耐心。」

「不行。我馬上就要。」

「為什麼這麼急？」

「我受你拖累而做了傻事。」

「沒有人會查到妳那裡去的。」

「帕札爾法官已經找上我了。」

「他只是想嚇唬嚇唬妳。」

「他已經起訴我了，而且打算讓我以被告的身分出庭。」

「他誇大其詞！」戴尼斯還是一副無所謂。

「你太不了解他了。」

「他根本沒有證據啊。」

「他有物證、人證和供詞。」

「拉美西斯不會任他胡來的。」

「帕札爾已經把案子交給巴吉了；連國王也要遵從法律。戴尼斯，我會被判刑，我的領地會被沒收，幸運的話，可能會被打入鄉下的冷宮。不過刑罰卻可能更重。」

「傷腦筋。」

「我要神鐵。」

「現在我手上還沒有。」

「最遲明天給我，否則……」王妃頓了一下。

「否則怎麼樣？」

「我就要把你供出來了。帕札爾雖然懷疑你，但還不知道是你煽動我侵吞新鮮食糧的。我有辦法讓陪審團相信我的話。」

「多給我一點時間。」

「再過兩天就月圓了；有了神鐵，我的法力才會生效。就明天晚上，否則你就等著跟我同歸於盡吧。」

*　　*　　*

奈菲莉的綠猴小淘氣瞪大了眼睛，看著勇士小心翼翼地將一隻腳伸入蓮花池，大概發覺水溫舒適，便縱身跳入池中，痛快地洗了個澡。這天女傭全都休假，奈菲莉便自己取出井底的瓦罐。她的嘴有如含苞的蓮花，胸脯則讓人聯想起西紅柿；帕札爾看著她來回地走，一下把花插到布拉尼的祭壇上，一下餵食動物，一下又抬頭看看每天傍晚都來到屋頂盤旋的燕子。那隻大難不死的燕子也在其中呢。

奈菲莉很仔細地照顧著無花果；這些果子成熟了以後，會從一種美麗的黃色轉為紅色。每到五月，她就會把樹上的果子敲開，以便驅除寄生在裡面的害蟲。這個時候的無花果肉肥味美，便可以食用了。

「書記官把哈圖莎的檔案重新整理過，我也又看了一遍，可以呈遞給首相了。」

「王妃擔不擔心？」

「她知道我的決心。」

「她會用什麼方法干涉呢？」

「無所謂。主導整個案子的人是巴吉，誰干涉都沒有用。」

「即使法老要你放棄也沒有用。」

「他可以撤我的職，但我絕不放棄。否則我的心就會受到污染，就連妳這個神醫也無法洗淨了。」

「凱姆告訴我，你又第三度受到攻擊。」

「這次是哈圖莎的打手想要淹死我。前面兩次卻是一個男人想害我殘廢。」

「凱姆找出這個人了嗎？」

「還沒有，這個人好像特別狡猾而靈活。凱姆的線民都沒有消息。對了，醫師委員會做決定了嗎？」

「選舉延期了。他們繼續接受報名申請；喀達希仍然保有候選人的資格，而且還一一去拜訪委員。」她把頭靠在丈夫的膝蓋上，滿足地說：「無論如何，我們已經很幸福了。」

* * *

帕札爾在一份外省法庭的判決書上蓋了章；有一名村長犯了誣告罪，被判杖打二十板並科以一大筆罰金。村長很可能會上訴，但若犯罪事實確鑿，將加倍處罰。

接近中午時，帕札爾接見了塔佩妮。身材瘦小、有著一頭烏黑亮麗秀髮的塔佩妮，一向善於利用自己的姿色，也因此才能說服那些脾氣暴躁的書記官讓她見到門殿長老。

「妳找我有什麼事？」

「你應該知道。」

「請你明說。」

「我想知道你的朋友，也就是我的丈夫蘇提現在在哪裡。」

帕札爾早就料到她會找上門來。她也跟豹子一樣，無法對蘇提的生死不聞不問。

「他離開孟斐斯了。」

「為什麼？」

「為了公務。」

「你想必不會告訴我公務的性質了。」

「當然。」

「他會有危險嗎？」

「他很相信自己的運氣。」

「蘇提會回來的。我可不是一個可以讓人離棄遺忘的女人。」

這句話威脅的成分多過於溫柔。帕札爾便試了她一試，「最近有哪些貴婦人騷擾妳嗎？」

「以我的身分地位，她們當然會來求取最好的布料。」

「如此而已？」

「我不懂你的意思。」

「像是妮諾法夫人，她沒有要求妳守口如瓶嗎？」

塔佩妮顯得有些緊張，「我向蘇提提過她，因為她是個針織的高手。」

「孟斐斯不只她一個。為什麼特別提她？」

「你的問題很煩人耶。」

「可是我非問不可。」

「你有什麼目的？」

「我在調查一件重大刑案。」

塔佩妮的嘴角忽然浮現一抹怪異的微笑，「妮諾法涉案了？」

「你到底知道些什麼？」

「妳沒有權利把我留在這裡。」

她很快地走到門邊，轉身又說：「我知道的也許很多，帕札爾法官，但是我為什麼要告訴你呢？」

*　*　*

醫院正常運作的程序可不可能令人滿意呢？每當一個病患痊癒後，便有另一名病患接替而來，戰鬥的過程也重新開始了。奈菲莉總是不厭其煩地治療病人；一次又一次的戰勝病痛使她的快樂源源不絕。醫護人員都盡心盡力地協助她，負責行政事務的書記官也使得醫院有了健全的管理，因此她才能專心致力於醫術，使原有的藥方更精緻，並發現更有效的新藥方。每一天她都要為病人割除腫瘤、接續斷肢，並撫慰絕症病患。圍繞在她身邊的醫生有的經驗老到，有的則是稚嫩的新手，但每個人都很樂意聽從院長的指揮，她從來無需提高嗓門說話。

這一整天奈菲莉為了救一個四十歲的腸梗塞病患，簡直累壞了。手術過後，她正坐下來打算喝口水，其他醫生也正在梳洗換裝，喀達希突然闖了進來。他對著奈菲莉粗聲粗氣地嚷道：「我要看醫院的藥品清單。」

「憑什麼？」

「憑我是御醫長候選人，而且我需要這份清單。」

「你要來做什麼？」

「我要充實自己的知識。」

「你身為牙醫，使用的藥物有限。」

「藥單快拿出來！」

「你的要求毫無根據。你又不是醫院的專業人員。」

「奈菲莉，妳真是搞不清楚狀況。我一定要證明我的能力。我如果沒有完整的藥單，我的資格就不完備。」

「只有皇宮的御醫長能命令我把藥單給你。」

「我就是未來的御醫長啊！」

「據我所知，奈巴蒙還沒有正式的接班人。」

「聽我的話，妳不會後悔的。」

「我不能這麼做。」
「別逼我強行進入妳的實驗室。」
「你這麼做會被判重刑的。」
「不要再違抗我，我很快就是妳的上司了。妳若不合作一點，我就讓妳工作不保。」
有幾名醫生聽到吵鬧聲，都過來圍在奈菲莉身邊。
「別以為你們人多我就怕了。」
「馬上出去。」一名年輕醫生喊道。
「你不該用這種口氣跟我說話的。」
「你的行徑配當醫生嗎？」
「事態緊急，迫於無奈。」喀達希說。
「這只是你個人的看法。」奈菲莉糾正道。
「御醫長的職務必須由經驗豐富的醫生擔任。你們每個人都認同我的資歷。那麼何必起這麼大的衝突呢？我們都有共同的心願，就是為他人服務，對不對？」
喀達希說起了他數十年的執業生涯，說自己如何地為病人盡心盡力，如何地想為國家奉獻一點心力，從來不曾因為無聊的行政官僚體系而受挫。他東拉西扯，無非希望能說之以理、動之以情。
但奈菲莉仍不肯妥協。如果喀達希想要毒品與藥品的清單，就要註明用途，因為奈巴蒙的接班人一天不上任，她就一天不能鬆懈把關的任務。

* * *

亞舍將軍的參謀長遺憾地說長官不在，但帕札爾並不放棄。
「我來不是禮貌性的拜訪，我是來訊問他的。」

「將軍離開軍營了。」
「什麼時候走的？」
「昨晚。」
「上哪兒去？」
「我不知道。」
「依規定，他不是應該向你告知行蹤嗎？」
「是的。」
「那麼他為什麼沒說？」
「我怎麼知道呢？」
「我不能接受這種模稜兩可的說法。」
「你若不相信就搜軍營吧。」
帕札爾又問了另外兩名軍官，並未得到進一步的答案。只有幾個人看到將軍駕著戰車往南去了。帕札爾不排除他使詭計的可能，便前往外國事務處查問，但近日並未派兵出征亞洲。帕札爾要凱姆盡快找到將軍。雖然很快就有眉目，卻也只能查出他到中部地區去，亞舍這次的行蹤真是保密到家了。

＊　　＊　　＊

首相生氣地說：「你的話不會太誇張了嗎，帕札爾法官？」
「我已經調查一個禮拜了。」
「軍營呢？」
「毫無亞舍的蹤跡。」

「外國事務處呢？」

「沒有派任務給他，除非是祕密任務。」

「有祕密任務我會知道，但我並未被告知。」

「那麼只有一個結論：將軍失蹤了。」

「不可原諒。」首相大發雷霆。「他身負重任怎麼能擅離職守？」

「他想逃離向他撒下的羅網。」

「你不斷的攻擊已經讓他筋疲力盡了嗎？」

「我覺得他擔心的是首相的介入。」

「這麼說他的確有罪了？」

「他的同黨背棄了他。」

「為什麼？」

「因為亞舍發現自己被利用了。」

「可是逃離崗位……他是軍人啊！」

「他是個懦夫，是個殺人兇手。」

「假如你的指控正確，他為什麼不到亞洲和其他盟友會合呢？」

「他往南走也許只是個幌子。」

「我會下令封鎖邊界。亞舍逃不出埃及的。」

亞舍如果沒有同謀協助，絕逃不出全國佈下的天羅地網。因為有誰敢違背首相的命令，藏匿一個失勢的將軍呢？帕札爾這次可以說是大獲全勝。將軍將無法解釋自己擅離職位的原因；遭背叛的他，第二次開庭時必定會對同黨予以反擊。也許他就是想報復戴尼斯和謝奇，才會決定在一敗塗地之前失蹤。

「我馬上下令各省省長立刻逮捕亞舍。讓凱姆也將這道命令傳達到各個警局。」

經過首相緊急下令後，不到四天的時間，亞舍便將成為通緝犯了。

「你的任務尚未完成。」首相又說：「如果將軍只不過聽命行事，你必須把為首的人抓出來。」

「我正有此打算。」帕札爾說著，腦中立刻浮現出蘇提的影像。

* * *

戴尼斯帶領哈圖莎到謝奇的祕密鍛造廠去。工廠的位置在一個市郊的住宅區，戴尼斯還在工廠前面設立了一個露天廚房以掩人耳目。謝奇在這裡做一些合金的實驗，並測試植物酸碰上銅與鐵的反應。

廠內的高溫令人難以忍受，哈圖莎便脫下了外套與風帽。

「皇室的貴客來了。」戴尼斯愉快地說。

謝奇沒有抬頭。他正專心地進行金、銀、銅的焊接工作，難度極高。

「這是匕首柄上的球飾。」戴尼斯解說道：「等這個暴君下台後，匕首將屬於未來的國王。」

謝奇用右腳規律地踩著風箱以助長火勢，並用青銅夾鉗操控著金屬塊，他的動作必須非常迅速，因為青銅的熔點和金一樣。

哈圖莎急躁不安地說：「我對你的實驗沒興趣，我只要我買的神鐵。」

「妳只付了訂金而已。」戴尼斯糾正道。

「東西給我，我自然會付清餘款。」

「還是這麼急？」

「說話的態度注意一點！讓我看看東西。」

「妳得等一等。」

「夠了，戴尼斯！你難道敢騙我？」

「也不完全是騙妳。」

「神鐵不是你的？」

「我會要回來的。」

「你竟敢作弄我！」

「千萬別誤會，只能算是預定罷了。我們一起努力讓拉美西斯垮台，這才是最重要的，不是嗎？」

「你只不過是個賊。」

「生氣也於事無補。我們的命運已經結合在一起了。」

王妃不屑地看著眼前的運輸商，「你錯了，戴尼斯。我可以不要你的協助。」

「毀約可不是明智之舉喔。」

「把門打開讓我出去。」

「你會守密吧？」

「我只以我的利益為考量。」

「妳一定要答應不說出去。」

「讓開。」

戴尼斯依舊不動，哈圖莎便伸手推他。他一股怒氣往上衝，把王妃給推了回去。不料，她踉蹌退了幾步竟撞上了謝奇放在石頭上的火熱夾鉗。她發出驚慌的尖叫，結果腳下一滑，整個人跌靠在鎔爐邊上，衣服馬上便著了火。只見戴尼斯只是袖手旁觀，謝奇聽從他的指示也沒有插手。當戴尼斯奪門而出，謝奇自然也緊跟在後，逃離了冒出熊熊烈火的工廠。

第二十八章

在普塔赫神廟門殿開例行法庭之前，帕札爾以密語寫了一封信給蘇提：「亞舍失蹤了，不要再繼續冒險，立刻返回。」

他將信交由凱姆正式委派的警員送去；通常信函到達科普托思，都是由沙漠警察轉交給礦工的。

今天法庭上處理的全是一些小案子，有人欠債不還，有人無故曠工等等。由於罪犯都坦承不諱，陪審團便也表現得十分寬容。戴尼斯也是陪審團員。庭訊結束後，他走向帕札爾說道：「我不是你的敵人，帕札爾。」

「我不是你的朋友。」

「老實說，你應該提防那些假裝是你的朋友的人。」

「你在暗示什麼？」

「你有時候會信錯人。像蘇提就不值得你信任。他把你的調查和你本身的情報賣給我，想換取他一直得不到的物質上的保障。」

「身為門殿長老，我不能動手打你，但我也可能會喪失理智。」

「總有一天你會感激我的。」

* * *

奈菲莉一到醫院，有幾個醫生便立刻前來求助；他們從半夜就開始搶救一名被火燒傷的女子，但傷者存活的機會實在不大。大火是從位在住宅區的一處地下鍛造廠開始延燒的，這名女子一定是用火不慎才會釀成災害。

值班醫生將黑泥和一些小家畜的糞便加熱煮熟，磨碎後加入發酵過的啤酒，然後塗抹在受傷的肌膚上。奈菲莉到了之後，把炒過的大麥和藥西瓜磨成粉，混合乾的金合歡樹脂後，一起浸在油中，最後再將製成的油性敷料敷在燒傷程度較嚴重的部位。至於較輕微的傷口，則用磨碎的黃色赭石加上無花果汁、藥西瓜和蜂蜜來治療。「這樣她會比較不痛苦。」她說道。

「怎麼餵她吃東西呢？」護士問道。

「目前還不可能進食。」

「可是必須讓她喝水。」

「在她口中插入一根蘆葦，再把銅水一滴一滴地滴進去。二十四小時都要有人照護。一有情況，馬上通知我。」

「油性敷料怎麼處理？」

「每三小時換一次。明天我們再採用蠟、熟牛油、紙莎草和角豆樹果實的混合敷料。記得在病房裡放置大量的細繃帶。」

「妳覺得還有希望嗎？」

「老實說，很渺茫。知道她的身分嗎？得趕緊通知家屬。」

醫院總管就怕奈菲莉問這個問題，悄悄將她拉到一旁，「恐怕有點複雜。這個病人不是普通人。」

「是誰？」

總管拿出一個十分精緻的銀手環。手環內側刻著的所有人姓名——哈圖莎，拉美西斯之妻。

* * *

來自努比亞的熱風真是對人的一大考驗。沙漠的砂石隨風起舞，所有的住屋都留下了風沙的足跡。雖然挨家挨戶都門窗緊閉，但細細的黃沙卻是無孔不入，家庭主婦也只有不斷地清掃了。有不少人因為呼吸困難求醫，醫生們自然也忙得不可開交。就連帕札爾也無法倖免，點過眼藥，稍微發炎的眼睛舒服了一點，不過他還得繼續對抗襲將上來的倦意。反觀凱姆就跟他的狒狒一樣，似乎無論什麼樣的天候都對他們起不了作用。

他二人和狒狒在蓮花池畔的一棵無花果樹下乘涼。勇士原先有點遲疑，最後還是跳到主人的膝上，不過眼光卻一直沒有離開過狒狒。

「亞舍仍舊毫無消息。」

「他是不可能出國的。」帕札爾說。

「他可能躲上幾個禮拜，可是支持他的人會越來越少，很快就會有人告發他了。首相的命令非常明確。將軍為什麼要這麼做呢？」

「因為他知道這次絕對會被判刑。」

「他的同夥就這麼背棄他了？」

「他們已經不再需要他。」

「你有什麼結論？」凱姆問道。

「我覺得既沒有軍事陰謀，也沒有外族入侵的危機。」

「可是哈圖莎王妃到孟斐斯來……」

「她也被滅口了！陰謀分子根本不需要她的支援。你調查的結果如何？」

「那個地下鍛造廠不屬於任何人。至於露天廚房的夥計全是戴尼斯的人。」

「查到這些已經夠好的了。」帕札爾滿意地點點頭。

「但並沒有確切的犯罪證據。」

「我們每走一步就會碰上他！縱火難道不犯法？」

「的確有居民看見有人從火場逃出，可是證人的說法不一，我只蒐集到一些誇大不實的描述。」

「鍛造廠……」帕札爾想了一下說：「是謝奇工作的地方。」

「會不會是他為哈圖莎設下的圈套？」

「把一個女人活活燒死，我實在不敢相信。我們的對手難道是一群魔鬼？」

「果真如此的話，我們就要有打硬仗的準備了。」

「我想講了也是白講，你絕不會撤走我住處的防護措施，對吧？」

「即使我不是警察總長，即使你下令撤銷，我還是會繼續監護的。」

帕札爾永遠也看不透凱姆。他冷漠、疏離、對自己總是信心滿滿，雖然不贊成這個法官的行為，卻仍舊義無反顧地幫他。凱姆唯一信得過的只有狒狒；狒狒若是受傷，他的心會傷得更痛。司法正義？全是騙人的。但帕札爾相信司法，而凱姆相信帕札爾。

「你通知首相了嗎？」凱姆問。

「我已經呈上詳細的報告。哈圖莎到孟斐斯，似乎沒有告訴任何人。現在，奈菲莉正日夜守著她呢。」

* * *

到了第五天，奈菲莉用藥西瓜、黃色赭石和一點點銅屑製成了油膏。只見她將油膏塗在傷口上，並仔細地加以包紮。儘管痛苦萬分，哈圖莎仍堅強地支撐著。

第六天，她的眼神變了，彷彿睡了好長的一覺之後終於醒過來。

「撐下去。妳在孟斐斯的中央醫院。現在是最危險也是最關鍵的時刻，妳多撐一分鐘，治癒的機率也就越大了。」

王妃姣好的容貌已經毀了。雖然全身塗滿了藥膏，但是她原本光潔無瑕的肌膚，如今也只剩一道道暗紅色的斑紋。奈菲莉最擔心的是王妃向她要鏡子的那一刻。

哈圖莎王妃抬起了右手抓住奈菲莉的手腕。奈菲莉向王妃承諾。「放心，我有把握，我會為妳治好的。」

* * *

帕札爾看著熟睡的妻子。

她終於願意休息一下了。這幾天來，她不眠不休地照顧哈圖莎，親自為她包紮、配藥，如今王妃嚴重的傷勢已經漸漸復原了。她為王妃付出的愛心起了作用，就像棕櫚樹上的環形冠冕逐漸開展成形。她每天醒來，都更容光煥發；奈菲莉就是有這樣的天分，能夠讓每個生命綻放微笑，讓黑夜大放光明。帕札爾之所以能一直保持戰鬥的精力，也是為了繼續吸引她，向她證明他脆弱的背後有一股堅定的力量支持著他，這股力量就來自他與奈菲莉的結合，無論是時間、習慣或艱難的考驗，都拆散不了他們。

一線陽光射進了臥室，照在奈菲莉的臉上，她懶懶地醒過來。「哈圖莎得救了。」她喃喃地說。

「妳一心念著病患，不會把我給忘了吧？」

她挨近丈夫身邊嘆道：「這麼年輕漂亮的王妃怎麼受得了這樣的打擊？」

「拉美西斯出面了嗎？」

「王宮的內侍來傳話了。王妃一旦可以移動，就馬上送進宮去。」

「那也得看她的告白會不會剝奪她的特權才行。」

奈菲莉憂心地起身坐在床沿，「她受的懲罰還不夠嗎？」

「對不起，不過我還是得訊問她。」

「她一句話都還沒有說。」

「等她能說話的時候，再告訴我。」

* * *

哈圖莎吃了一點大麥粥，又喝了點角豆莢果汁。她漸漸恢復了生氣，可是雙眼卻依然空洞無神，彷彿迷失在一場惡夢中。

「事情是怎麼發生的？」奈菲莉問她。

「他推我，我要逃出工廠，他不讓我出去。」

她說得斷斷續續，聲調又慢又痛苦。奈菲莉心有不忍，便不再追問下去。但病人又繼續說：

「青銅夾鉗……燒到我的衣服，火花迸出來，我撞到鎔爐，全身都著火了。」

她的聲音忽然變得尖銳。「他們逃走了，丟下我不管！」

哈圖莎驚慌地回想著，又疲累又氣餒。突然間，她坐了起來，使盡最後的力量痛苦地大叫。

「他們逃走了，該死的戴尼斯，謝奇！」

* * *

奈菲莉讓哈圖莎吃了鎮靜劑之後，繼續陪著她直到她睡著。

她一走出醫院，便見到皇太后宮殿的總管向她走來。「太后現在要見妳。」

總管請奈菲莉坐上轎子，立刻讓轎夫快步進宮。

圖雅私下接見奈菲莉，並無正式的排場。奈菲莉先禮貌地問候一聲，「太后身子可好？」

「多虧妳的治療，我現在情形很好。妳聽說醫師委員會的決定了嗎？」

「沒有。」

「真叫人無法忍受，御醫長的人選下禮拜就要決定了。委員會商議之後，必須推出一個人來。」

「這不是既定程序嗎？」

「可是牙醫喀達希的對手全是一些不起眼的角色。他很懂得心理戰術，很多對手都不戰自退。以前和奈巴蒙友好的人、較弱勢的人以及三心二意的人都會投票給他。」

太后的怒氣更顯出她天生的威儀。「我絕不接受這樣的安排，奈菲莉！喀達希根本不夠資格擔此重任。我一直很重視公共衛生；我們必須為大眾的健康採取一些必要措施，必須盡力維護公共衛生以杜絕傳染病。這個喀達希卻一點也不在乎！他只想滿足權力慾望與虛榮心。他比奈巴蒙還糟！妳一定要幫我。」

「怎麼幫呢？」

「出面對抗他。」

* * *

奈菲莉讓帕札爾進入王妃的病房。她的臉上和四肢都纏著繃帶。為了避免壞疽與感染，傷口都塗上了一種以銅屑、硅孔雀石、新鮮的篤薅香脂、枯茗、天然含水蘇打、阿魏、蠟、肉桂、瀉根加上油和蜂蜜後，細細搗碎而成的特製藥膏。

「妳能說話嗎，王妃？」

「你是誰？」她的眼皮覆著一層薄薄的繃帶，遮住了視線。

「帕札爾法官。」

「誰讓你……」
「我的妻子奈菲莉。」
「她也是我的敵人。」
「我是正式提出申請的，我在調查火災由來。」
「火災……」
「我想知道誰是嫌犯。」
「什麼嫌犯？」
「妳不是說出了戴尼斯和謝奇的名字嗎？」
「你弄錯了。」
「妳到這個地下工廠做什麼？」
「你真的想知道？」
「如果妳不介意的話。」
「我來取神鐵以便施法對付拉美西斯。」
「妳應該提防謝奇的。」
「當時只有我一個人。」
「那妳怎麼解釋……」
不等他說完，王妃馬上打斷，「意外，純粹是意外。」
「妳為什麼說謊？」
「我恨埃及，恨埃及的文化與道德標準。」
「因此妳甚至不願意供出殺害妳的人？」

「凡是想毀滅拉美西斯的人，我都不會出賣。你的國家拒絕面對唯一的真理：戰爭！只有戰爭才能激發熱情、揭發人性。我的同胞根本不該與你們和談，而使我成了人質。我要喚醒赫梯人，為他們指引明路……今後，我將被幽禁在我深惡痛絕的宮殿裡，可是我相信總有人會成功的。你甚至無法讓我接受審判，因為你太仁慈了，不會忍心折磨一個殘廢的人。」

「戴尼斯和謝奇只是罪犯，他們根本不在乎妳的理想。」

「我已經決定了，我不會再吐露一字一句。」

＊　　＊　　＊

帕札爾以門殿長老的身分批准了奈菲莉競選埃及皇宮御醫長的資格。她所擁有的頭銜與經驗皆符合要求；她不僅擔任孟斐斯中央醫院的院長，更有皇太后個人的極力推薦，加上不少同僚熱烈支持，使她一出馬便來勢洶洶。

然而，奈菲莉競選的意願實在不高。她很擔心喀達希會使盡卑劣的手段對付她，其實她只想好好地替人看病，對那些至高的榮譽與責任根本毫無興趣。帕札爾安慰不了她；而哈圖莎王妃因被判軟禁冷宮而發瘋的消息，也使她自己深受打擊。王妃的證詞本可使戴尼斯與謝奇伏法，卻偏偏讓他們再度逃過一劫。

帕札爾恐怕撞上一面牢不可破的牆了。那些陰謀分子竟似有惡靈護身而得以逍遙法外。亞舍將軍慘敗，埃及也並未受任何軍事陰謀的威脅，這兩件事實確實讓他欣慰，但他心裡就是有一個揮不去的陰影。他不明白為什麼這麼多人死於非命，又為什麼戴尼斯能有如此穩固的地位，難道他和同黨擁有某種祕密武器是帕札爾無法掌控的？

帕札爾和奈菲莉都發覺了對方的沮喪，也都希望能分擔一點，卻忘了自己也有無解的難題。在他們溫存的愛意中，新的一天又悄悄來臨了。

第二十九章

警察與警犬從危險的東沙漠回來了，到下次出發執行勤務有一天的休息時間，可以好好地包紮傷口、做個按摩，還可以到啤酒館找個溫順的女孩買個一夜情。沙漠特警們互相交換偵查得來的訊息，並將被捕的貝都因人與行蹤可疑的遊民送往監獄。

負責監管新進礦工的大個兒餵了獵犬之後，便到管理郵件的書記官那兒看看有無信件。

「有十來封呢。」

大個兒警員看了收件人的姓名。「蘇提啊……怪人一個。一點也不像礦工。」

「跟我無關，簽收吧。」書記官無所謂地催著。

大個兒親自分發信件，順便詢問了來信者的身分。但有三個人未來領取：兩個在某銅礦場工作的退役軍人，以及蘇提。經查詢後證明，艾弗萊率領的隊伍已經在前一晚抵達科普托思了，因此大個兒便前往啤酒館以及各個小旅店與臨時營區搜查。最後他才從視察總部得知，艾弗萊、蘇提與另外五人並未向負責登記的書記官報到。訝異之餘，他立刻展開了搜索行動。

七名工人失蹤了。從前也有不少人想帶著寶石脫逃，但全都遭到逮捕嚴懲的命運。艾弗萊如此經驗老到的人，怎麼會有這麼不理智的舉動？特警隊立刻全員出動；與生俱來的獵人特性讓他們忘了休息娛樂，因為捕捉狡猾的獵物就是他們最大的樂趣。

搜索隊伍由那名大個兒警員帶頭。因情勢所逼，他徵得郵件書記官的同意，看了給蘇提的信。信中的象形文字雖然字字清晰可辨，整體讀來卻毫無意義。是密語！他果然沒有猜錯，蘇提的確不是普通的礦工。但他替誰做事呢？

脫隊的七人往東南走，路況十分險惡。他們都擁有壯碩的體格，吃得不多但都能保持一定的速度，每到一處泉眼才會多作休息，而這些泉眼的位置也只有艾弗萊知道。領隊的他要其他人絕對服從，什麼問題也不能問。總之，有一大筆財富等著他們呢。

「那邊有警察！」一人指著一個靜止不動的怪異形體喊道。

「繼續走，笨蛋！那只是一棵絨毛樹。」艾弗萊罵道。

這棵大樹高三公尺，樹皮微藍，呈龜裂狀；橢圓形的樹葉紅紅綠綠的，顏色很像冬天大衣的布料。他們七人折了幾根樹枝點火，把早上獵殺的羚羊烤了。艾弗萊也測試了一下，確定絨毛樹分泌的乳汁不會引起心臟麻痺。然後他摘了一些樹葉搓成粉狀分給同伴。

「這是很好的瀉藥，對抗性病非常有效。你們有了錢，身邊一定會美女成群的。」

「在埃及可不成。」一名礦工抱怨道。

「亞洲女孩都熱情奔放，很快你們就會忘記家鄉的女人了。」

填飽了肚子，解了渴，七人小隊便重新上路了。

* * *

有一名工人被毒蛇咬傷腳踝，痛苦地抽搐一陣之後便死了。

「笨蛋，沙漠怎容得你不小心。」艾弗萊嘀咕著。

死者最好的朋友跳出來罵道：「你會把我們一個個都害死！誰逃得過毒蛇的毒液？」

「我，還有那些跟隨我的人。」

「我要知道我們去哪裡。」

「像你這麼多話的人，一定會出賣我們。」

「回答我。」

「你要我打爛你的頭嗎？」

那名礦工看看四周，一望無際的沙地到處是陷阱。他只好屈服，重拾起裝備。

「我們這麼周詳的計劃如果失敗，絕不是偶然。」艾弗萊警告道：「這表示我們之中有告密者，向警察洩漏我們的行蹤。這次我已經有了防備。不過還是可能有警方的狗腿混進來。」

「你懷疑誰？」

「你，和其他每一個人。誰都可能被收買。如果真的有密探，遲早會暴露身分的。到時候就有得瞧了！」

* * *

沙漠警察從艾弗萊與隊友最後出現的地點開始分區搜尋，並依他們最快的速度計算可能的行程。南北的警隊都已分別得到通知，這群尋找稀有礦物的危險分子最後終究是要落網的，就跟其他人一樣。

大個兒警員唯一擔心的是蘇提。他和艾弗萊同謀，而艾弗萊對路徑、泉眼與礦區位置的熟悉程度絕不下於警方，特警部隊的戰略很可能發揮不了功效。於是他改變了原有的計劃，依本能行事。假使他是艾弗萊，他也許會前往廢棄的礦區。沒有水源，酷熱逼人，毒蛇成群，又沒有一點寶藏……有誰會冒險進入這個地獄呢？不過，這到底是絕佳的藏匿地點，更何況礦藏或許尚未完全採盡。於是大個兒警員依照規矩，另外帶了兩名警察和四隻狗出發。他封鎖了所有的必經路線，將逃脫者困在一個長著幾棵絨毛樹的丘陵地區內。

* * *

凱姆現在真是進退兩難。他很想全力追捕至今行蹤成謎的亞舍將軍，可是為了保護帕札爾法官，他又不得不留在孟斐斯，因為他的手下警覺性都不夠高。

狒狒一直顯得煩躁，凱姆可以感覺到潛藏的危機。接連兩次失敗之後，刺客一定會更為留神。既然已經暴露了動機，他想製造意外事故也就格外困難，但是誰知道他會不會改採暴力而決絕的手段呢？

保護帕札爾成了凱姆最重要的任務。在他眼裡，帕札爾象徵了一種無可取代的生命價值，他拚了命也要保其周全。那麼多年吃盡苦頭的日子裡，凱姆從未碰見過這樣一個人，但他絕不會向帕札爾承認自己對他的仰慕，唯恐他會在不知不覺中，生出一種隨時伺機腐蝕人心的虛榮感。

狒狒醒了。凱姆餵牠吃了點肉乾和啤酒，然後就靠在陽台的矮牆上。該輪到他睡覺，由狒狒繼續監視門殿長老的住處了。

* * *

暗影吞噬者為自己運氣不佳而詛咒不已。他實在不該接下這個任務的，因為不留痕跡的殺人才是他的專長。他曾想放棄，卻又怕交易的對方會舉發他，他跟他們比起來可著實人微言輕呀。除此之外，他這也是一種自我挑戰；直到目前為止，他的殺手生涯從未失敗過，犧牲者名單中若能加上一名法官，那該是多麼令人振奮的事！

可惜法官身邊的防衛實在太嚴密了。凱姆和狒狒就是他最大的障礙，彷彿任何動靜都逃不過他們的視線。自從豹的襲擊失敗後，警察總長便寸步不離地跟著法官，而且還增派了好幾名警察幹員。

當然了，暗影吞噬者有著無窮的耐心。他懂得伺機而動，只要一點點的怠忽，機會就是他的。這天當他走在市場，有幾名小販向他推銷努比亞的進口品時，忽然心生一計。這個計策一定可以成功。

＊　　＊　　＊

「很晚了，親愛的。」

只見帕札爾盤坐在地，面前散置著十幾份文件，一旁有兩盞高腳燈照著。

「看到這些文件我就不想睡了。」

「什麼文件？」

「戴尼斯的帳目。」

「你怎麼拿到的？」

「國庫提供的。」

「不是你偷來的嗎？」奈菲莉開玩笑地問。

「我向美鋒正式提出申請。然後他馬上就給了我這些。」

「你有什麼發現？」

「有一些違法的情事。戴尼斯有幾筆稅款忘了繳納，而且似乎有逃稅的跡象。」

「那也只不過罰款而已，不是嗎？」

「根據我的發現，美鋒就可以動搖戴尼斯的財源根基了。」

「你還在打這個主意。」

「我不懂戴尼斯怎麼會這麼自信。無論用什麼方法，我都要戳破他的護甲。」

「有蘇提的消息嗎？」

「沒有，他應該透過沙漠警察來信了才對。」

「可能是被截了下來。」

「一定是的。」

見帕札爾露出遲疑的神情，奈菲莉驚訝地問：「你在擔心什麼？」

「沒什麼。」

「說實話，帕札爾法官！」

「上一次開庭時，戴尼斯說蘇提可能背叛我。」

「你就這麼上了他的當？」

「但願蘇提能原諒我。」

* * *

「兩個走右邊通道，另外兩個走左邊，蘇提和我走中間。」艾弗萊下著命令。

礦工們都十分不滿，「坑道的情況太差，橫梁也都快爛了，要是崩塌下來，我們肯定沒命。」

「我帶你們來，就是因為警察以為這裡已經廢棄了。在科普托思都說這裡是沒有水源、礦產的廢區。結果呢？古井，我已經指給你們看過；坑道裡的寶藏就要靠你們自己去挖了。」

「太冒險了，我不進去。」一名礦工做了決定。

艾弗萊向膽小的工人走去威脅道：「我們都進去，你一個人留在外面……這樣不好吧。」

「那也沒辦法。」

艾弗萊於是握緊拳頭，以一股無以復加的力量朝礦工頭上砸了下去，礦工立刻倒地不起。另外一名礦工俯身查看後，大驚失色地說：「你殺了他？」

「這樣就少了一個可疑的人了。我們進去吧。」

蘇提走在艾弗萊前面，進入了坑道。

「慢慢走，小子。記得隨時摸摸頭上的梁柱。」

蘇提在一片佈滿石塊的紅色地面上匍伏前進。坡度不陡，但是頂很低，艾弗萊拿著火炬跟在後面。黑暗中忽見微弱的白光閃耀。蘇提伸手去摸，觸手處是光滑清涼的金屬。

「是銀……含金的銀礦！」

艾弗萊把工具遞給了他，「有一整條礦脈呢，小子。小心點，別挖壞了。」

白銀底下閃著金光；這種美好的金屬通常是供神廟某些殿堂用來鋪地板，或是裝飾須與地面接觸的聖物，以保持其聖潔。就像黎明時的曙光，不也是靠著白銀石傳遞到人間的嗎？

「再往下一點有沒有金子？」

「這裡沒有，這個礦坑只是第一個階段。」

* * *

四隻警犬帶領三名警察搜尋著。兩個小時前，他們便在廢棄的礦區發現有人的蹤影。警員們克制住內心的欣喜，將弓箭準備好，便不再發出任何聲音。

警犬趴伏在山丘頂上，無聲無息地看著礦工們把好幾塊體積又大、質地又好的銀礦搬出坑道。確實是一筆不小的財富。當礦工們圍在一起正打算好好慶祝一番，警員紛紛射出了箭，也放開了狗。有兩名礦工被箭射中，一人被狗咬傷不支倒地。蘇提躲進了坑道中，而艾弗萊扼死了一頭警犬之後，和最後一名未受傷的礦工也跟著躲了進去。

「往前走！」艾弗萊喊道。

「會悶死的。」

「聽我的話，小子。」

到了坑道盡頭，艾弗萊搶到前面，抓起一塊石頭便往上挖，渾然不顧掉落的塵土與碎石塊，最後終於在質地疏鬆的岩石中挖出了一條陡直狹長的通道。他兩腳抵住岩壁，將蘇提拉起來，蘇提再幫忙拉起另一名同伴。他們三人總算逃出了礦坑，重新呼吸到外面的新鮮空氣了。

「不能在此逗留，警察不會善罷甘休的。我們得繼續走兩天，這兩天都沒有水喝。」

* * *

大個兒警員安撫著警犬，另外兩人則忙著挖洞埋屍體。第一波襲擊成功；不但消滅了大部分的逃犯，還取回了大量的銀礦。還有三個人在逃。

警察商量了一下。大個兒決定獨自帶著最強壯的一隻警犬，以及水和食糧繼續搜尋。金屬礦則由他的兩名同伴護送回科普托思。那三個逃犯根本不可能存活；他們知道身後有弓箭與猛犬的威脅，應該會加緊腳步逃亡。但是三天腳程的範圍內卻是毫無水源。若往南走，則一定會碰上巡邏警隊。

繼續追捕的警察和警犬都不敢掉以輕心，他們非要切斷獵物的所有退路不可。沙漠特警將再次戰勝盜賊。

* * *

第二天清晨，蘇提三人只能藉著舔石頭上的露水解渴。死裡逃生的礦工頸子上還掛著他的皮袋，裡面有當時順手塞進去的銀礦碎塊。他雙手緊緊抓著這一點寶藏，身子卻撐不下去了。只見膝蓋一軟，跪倒在石子堆上。「別丟下我。」他哀求著。

蘇提走了回來。艾弗萊則警告他，「你要是想幫他，你們兩個都會死。跟我來吧，小子。」倘若背著礦工走，他們很快就會落後，而沒有了艾弗萊帶路，他們也一定會迷失在荒漠裡的。

胸口灼熱、嘴唇已然乾裂的蘇提，只有跟著艾弗萊走了。

* * *

警犬猛力地搖著尾巴。牠的發現博得了警員的讚賞：是一具礦工的屍體。警員將屍體踢轉過身，發現剛死不久的礦工手上還緊握著寶物袋。由於手掐得太緊，警員不得不割斷手指才拿回了那些碎銀礦。

他坐了下來，數了數碎銀，餵狗吃喝過後，自己才進食。他和警犬都已經習慣了長途跋涉的辛苦，根本不感覺到曬傷的疼痛。他們都知道休息的重要，因此一丁點力氣也不敢浪費。現在已成二對二的局勢，雙方的距離也越來越近了。警員突然轉過身去。有好幾次他都覺得背後有人；但是警覺性極高的警犬並無反應。於是他用沙清了清匕首，又潤了潤嘴唇，便再度啟程了。

*　　*　　*

「再撐一下，小子。金礦區附近就有一口井。」

「水能喝嗎？」

艾弗萊沒有回答，這麼大的勁可不能白費。

圍起的一圈石頭表示下方有水。艾弗萊立刻就動手去挖，不久蘇提也加入了。首先挖到的是沙子和碎石，接著出現了疏鬆而且有點溼溼的土，最後一層則像是黏土，手指開始溼潤，而水，地下的尼羅河水也開始湧了出來。

*　　*　　*

此時，警察和他的狗在一旁靜靜地看著。他們早在一小時前便追上了逃犯，只不過一直保持距離。他們聽著逃犯高聲歡唱，看著他們小口小口地喝水，互相道賀，然後走向那個地圖上已經不存在的金礦廢坑。

艾弗萊的技術的確高明。他從未向任何人吐露過這個可能是他向某個老礦工強行逼問出來的祕密。警察檢查了弓箭，喝了一口涼水，準備執行他最後的任務。

＊　＊　＊

「金礦就在這裡，小子。被遺忘的坑道，最後的一條礦脈。這些金礦足夠讓我們倆到亞洲幸福地過完下半輩子了。」

「還有其他像這樣的礦坑嗎？」

「有幾個。」

「為什麼不去開採？」

「說這些沒意義了。我們現在得想辦法逃走，我們和我們的老板。」

「老板是誰？」

「在礦坑裡等我們的人。我們三人把金礦搬出去，再用滑車運到海邊。有一艘船會載我們到一個沙漠地區，那裡藏了幾輛車。」

「你替你老板偷了很多金子嗎？」

「你問太多問題他會不高興的。喏，他來了。」

一個雙腳粗短、面貌狡猾的人朝著這兩個死裡逃生的人走來。儘管日曬炎炎，蘇提卻全身血液凝結。

「有警察在追我們，我們把金子搬出去，趕快離開吧。」艾弗萊說。

「你帶來的同伴可有趣了。」亞舍將軍看著蘇提驚訝地說。

這時候，蘇提使盡最後的一點力氣逃向沙漠。艾弗萊和亞舍聯手，他是絕無勝算的，何況亞舍還有劍，先逃開之後再作打算吧。

忽然一名警員帶著警犬擋住了他的去路，蘇提認出他就是負責監督礦工的那個大個兒。警察張開了弓，狗也進入備戰狀態，隨時都可能撲上來。

「別再跑了。」大個兒說。

「你真是我的救星！」

「趁你還沒死，趕快祈禱吧。」

「不要弄錯對象了，我可是有任務在身。」

「誰派你來的？」

「帕札爾法官。我必須證明亞舍將軍涉入一宗寶石的非法交易案……現在證據找到了！我們倆聯手，一定可以逮捕他。」

「你的確勇氣可嘉，可惜時運不濟。亞舍將軍是我的主子。」

第三十章

奈菲莉掀開了梳妝盒的蓋子，盒中一格一格都裝飾著紅花，香脂瓶、美容用品、眼部化妝品、浮石和香水則整齊地排列在裡面。在屋子還一片悄然，綠猴和狗兒也都還沉睡未醒的時候，她喜歡把自己裝扮起來，然後赤腳走過露溼的地面，等著聽山雀的第一聲啼鳴。黎明是屬於她的時刻，此時萬物重生，甦醒中的大自然所發出的每一聲都猶如天籟。經過一夜漫長的苦戰，太陽終於打敗暗夜，使大地得到滋養；太陽的光芒也化為喜悅，振奮了飛鳥與游魚。

奈菲莉享受著這份眾神賜與她、她也必須有所回報的幸福。這份幸福並不屬於她，而是有如一股能量自源頭釋放出之後，經由她又回到了源頭。她明白神祇所降之福不能獨享，否則就會像枯枝一樣地枯萎。她走到湖邊，跪在祭壇前獻上了一朵蓮花。在她身上便彷彿看到了新的一天即將展開，卻又在剎那間化為永恆。整個庭園陷入了沉思，樹梢的枝葉亦在晨風中低了頭。

當勇士舔她的手時，奈菲莉知道儀式該結束了。因為狗兒餓了。

* * *

「謝謝妳願意在上班前見我。」西莉克斯說：「我昨晚又痛得一夜不能睡。」

「頭往後仰。」奈菲莉為她檢查了左眼。

西莉克斯緊張地坐立不安。奈菲莉安慰她說：「這個病我能幫妳治好。你的睫毛太彎了，碰到了眼球才會痛。」

「很嚴重嗎？」

「只不過有點麻煩而已。妳要我馬上替妳治療嗎？」

「如果不會太痛的話……」

「手術以後會好一點。」

「奈巴蒙為我塑身，可讓我嚐盡了苦頭。」

「這次的手術很簡單的。」

「我相信妳。」

「妳坐著，全身放鬆。」

由於眼疾十分普遍，奈菲莉總會在醫藥箱裡準備許多相關的藥品，甚至還有罕見的蝙蝠血；當她把異常彎曲的睫毛拉出後，便塗上以蝙蝠血加乳香製成的黏稠藥膏。藥乾了以後睫毛會變硬，毫不費力便可以連根拔除了。最後還要塗上另一種含有硅孔雀石與方鉛礦成分的藥膏，才能防止睫毛再長。

「這樣就沒事了。」

西莉克斯鬆了口氣微笑道：「妳的手真巧……我一點感覺也沒有！」

「那就好。」

「需要後續治療嗎？」

「不用，妳已經解脫這種病痛了。」

「真希望妳能替我丈夫醫治，我很擔心他的皮膚病。他太忙了，根本不注意自己的健康……現在想見他都難。他每天早出晚歸，半夜裡還要批公文。」

「這種情形應該只是暫時的。」

「恐怕不是。宮裡頭，上級很欣賞他的能力；現在國庫更少不了他。」

「這該算是好消息啊。」

「外表看起來是的，可是對我們的家庭生活……」西莉克斯嘆了口氣：「我們一直很努力在維繫，但一想到未來我就怕。看情形，美鋒好像就要當上雙院院長了！掌握埃及財政大權，這是多麼重的責任啊！」

「但妳不覺得驕傲嗎？」

「美鋒將會離我越來越遠，但又能怎麼辦呢？我是那麼欽佩他。」

* * *

漁夫們把捕來的魚倒在孟莫西面前；自從他遭首相撤去警察總長職務之後，便被貶到三角洲地區一個濱海小城，擔任漁場的管理員。體型肥重、行動遲緩的孟莫西對此地的生活越來越厭煩，人也日形臃腫了。他厭惡那間簡陋的宿舍，也無法忍受天天接觸那些漁夫與魚販，因此經常動不動就大發雷霆。要怎麼樣才能離開這個鳥不生蛋的鬼地方呢？他早已和所有的朝廷官員失去聯絡了。

當他遠遠見到戴尼斯時，還以為是自己的幻覺，一時忘我地注視來人。龐大的身影、方方的臉、細細的一圈落腮鬍，確實是他沒錯，孟斐斯最富裕、最有影響力的一個人。

「滾開。」孟莫西向一名正在申請許可的漁民喊道。

戴尼斯則面帶嘲弄地看著這一幕。「你真的是退出警界了，老兄。」

「你這是幸災樂禍嗎？」

「我很希望能減輕你的負擔。」

孟莫西在職場上撒過無數的謊。無論是玩詭計、要心機或設陷阱，他都自認是第一把交椅，不過他卻不得不承認戴尼斯的本領絕不比他差。

「誰讓你來的？」

「純粹是私人拜訪。你想不想報仇？」

「報仇……」孟莫西的鼻音一下子又濃了起來。

「我們不是有個共同的敵人嗎？」

「帕札爾法官……」

「就是那個討厭的傢伙。」戴尼斯點著頭說：「當了門殿長老，他還是一樣有衝勁。」

孟莫西不由得火冒三丈，雙拳緊握。「竟然讓那個野蠻的努比亞小卒取代我的位置！」

「的確是既不公平又愚蠢的決定。就讓我們來彌補一下，如何？」

「你有什麼計劃？」

「讓帕札爾的名譽掃地。」

「他不是無懈可擊嗎？」

「表面罷了。每個人都有缺點，不然也可以捏造。你知道這是什麼嗎？」

戴尼斯張開右手，裡面有一個印戒。「這是他蓋公文用的。」

「你偷來的？」

「是他的一位行政書記官提供樣品給我複製的。我們只要在一份會引起爭議的文件上這麼一蓋，他馬上就會完蛋，你也可以官復原職了。」

一陣腥味濃厚的海風吹來，孟莫西卻不再覺得刺鼻。

＊　＊　＊

帕札爾與奈菲莉中間放了一個烏木盒子；帕札爾拉開小抽屜，拿出一些上了釉的陶土棋子，擺在共有三十格的骨製棋盤上。由奈菲莉先下；遊戲規則是要將棋子從黑暗側走到光明側，途中必須避開重重的陷阱，並通過數道門檻。

帕札爾的第三著棋就犯了錯。

「你根本不用心。」

「蘇提一點消息也沒有。」

「這真的很不尋常嗎？」

「恐怕是。」

「可是他在大沙漠裡，又怎麼跟你聯絡？」

帕札爾還是不寬心，奈菲莉便問：「你難道真的認為他會背叛你？」

「他至少應該讓我知道他是死是活。」

「你已經做了最壞的打算了，對不對？」

帕札爾無心再下棋，站了起來。

「你錯了。」妻子肯定地說：「蘇提還活著。」

* * *

消息傳來真有如晴天霹靂：美鋒繼國庫長與穀倉總管之後，再度被首相任命為雙院院長，主掌埃及經濟。從此，寶貴礦物與材料、神廟工地與手工藝工會所需的工具，以及石棺、香脂、布料、護身符與祭典用品等等的接收與清查，都將由他全權負責。此外，他還要在眾多專業人員的協助下，以收成計算農民應得的報酬並訂定稅率。

驚訝歸驚訝，倒也無人提出抗議。其實有許多官員曾經私下向首相推薦過美鋒；雖然有人覺得他晉升得稍快了點，可是他的管理能力的確有一套。儘管他不好相處、性格有些霸道，但是各部門的重整、工作效率的提昇、支出費用的有效控制，他確實功不可沒。和美鋒一比，前任的首長可就遜色多了；他個性溫吞、懶散、一成不變，甚至剛愎自用，原本支持他的人也全都心灰意冷了。而美鋒也許是無意間坐上了這個眾所覬覦的位子，而且隨後的工作更是艱難繁重，但是可以明顯看出他有強烈的企圖心，打算整頓雙院進而提高其威望與權力。他所獲得的多方好評，就連對讚美聲一向聽而不聞的首相也留下了深刻的印象。

美鋒的辦公室位於孟斐斯市區正中央，面積極為寬廣；入口處有兩名警衛負責過濾訪客。奈菲莉說明身分後，便耐心等著院長接見。走進大門，首先經過一處牲口棚，接著是家禽圈子，農民們用以繳稅的家禽就養在裡頭。另外，有一道梯子可通往幾個由稅務單位決定穀物存量的穀倉。在建築物中有一層樓坐滿了書記官，眾人頭上罩著一面巨大的華蓋。至於農民堆放蔬果的倉庫入口，則隨時有稅務長監視著。

奈菲莉被請進了另一棟建築；她穿越了由四根柱子隔成三段的前廳，廳內有一些高級職員在謄寫會議記錄。隨後，祕書帶她走進美鋒接待貴客的六柱大廳。新任雙院院長正在向三名書記官口述指令；他說得很快，內容也跳來跳去的，顯然是同時處理好幾件案子。

「奈菲莉！謝謝妳來。」

「你的健康已經是國家大事了。」

「實在不能因為健康妨礙公務。」

美鋒遣退下屬後，伸出了左腿。腿上有一片幾公分長的紅斑，四周還長了一些白色水泡。

「你的肝臟負荷太大，腎功能也不好。你要用金合歡花與蛋白製成的藥膏擦皮膚；每天還要喝幾次蘆薈汁，每次十滴，本來的藥當然還是照常服用。你要有耐心，要按部就班地照顧自己。」

「我承認我常常都疏忽了。」

「你不注意的話，病情會惡化的。」

「怎麼樣才能面面俱到呢？我真想多見見兒子，告訴他我的一切將由他繼承，讓他知道他未來的責任。」

「你常不在家，西莉克斯也有怨言。」

「我最親愛的西莉克斯啊！她明白我的努力是有代價的。帕札爾還好嗎？」

「首相剛剛召見他，應該是關於逮捕亞舍將軍的事。」

「我很欣賞妳的夫婿。我覺得他是個不平凡的人，他有一種不屈不撓的毅力，什麼也難不倒他。」

*　　　*　　　*

巴吉正在審查一項有關低收入人士免費搭船的法案，帕札爾來了以後，他頭也不抬就說：

「你應該早一點來的。」

他粗暴的語氣讓帕札爾吃了一驚。

「坐下，我先把事情做完。」雙肩已駝，背脊微隆，老是板著的一張長臉，首相身上流露出了歲月的痕跡。

帕札爾自以為和巴吉已站在同一陣線，如今平白無故遭受冷淡的對待怎能不感到錯愕？

「門殿長老必須是無懈可擊的。」首相沙啞的嗓子又轟了一句。

「我也曾經為了維護這個職位的聲名而奮鬥。」

「現在，你本身就是門殿長老了。」

「你對我有所責難嗎？」

「何止責難？你要怎麼解釋你的行為？」

「我犯了什麼錯？」

「我希望你能真誠一點。」

「我該不會又受到無端的指控吧？」

首相無法忍受他的說詞，起身斥道：「你還記得你在跟誰說話嗎？」

「無論是誰給了我不公平的待遇，我都不能接受。」

巴吉於是順手拿起一塊刻滿了象形文字的書板，放在帕札爾面前，「這份文件底下蓋的是你的章吧？」

「是的。」

「看看內容。」

「是關於一批送到孟斐斯某個倉庫的上等漁產。」

「漁產是你訂的，可是這個倉庫並不存在。結果你把這些昂貴的商品轉移到另一個目的地：市區的市場。裝魚的箱子已經在你住處旁尋獲了。」

「調查的速度好快！」

「因為有人檢舉你。」

「誰？」

「匿名信，不過細節寫得很詳細。因為警察總長不在，查證工作是他的手下進行的。」

「我想是孟莫西的舊部屬吧？」

「不錯。」巴吉顯得有些侷促。

「你沒有想到可能是栽贓嗎？」

「當然想到了。因為一切跡象都很可疑：漁民受管於孟莫西、他昔日部屬的介入，還有他一心想報復等等。可是明明蓋了你的章啊。」

帕札爾發現首相的眼神變了，彷彿希望能發現隱藏的事實。

「我有證據可以證明我的清白。」

「這樣再好不過了。」

「預先提防罷了。」帕札爾解釋道：「經過了那麼多歷練，我已經不再疏忽大意。每個持有印章的人都應該做好防範措施的。我就擔心我的章遲早會被敵人所利用，所以每份公文的第九與第二十一個字後面，我都加了一個小紅點。而且我還在章印底下畫了一個小星號，乍看之下也許不清楚，不過仔細看仍可辨識。請首相檢查這份文件，我相信絕對沒有這些記號。」

首相走到窗戶旁，陽光直接照射在書板上。「沒有記號。」他細查之後說。

* * *

巴吉做事向來追根究底。他親自查看了許多帕札爾批閱過的文件，的確每一份都有小紅點與小星號。但他並不打算為長老保密，而是建議他重新換過記號，而且不要向任何人提及。

奉首相之命，凱姆訊問了那個受理檢舉案又沒有向他報告的警察。那名警員最後屈服了，他承認受賄，孟莫西並且保證帕札爾一定會被判刑。凱姆聽完怒不可遏，立刻派出五名警員帶回前任警察總長。

「我私下見你，讓你可以不用上法庭。」帕札爾對孟莫西說。

「我是被陷害的。」

「你的同謀已經認罪了。」

孟莫西的頭皮又發紅了。雖然癢得要命，他也只有隱忍著。想當初他曾經掌握那麼多人的命運，但對這個法官卻始終無可奈何。他不得不低聲下氣地說：「我的運氣實在太不好了，又要受人惡言毀謗，我能怎麼辦呢？」

「不要再假裝無辜了，快認罪吧。」

孟莫西感覺到呼吸困難，「你想怎麼處置我？」

「你已經不配指揮別人了。你身上流的毒血破壞力太強。我要把你送到黎巴嫩的比布羅，離埃及遠遠的。你就到那裡去維修我們的船艦吧。」

「你要我做苦工？」

「你還奢求什麼呢？」

孟莫西重重的鼻音裡充滿了憤怒，「這不是我一個人策劃的。我是受戴尼斯的唆使。」

「你叫我怎麼相信你？你這個人最會說謊了。」

「別說我沒有警告你。」

「怎麼突然大發慈悲了呢？」

孟莫西冷笑道：「慈悲？怎麼可能！我恨不得親眼看你被雷電劈死、被洪水淹死、被石堆活埋！你的運氣不會永遠這麼好，你的敵人一天比一天多了！」

「不要再拖時間，還有一個小時你的船就要開了。」

第三十一章

「站起來。」艾弗萊大聲地命令。

蘇提全身赤裸，頸子上架著木枷，雙臂反綁在手肘處，使勁地站了起來。艾弗萊一邊拉扯綁在他腰間的繩子，一邊咒罵道：「奸細，卑鄙的奸細！我真是看錯你了，小子。」

「你為什麼要假扮成礦工呢？」亞舍將軍口氣溫和地問。

儘管嘴唇乾裂，身子到處是拳打腳踢的傷痕，頭髮上也沾滿了沙粒和血跡，蘇提仍不斷破口大罵，眼中閃爍著憤怒的火花。

「讓我來教訓教訓他吧。」被亞舍收買的大個兒警員說。

「別急，我倒想看看他多有骨氣。你想抓我？想證明我是金子非法交易的主謀？直覺很正確啊，蘇提。高階軍官的薪餉已經滿足不了我了。既然不可能重組政府，享受一下財富也不錯。」

「我們往北走嗎？」艾弗萊問道。

「當然不是，軍隊早就在三角洲邊界等我們了。往南走，過了愛利芬丁再轉往西邊沙漠和埃達飛會合。」

有車、有食糧和水，計劃一定會成功。「我有井水分布圖。金子都搬上車了嗎？」

艾弗萊微笑著說：「這次礦坑可真是空了！現在應該把這個奸細處置掉了吧？」

「我們來做個有趣的實驗：蘇提特別健壯，我們就讓他走一整天的路，每天只喝兩口水，看他能活多久？實驗的結果對將來訓練利比亞軍隊會很有幫助。」

「我還想問他話。」大個兒說。

「再等等。多折磨他一下，他會軟化一點。」

＊　＊　＊

可恨啊！一種惱恨深深烙印在骨子裡，銘刻在每一吋血肉、每一個步伐。這股恨意支持著蘇提，非戰到最後一秒絕不肯倒下。面對三個殘暴成性的人，他根本不可能逃跑。想不到好不容易逮到亞舍了，卻只能任大好機會從眼前溜走。他無法聯絡帕札爾，帕札爾也無從得知他的發現。他的努力白費了，他將從此消失在遠方，遠離摯友、孟斐斯、尼羅河，以及美麗的庭園和女人。不，就這麼死太不值得了。蘇提還不想入土，他還要談戀愛、和敵人作戰、馳騁於風沙中，甚至成為全國最有錢的人。可是頸子上的大枷卻越來越重了。

他繼續往前走，大腿、臀部和腹部都被緊繫的繩索磨破了皮；繩索的另一端掛在運金車後側，只要他一放慢腳步，繩子一緊便又是一陣劇痛。車子的行進速度並不快，以免不小心脫離狹窄的路徑陷入沙堆；但對蘇提而言，車輪卻似越轉越快，好像不榨盡他最後一分力氣就不甘心。但每當他想放棄了，便不知不覺又生出一股力量來。於是走了一步，又是一步。

一天的時光踩著他傷痕累累的身子過去了。

車子停了下來。蘇提則站在原地不動，好像他已經不知道怎麼坐下。忽然他膝蓋一彎，砰的一聲，一屁股坐到自己的腳後跟上。

「你口渴嗎，小子？」艾弗萊惡作劇地拿著水袋在他眼前晃：「你實在比野獸還壯，可是你撐不過三天的。我跟大個兒打賭了，我可不想輸。」

艾弗萊給他喝了水，清涼的液體濕潤了他的唇，隨之流遍了全身。大個兒卻突然一腳把他踹進沙地裡頭去。「我的夥伴們要休息了，輪我守夜，我有話問你。」

艾弗萊上前阻止道：「我們打了賭，你可不能故意把他累死。」

蘇提依舊朝天躺著，雙眼緊閉。艾弗萊走開以後，大個兒又轉過身對蘇提說：「明天你就要死了，在死以前，你最好實話實說。別死撐著，比你更難纏的傢伙我都對付過。」

他走過來又走過去，蘇提卻幾乎聽不見他的腳步聲。

「你也許把任務說得很清楚了，不過我想弄明白，你是怎麼和帕札爾法官聯繫的？」

蘇提虛弱地笑笑，「他會來找我的，你們三個誰也逃不了。」

大個兒在蘇提的頭旁邊坐下來，「你先前沒有聯絡上法官，現在只有一個人，誰救得了你？」

「這將是你最後一次犯錯。」

「我看你是被太陽曬瘋了。」

「背叛已經使你脫離了現實。」

大個兒打了蘇提一巴掌，「別再惹我，否則就讓我的狗跟你玩玩。」

天黑了。警員仍威脅道：「別妄想睡覺，只要你不說，我就用刀子刺你的喉嚨。」

「我全都說了。」

「我不相信，不然你怎麼可能冒冒失失地就中圈套？」

「因為我是個白癡。」

警員於是把刀子貼在蘇提頭上說：「睡吧，小子；明天就是你的死期了。」

雖然疲憊已極，蘇提卻無法入睡。從眼角餘光中，他瞥見了大個兒用食指摸摸刀尖，又劃劃刀刃，玩厭了才擱到一旁。蘇提知道自己一旦屈服，天不亮，大個兒就會用這把刀割斷他的喉嚨，也好少個負擔。至於亞舍將軍那兒，他總有辦法自圓其說的。

蘇提咬緊牙關撐著。絕不能莫名其妙就死了。只要大個兒一有行動，他一定馬上啐他一口。

月亮像個神勇的戰士朝天心刺出了彎刀。蘇提暗暗祈求這把刀能向他揮來，讓他死得乾脆不再受苦。假使今後他不再褻瀆神明，那麼是否能成全他這點小小的心願呢？

他之所以能活到現在，完全是因為沙漠。他感應到一股荒蕪、淒涼與孤獨的力量，以致與沙漠有了同步的呼吸。汪洋的沙海成了他的盟友，不但沒有剝奪他的精力，反而給了他力量。在他看來，這方遭受風吹日曬的裹屍布，可比王公貴族的陵墓迷人多了。

大個兒依然靜坐等著蘇提的極限到來。只待他閉上眼睛，他就要潛入他的睡夢中，像凶殘的死神一般奪走他的靈魂。然而，蘇提卻吸取了大地與月光的精華，堅毅依然。

忽然間，大個兒大吼了一聲。他像隻受傷的小鳥揮動著臂膀，想站起來，又跌坐了下去。

死亡女神從暗夜裡跳了出來。一度清醒過來的蘇提，告訴自己那是個幻覺。一定是他剛剛跨過死亡界線，而受到怪物侵襲了。

「幫我把屍體翻過去。」女神說話了。

蘇提撐起半邊身子，「豹子！妳怎麼……」

「待會再說。快點，我要把插進他頸背的刀子拔出來。」

豹子費力地扶起了情夫。接著她用手、他用腳一塊兒把屍體翻轉過來。豹子取回刀子後，割斷了蘇提身上的繩子，拿下木枷，然後緊緊地抱住他。

「抱著你的感覺真好……是帕札爾救了你。他告訴我你到科普托思來挖礦，我到的時候你已經失蹤了，因為警察誇口一定能找到你，所以我就跟蹤他們。不一會兒，便只剩下這個剛剛被我殺死的叛徒。這個沙漠地獄倒也還難不倒我們利比亞人。來喝點水吧。」

豹子把蘇提拖到一座小丘後面，她就是在這裡暗中觀察他們的。她也不知道哪來的力氣，竟然隨身帶了兩只隨時裝滿了水的水袋、一袋肉乾、一把弓和幾枝箭。

「亞舍和艾弗萊呢？」

「在車上睡覺，還有一隻猛犬陪著，攻擊他們是不可能的。」

說著蘇提便昏了過去，豹子忍不住不停地吻他，隨後又警覺到，「不，現在不行。」於是她讓他平躺下來，然後躺在他身邊溫柔地撫摸他。儘管蘇提仍非常衰弱，但她可以感覺到他的活力已漸漸復甦。

「我愛你，蘇提，我一定要救活你。」

* * *

一聲驚叫吵醒了奈菲莉，帕札爾只動了一下未醒。她便罩上外衣，出去一探究竟。送牛奶來的女傭滿臉是淚地站在院子裡，手上的奶罐已經掉在地上，牛奶潑灑了一地。「那邊。」她指著石門檻顫抖著說。

奈菲莉蹲下一看，有一些紅色瓶子的碎片，碎片上還用黑墨寫著帕札爾的名字，並畫了幾道符。

「鬼眼！」女僕尖叫道：「我們要趕快離開這間房子。」

「瑪特的神力不是比黑暗的勢力更大嗎？」奈菲莉摟著女僕的肩膀安慰道。

「法官的性命會像這些瓶子一樣。」

「你放心，我會保護他的。妳看著這些碎片，我到工作室去一趟。」

不久，奈菲莉拿著修補瓶罐的膠水回來。她先將字和符號拭去，然後才和女僕兩人慢慢地將碎片重組、拼合。「妳把這幾個容器交給漂白工人。用漂白水漂白過後，自然就乾淨了。」

女僕親親奈菲莉的手說：「帕札爾法官運氣真好，有瑪特女神保護他。」

「妳還會替我們送牛奶來吧？」

「我馬上送最新鮮的奶過來。」她一說完便快步跑開了。

*　*　*

農夫在鬆軟的土裡插了一根比他高出兩倍的木樁，然後在木樁頂端架上富彈性的長杆。長杆較粗的一端綁了平衡用的黏土塊，較細的一端則繫著一個陶土罐。他每天都要將同樣的動作，緩緩地重複數百次：拉動繩子讓陶土罐垂入河中，然後放鬆拉力，藉著土塊平衡的力量使水罐升到長杆的高度，再將水倒進園子裡。一個小時內，便能舀起三千四百公升的水來灌溉了。也多虧這套系統，才能把水送上不會遭受水患的高地。

這天才剛要開始做事，農夫就聽到一陣不尋常的轟隆聲。他兩手緊拉著繩子，豎耳傾聽。聲音越來越大。他心下忐忑，便丟下灌溉機，順著斜坡爬到山丘頂上。他簡直不敢相信，眼前見到的竟是滾滾而來的洪流。上流處的堤防崩塌了，人獸也盡皆淹滅在這聲勢浩大的土石流中。

*　*　*

帕札爾是第一個到達現場的官員。十人遇害、半數牛群死亡、十五部灌溉機損毀……災情十分慘重。已經有工人在工兵的協助下開始重建堤壩，不過水畢竟已經流失。門殿長老集中了附近的村民，代表國家提供補償與救濟。但他們想知道的是為什麼會發生如此慘劇；因此帕札爾仔細地盤問了當地負責維護運河、水壩與堤防的兩名公職人員。但其中並無失職之處，他們依規定視察，也都沒有發現異樣。最後，帕札爾在庭上宣判技術人員無罪。

因此大家便將一切歸罪於「鬼眼」。堤防首先受到了詛咒，接著就是村落，然後遍及全省、全國。

法老再也無法扮演保護者的角色了。今年若再不舉行再生儀式，埃及會有什麼下場呢？不過人民仍抱有希望。他們的聲音與要求一定會透過鄉鎮村長、省長與王公貴族傳到拉美西斯耳中。大家都知道國王經常出外旅遊，對民心所向從來都是瞭若指掌。也許偶爾會遇上困難，一時迷失而無所適從，但最後他總會做出正確的抉擇。

* * *

暗影吞噬者終於想出了解決之道。為了接近帕札爾，並製造意外，他必須先除掉他的保護者。其實凱姆並不可怕，難應付的是那隻利牙比豹子還長、任何猛獸都打不倒的狒狒。因此他以高價購得了與狒狒旗鼓相當的對手。

凱姆的狒狒定然無法抵擋另一隻更強壯、更魁梧的狒狒。暗影吞噬者把買來的狒狒綁起來，戴上嘴套，而且兩天沒餵牠東西吃，以等待適當時機。一天中午，凱姆拿出午餐之後，狒狒警察一把奪過牛肉，便在陽台上大口嚼了起來；從陽台往下看去便是帕札爾的住處，他也正和妻子在用餐。

此時，暗影吞噬者放開了他的狒狒，並小心地解下嘴套。狒狒一聞到肉香，立刻無聲無息地爬上白牆，聳然矗立在牠的同類面前。

這隻狒狒雙耳通紅、兩眼充血、臀部發紫，齜牙咧嘴做勢就要咬人。但狒狒警察也不甘示弱，放下午餐便與牠對峙了起來。裝腔作勢地嚇唬其實沒有用，因為兩隻狒狒的眼中都有熾烈的戰鬥慾望。對峙著，一點聲音也沒有。

當凱姆本能地轉過身時，已經來不及了。狒狒同時發出了怒吼，並朝對方猛撲過去。他已經無法將牠們分開，也無法打跑敵人；兩隻狒狒扭成了一團，滾來滾去，還不時殘暴地撕咬對方，發出尖銳的叫聲。

不一會兒，那一團笨重的形體不再動了，凱姆不敢靠近，他看見一隻手臂緩緩伸出，將戰敗狒狒的屍體推開，不由喜出望外。「殺手！」

他連忙衝向狒狒警察想扶牠站起來，但渾身是血的狒狒卻頹然倒地。牠雖然殺死了襲擊牠的同類，自己卻也傷勢嚴重。

目睹一切的暗影吞噬者也只有悻悻然離去。

* * *

狒狒定定地看著奈菲莉為牠消毒傷口、塗上尼羅河泥。

「會不會很痛？」凱姆緊張地問。

「沒幾個人能像牠這麼勇敢。」

「妳會救牠吧？」

「當然了。牠的內心很堅強，但牠仍須接受包紮，而且要有幾天不能動。」

「牠會聽我的。」

「這個禮拜內，不要讓牠吃太多。病情一有變化，馬上通知我。」

殺手將手掌放在奈菲莉的手心裡。眼中則有說不出的感激。

* * *

醫師委員會已經是第十次開會了。

喀達希的優勢在於年紀、名聲、經驗以及法老最需要的牙醫資格；而奈菲莉則以超群的醫術、在醫院日益精進的表現、同仁對她的讚賞與皇太后的支持取勝。

「各位同仁，」年序最長的委員說道：「情況真是越來越不堪了。」

「那麼就選喀達希啊。」奈巴蒙昔日的助手說：「選了他，我們才沒有風險。」

「你對奈菲莉又有什麼意見？」

「她太年輕了。」

「要不是她把醫院管理得這麼好，我也會同意你的說法。」一名外科醫生說。

「御醫長必須是個沉穩而具代表性的人，不管這個年輕女子再怎麼有才能，也不足以勝任。」

「錯了！她的熱忱活力在喀達希身上已經找不到了。」

「如此批評一名德高望重的醫生，太侮辱人了吧。」

「德高望重……不見得吧！他不是涉入一些非法交易案，而被帕札爾法官起訴嗎？」

「應該說是奈菲莉的丈夫。」

大家你一言我一語的，越吵越大聲。

「各位同仁，請保持風度！」長老委員勸道。

「到此為止了，就宣佈喀達希當選吧。」

「不行！非選奈菲莉不可。」

儘管會前做了保證，最後散會時卻還是沒有結果。於是大家又一致決定：下次開會一定要選出新任的御醫長。

＊　＊　＊

美鋒帶著兒子參觀他的辦公區。小男孩一會兒玩紙張，一會兒跳上摺疊椅，一會兒又折斷書記官的筆。

「夠了。」父親嚴厲地說：「你將來也會成為高層官員，對官員的用品要尊重。」

「我要像你一樣命令別人，我不要工作。」

「不努力的話，你連農地書記官都當不上。」

「我寧願當有錢的地主。」

帕札爾的到來打斷了父子的對話。美鋒便吩咐僕人帶兒子到馬場去學騎馬。

「你好像有心事，帕札爾。」

「蘇提一點消息也沒有。」

「亞舍呢？」

「毫無線索。邊界哨站什麼也沒發現。」

「真是傷腦筋。」

「你覺得戴尼斯的帳目如何？」

「的確有違法的地方，他做了些假帳，還盜用公款。」

「足以將他起訴了嗎？」

「命中目標了，帕札爾。」

* * *

夜好溫和。勇士在蓮花池畔狂奔了一陣子，便累得在主人腳邊睡著了。在醫院勞累了一天的奈菲莉也已入睡。只有帕札爾還就著兩盞燈，正在擬寫起訴書。

亞舍的脫逃證明了前一次開庭時對他的指控無誤。戴尼斯逃稅、侵吞貨品、賄賂人心。謝奇是多項地下交易的首腦。同謀的喀達希則不可能對這些陰謀毫無所悉。許多具體的事實與明確的書面與口頭證據，明天將一併呈給陪審團。

開庭後，這四人將逃不過法律嚴厲的制裁。帕札爾或許成功地阻止了他們的陰謀，但是他還得找到蘇提。還得繼續挖掘真相，恩師布拉尼被殺的真相。

第三十二章

鴕鳥紋風不動，似乎意識到了危險。牠飛不動，只能不安地拍拍翅膀，以一種奇特的舞步迎接了旭日之後，便朝一座沙丘飛也似地逃開了。枉費蘇提費盡力氣拉開了弓。他渾身肌肉疼痛，簡直像要抽筋一樣，豹子便用腰間那只小瓶子裝的藥膏幫他按摩推拿。

「你背著我玩了多少女人？」

蘇提忿忿地嘆了口氣，沒有答腔。

「你要是不說，我就丟下你不管。別忘了我這裡有水和肉乾。」

「妳費了那麼大的勁，就只為了問這個？」

「為了找出真相，任何困難都可以克服。這是我從帕札爾法官那兒學到的。」

一聽到帕札爾的名字，蘇提立刻覺得舒服許多。不過，艾弗萊和亞舍很快就會發現警察的屍體，並開始尋找他的下落。「我們還是趕快離開吧。」

「你先回答我。」她用匕首抵著蘇提的小腹威脅道：「你要是有其他女人，我就閹了你！」

「妳又不是不知道我娶了塔佩妮。」

「我會親手殺死她。還有嗎？」

「當然沒有了。」

「在科普托思這種聲色犬馬的地方……」

「我是來當礦工的。出發以後，就只有沙漠了。」

「在科普托思絕對沒有聖人。」

「我就是。」

「我遇到你的時候真該殺了你的。」

「噓，妳看！」

艾弗萊發現屍體了。他解開警犬的套繩，只見狗兒在空氣中嗅了嗅，卻不願意離開主人。艾弗萊和亞舍商量後，立刻重新上路，畢竟帶著金子逃離埃及，要比追捕一個奄奄一息的人重要多了。警察死了，財富剛好由兩人平分。

「他們走了。」豹子小聲地說。

「跟著他們。」

「你瘋了？」

「亞舍逃不出我的手掌心的。」

「你忘了你現在什麼狀況？」

「多虧有妳，我好多了。走點路應該會好得更快。」

「我竟然愛上一個瘋子。」

* * *

帕札爾坐在屋頂陽台上，靜靜注視著東方。他睡不著便走到屋外欣賞滿天的星斗。雲高天清，吉薩金字塔的形狀隱約可見，籠罩在金字塔上方的深藍天幕，很快便將射出第一道曙光。以巨石、愛與真理所建立，並盛享千年太平的古國埃及，慢慢地在這天將亮未亮的混沌中展現了。此時的帕札爾已不是門殿長老，甚至不是法官；他只想忘記自我，全心投入無邊無際的蒼茫，在有形與無形終於結合的那一剎那，與祖先的神靈相通，傾聽他們從土地裡所發出的每一聲低吟。

奈菲莉赤著腳，靜悄悄地走到他身旁。

「天還沒亮呢……妳應該多睡會兒。」他柔聲地說。

「這是我最喜愛的時刻。金黃的光線馬上就要躍上山巔，尼羅河也要醒了。你有什麼煩惱呢？」

他這個堅信真理的法官該怎麼向妻子坦承，其實他心裡也有疑惑？大家都以為他堅定無比，情緒不受任何事物左右，誰又知道其實每件事都對他有莫大的影響，有時甚至是傷害？他不容許邪惡存在，不願向罪孽低頭。時間永遠無法抹滅布拉尼的冤死。

「我想放棄了，奈菲莉。」

「你太累了。」

「我承認凱姆說的對。就算司法存在，也是不可行的。」

「你害怕失敗嗎？」

「我蒐集的證據齊全，指控既明確又有根據……可是戴尼斯，或者是他的同黨，仍可能鑽法律漏洞，使這一切心血付諸流水。既是如此，又何必繼續呢？」

「這只是你一時倦怠。」

「埃及有著崇高的理想，但仍遏止不了亞舍這種人的存在。」

「但你也即時阻止了他，不是嗎？」

「在他之後，還會有第二個，第三個亞舍……」

「治好一個病人，還會有第二個，第三個……難道我就不再替他們醫治了嗎？」

他溫柔地執起她的手，「我不是個稱職的法官。」

「這麼說對瑪特是一種侮辱。」

「可是一個真正的法官又怎麼能懷疑司法呢？」

「你懷疑的只是你自己。」

此時朝陽覆身，刺刺的，但也溫暖。

「這是以我們的未來做賭注啊，奈菲莉。」

「我們不是為自己奮鬥，而是為了使那道促成我們結合的光芒更加明亮。如果偏離了該走的路，那是有罪的。」

「妳實在比我堅強。」

她微笑著打趣道：「明天就該換你替我打氣了。」

二人再度相擁迎接另一個日出。

* * *

前往首相辦公室之前，帕札爾打了十幾次的噴嚏，頸背更是一陣陣劇痛。奈菲莉也不驚慌；她餵他喝了柳樹葉與樹皮煎熬出來的藥（※註1），這種藥用來治療高燒與各種疼痛，十分有效。

藥果然很快就見效。帕札爾感覺呼吸順暢得多，在首相面前也顯得精神奕奕，但巴吉的背卻似乎越來越駝了。「這些是亞舍將軍、運輸商戴尼斯、化學家謝奇和牙醫喀達希的完整檔案。我以門殿長老的身分請求首相開庭，以叛國、威脅國家安全、蓄意殺人、瀆職與貪污等罪名予以起訴。雖然有些疑點尚未查明，但罪名已然確立，我覺得不必要再等下去了。」

「這可是事關重大。」

「我知道。」

「被告全都是有身分有地位的人。」巴吉不無顧忌。

「所以他們的行為更應該受到譴責。」

「你說的對，帕札爾。雖然亞舍仍下落不明，我還是決定在歐佩（※註2）女神節過後就開庭。」

「蘇提一直沒有消息。」

「我跟你一樣擔心。因此我派出了一支步兵隊伍，由特警協助，仔細地搜索科普托思附近的沙漠地帶。還有，你找出殺布拉尼的兇手了嗎？」

「沒有。一點線索也找不到。」

「我要知道是誰幹的。」

「我一定會繼續調查的。」

「奈菲莉競選御醫長使得情形有點複雜。一定會有人指控你為了替妻子鋪路，才惡意中傷喀達希。」

「這點我也想過。」

「她以為喀達希若是同謀，就應該受制裁。」

「奈菲莉有什麼想法？」

「你可沒有失敗的本錢。無論戴尼斯或謝奇都不是易與的人物。我擔心亞舍會施展手段，又來一次情勢大逆轉，況且罪犯總是善於狡辯的。」

「我很有信心，因為在你面前，謊言絕對站不住腳。」帕札爾說。

巴吉將手放在頸間的銅心上。藉著這個手勢，他將首相的職責擺到了第一位。

* * *

陰謀分子又在廢棄的農莊召開緊急會議了。平時總是一副勝券在握、自信十足的戴尼斯，今天卻顯得心事重重。「我們一定要馬上行動。帕札爾已經把檔案交給巴吉了。」

「只是謠傳或是他真握有重要證物？」

「首相已排定開庭時間，就在歐佩節過後。亞舍牽扯進來是不錯，但我可不想讓我的名譽受牽連。」

「暗影吞噬者不是早該讓帕札爾癱瘓了嗎？」

「他的運氣不好，不過他不會放棄的。」

「沒有用的承諾。你馬上就要被起訴了呀！」

「別忘了我們才是操控全盤的人。我們只要運用一點權謀就可以了。」

「不會暴露身分嗎？」

「不會，簡單的一封信就夠了。」

戴尼斯的計劃獲得了大夥兒的同意。他又補充道：「為了不再發生同樣的困擾，我建議走下一步棋——換掉首相。這樣一來，帕札爾就玩不出什麼花樣來了。」

「不會稍嫌早了點嗎？」

「你等著瞧吧，現在是最有利的時刻。」

* * *

亞舍和艾弗萊還來不及反應，警犬便跳出車外，衝向一個堆滿了碎石子的小丘。

「主人死了以後，牠就像瘋了一樣。」艾弗萊說。

「現在也不需要牠了。」將軍說：「我確信我們已經逃出巡邏的範圍，不會再有阻礙了。」

警犬口角吐著白沫，在岩石之間穿梭飛躍，全然不理會碎石的鋒利。蘇提要豹子趴在沙地上，他則彎弓蓄勢待發。狗兒進入箭程之後忽然靜止不動。

人犬都處於緊繃的狀態。蘇提知道這一箭不能虛發，因此耐心等著猛犬先發動攻勢。其實，殺狗他還真不樂意。突然間，狗兒發出了一聲哀嚎，然後學著司芬克斯的姿勢坐了下來。蘇提則放下弓箭，走到狗的身邊愛憐地撫摸著，狗也沒有反抗，只是流露出倦怠與焦慮的眼神。剛剛脫離一個無情的主人的牠，能夠找到新主人嗎？

「來吧。」蘇提溫柔地說。

牠興奮地搖著尾巴，蘇提又結交了一個新盟友。

* * *

喝醉酒的喀達希搖搖晃晃地走進了酒館。那場逃不掉的庭訊著實讓他驚慌。儘管戴尼斯一再保證，計劃也完美無瑕，可是喀達希還是擔心。他覺得自己可能無法抵抗帕札爾，也怕被起訴之後，再也當不成御醫長了。因此他需要自我麻醉；喝了酒還不夠，他還要投到妓女的懷抱裡好好地鬆懈一番。

孟斐斯最大的一家酒館已經重新由莎芭布掌理，而且盛名遠播。這裡的女子總會先吟詩、跳舞、奏樂之後，再為高貴富有的客人提供性愛服務。

喀達希撞開了門，推開一名正在吹笛子的女孩，便衝向手裡端著糕點盤的努比亞女侍，並將她推倒在彩色軟墊上，企圖強暴她。女孩的尖叫聲驚動了莎芭布。她連忙趕來，一手便拉開了牙醫。

「我要她。」喀達希指指地上的女孩，小女孩嚇得躲到莎芭布懷裡。

「她只是個女侍。」

「我就是要她！」

「你馬上離開。」

「妳要多少錢我都付。」

「錢你留著，馬上滾出去。」

「我一定要得到她，我發誓一定要得到她。」喀達希走出酒館，但並未遠離，他躲在暗中監視著酒館的員工。天亮後不久，那個努比亞女孩才和其他幾個女侍一起下工回家。

喀達希尾隨著他的獵物。到了一條偏僻的小巷，他立刻攔腰抓住她，並用手捂住她的嘴。女孩拚命抵抗，但終究擋不住喀達希的蠻力。他扯下了女孩的衣服，撲身而上強暴了她。

* * *

「各位同仁，」長老委員說道：「御醫長的任命不能再拖延了。既然沒有其他候選人，奈菲莉和喀達希之間就一定要選出一人。只要不作出決定，我們就必須繼續商議。」

這席話獲得委員一致的贊同。於是醫生們都踴躍發言，有些人冷靜論述，有些人則慷慨陳詞。支持喀達希的人對奈菲莉的抨擊言詞都相當尖銳。她難道不是利用丈夫陷喀達希入罪，使他一敗塗地？以如此下流的手段毀損名醫的聲譽，這樣的人實在不夠格當御醫長。

一名已經退休的外科醫生還說，拉美西斯大帝的牙病越來越嚴重，他身邊很需要一位經驗豐富的牙醫。法老是國家富強的根基，難道不該以他為優先考量嗎？沒有人提出異議。

經過四個小時的針鋒相對後，開始進行投票。

「下一任御醫長由喀達希擔任。」長老委員終於宣佈。

* * *

兩隻胡蜂繞著蘇提飛了幾圈，又轉而攻擊正在嚼著肉乾的狗。蘇提仔細地留意著，終於找出牠們藏在地底下的洞穴。

「機會來了，把衣服脫掉。」蘇提說。

豹子盼這句話已經盼了好久，脫去衣服便往蘇提身上靠。

「先不忙著做愛。」

「那為什麼……」

「我要去挖出一部分的蜂窩，所以得把全身包得密不通風。」
「你要是被咬，可準死無疑。這些胡蜂很可怕的。」
「放心，我打算活到很老。」
「這樣才可以跟其他女人上床？」
「幫我戴上帽子吧。」
確定位置之後，蘇提動手挖了起來。豹子則指揮著他的一舉一動。他身上有布覆蓋，胡蜂是怎麼也螫不穿的。最後他把一大群嗡嗡作響的胡蜂放進了羊皮袋裡。
「你打算怎麼做？」
「軍事機密。」
「別再開玩笑了。」
「妳要相信我。」
她把手輕輕地放在他的胸膛上。只聽他堅定地說：「絕不能讓亞舍逃掉。」
「你放心，沙漠我很熟悉。」
「如果跟丟了……」
話還沒說完，豹子便跪下開始撫摸他的大腿，好慢好慢，撩撥得蘇提終於忍不住了。兩人就在兇猛的胡蜂與打著瞌睡的巨犬之間，翻天覆地享受起狂野的激情。

*　*　*

奈菲莉深感震驚。自從進了醫院，這個努比亞女孩就哭個不停。身心受創的她就像是溺水的人一樣，緊緊抓著醫生的手。強暴她並奪走她童貞的禽獸逃跑了，有幾個人清楚地看到他的形貌，不過只有受害者本身的供詞才能將他移送法辦。

奈菲莉在受傷的陰道上了藥，又讓女孩吃了些鎮靜劑。她心情稍微平復後，才答應喝點東西。

「妳想說話嗎？」

美麗的黑人女孩以迷失的眼神看著醫生，「我會痊癒嗎？」

「我保證一定會。」

「我腦子裡有幾隻禿鷹，牠們吃了我的肚子……我不要有那個禽獸的小孩！」

「不會的。」

「如果懷孕了怎麼辦？」

「我會親自為妳墮胎。」

女孩又哭了起來，幾聲嗚咽之間才道出。「他很老，身上有酒味。他在酒館攻擊我的時候，我注意到他的手很紅，臉頰高聳，高高的鼻子上有一些青筋。惡魔，一個白髮惡魔！」

「妳知道他叫什麼名字嗎？」

「我老板認識他。」

* * *

這是奈菲莉首次涉足歡場，裡面的裝潢與氣味的確能讓人留連縱慾，莎芭布果然極盡巧思把酒館佈置得氣氛十足，妓女們很輕易便能誘惑住情場失意的客人了。

老板一聽說曾在底比斯為她治病的醫生來訪，立刻出來迎接。「很高興能接待妳。不過妳不怕有損妳的聲譽？」

「無所謂。」

「妳治好我的病了，奈菲莉。我一直遵照妳的吩咐，風濕幾乎全好了。妳好像很緊張，心事重重的……這個地方讓妳不舒服嗎？」

「妳酒館的女侍遭人強暴了。」

「我以為埃及已經沒有強暴的罪行了。」

「是一個努比亞女孩，現在在醫院裡。身體很快就會恢復，但這將會是她一輩子的陰影。她大概描述了嫌犯的模樣，還說妳認得他。」

「我要是說出來，將來需不需要出庭？」

「當然要。」

「我做事唯一的宗旨就是謹慎。」

「隨妳吧，莎芭布。」奈菲莉說完轉身就走。

「妳要體諒我，奈菲莉！我要是出面，我非法經營就會曝光了。」

「我只在乎那個女孩哀憐的眼神。」

莎芭布咬咬嘴唇，「妳丈夫會幫我保留這間酒館嗎？」

「我不能向妳保證。」

「罪犯是咯達希，他在這裡就找過女孩的麻煩。他當時喝醉了，而且很粗暴。」

*　　*　　*

帕札爾沉著臉、皺著眉頭，不斷地踱方步。「奈菲莉，我不知道該怎麼告訴你這個壞消息。」

「這麼嚴重嗎？」

「太不公平，太可怕了！」

「我正打算跟你說一件可怕的事情，你一定要馬上逮捕他。」

他走向妻子，捧起她的臉，「妳哭過。」

「是的，帕札爾。我去調查過了，現在該輪到你結案。」

「喀達希被選為御醫長了，我剛剛收到公文。」

「喀達希是個卑鄙無恥的兇手，他強暴了一個還是處女的女孩。」

※註1：柳樹中含有製造阿斯匹靈的主要成分，因此埃及人可以說早在西元前兩千年便已「發明」並使用阿斯匹靈了。

※註2：河馬女神，象徵精神與物質上的豐足。

第三十三章

艾弗萊和亞舍繞過愛利芬丁，在到達南方邊境之前做最後一次的休息。他們選了一處山洞，將車子藏好，準備好好過一夜。亞舍對軍隊駐防的地點十分清楚，因此總能鑽過防守的漏洞。再過不久，他就能在利比亞與友人埃達飛同享榮華，並訓練一批貝都因戰士騷擾埃及。如果一切順利，那麼進攻三角洲、將西北的良田沃土據為己有，又有何不可呢？

亞舍活著就只想危害自己的國家。帕札爾逼得他逃亡國外，卻也樹立了一個既狡猾又頑強的敵人，他的破壞力可比一整個軍團還要可怕。將軍想著想著便睡著了，由大鬍子負責守夜。

* * *

蘇提右手提著羊皮袋，往山洞上方爬去。他匍伏前進，胸口都磨破了，但仍要小心翼翼以免有小石塊滾落，讓敵人有了警覺。豹子目不轉睛地注視著他；擔心他扔出蜂窩時速度太慢給蜂螫了，又擔心他一個失手沒丟準。他可沒有第二次機會。

爬到洞口上方時，他整個人趴平，屏氣凝神細聽。沒有聲音。高空有一隻獵鷹盤旋著。蘇提拔去了塞子，然後用力擺動手臂，將蜂窩朝敵人的洞穴扔去。

一陣嗡嗡聲倏然作響，打破了沙漠的寂靜。艾弗萊慌忙逃出洞穴，四周狂蜂亂舞。他腳步踉蹌，手忙腳亂地想驅走蜂群，卻是徒然。被螫了數百處傷口之後，終於不支倒地，他雙手捧在喉頭，很快便氣絕了。

事發之初，亞舍一個反射動作躲到了車子底下，動也不敢動。一直到群蜂散盡，他才走出山洞，手中還握著劍。

亞舍第一眼便看到了蘇提、豹子和警犬。「三對一……這麼沒有膽量？」
「你這種懦夫也好意思說什麼膽量？」
「我有很多金子。你跟你的情婦對錢財沒有興趣嗎？」
「等我殺了你，錢就是我的了。」
「你作夢。你的狗已經沒有攻擊性了，你又沒有武器。」
「又錯了，將軍。」
豹子拾起地上的弓箭，遞給蘇提。亞舍退了幾步，坑坑洞洞的臉不覺抽搐了起來。
「你要是殺了我，你會困在沙漠裡出不去。」
「豹子是很好的嚮導，我自己也習慣了沙漠環境。我們會活下去的，你儘管放心。」
「根據我們的法律，人是不可以互相殘殺的。你不敢殺我。」
「誰會認為你是個人呢？」
「復仇是齷齪的行為。你若犯了謀殺罪，將會受到眾神懲罰。」
「你應該比我更不相信報應才是。再說若真有神明，祂們想必會感謝我為世人除害。」
「這車上裝的只是我寶藏的一部分。投靠我，你將會比底比斯的貴族更富有。」
「你要上哪去？」
「到利比亞，埃達飛那裡。」
「他不會放過我的。」
「我會說你是我最忠誠的朋友。」
豹子站在蘇提背後。蘇提聽見她走近的腳步聲。利比亞，她的家鄉！她難道不會心動於亞舍的建議？將蘇提帶回家鄉，讓他完全屬於她一人，快樂無憂地過日子……多麼誘人的提議啊！但是他沒有轉身。有心背叛的人不是最喜歡從背後襲擊嗎？

豹子拿了一枝箭給蘇提。

「你錯了。」亞舍尖著嗓子說：「我們都是同一類的人。你喜愛冒險，我也一樣；在埃及我們寸步難行。我們需要一個更寬闊的天地。」

「我親眼見到你刑求一個手無寸鐵、驚嚇過度的埃及人。你對他一點惻隱之心都沒有。」

「我只是要他招認。他威脅說要告發我，換作是你，你也會這麼做的。」

蘇提張開了弓，一箭射出，正中將軍眉心。

豹子激動地抱住情夫的脖子。「我愛你，現在我們有錢了！」

＊　＊　＊

午餐時間，凱姆登門逮捕了喀達希。他向牙醫宣讀了訴狀，然後捆住他的手。喀達希頭腦昏昏沉沉，兩眼無神，有氣無力地為自己辯護。凱姆不加理會，立刻將他送到帕札爾那兒。

「你認罪嗎？」法官問道。

「當然不。」

「有目擊證人指認了你。」

「我是到莎芭布的酒館去過，撞到了幾個討厭的女孩，根本沒一個我看得上眼的。」

「莎芭布可不是這麼說的。」

「誰會相信一個老妓女的話？」

「你強暴了一個努比亞女孩，她在莎芭布的酒館當女侍。」

「這是惡意中傷！叫她來跟我當面對質。」

「陪審員會作決定。」

「你該不會想……」
「明天開庭。」
「我要回家。」
「我必須將你羈押在警局，以免你又攻擊另一個女孩。凱姆會保障你的安全。」
「我的……安全？」
「這一區居民人人都想親手殺死你。」
喀達希緊抓著帕札爾，「你有責任保護我。」
「是啊，真是遺憾！」

*　*　*

妮諾法又到紡織廠去了，這次和平常一樣，非拿到最高級的布料不可。她一想到穿上自己親手裁縫的華麗洋裝，一想到其他貴婦人相較失色後又嫉又怒的神情，便感到興奮莫名。
她每次看到塔佩妮一副斜睨嘲弄、高高在上的樣子，心裡就不舒服。可是她的確是紡織界的第一把交椅，也只有她才能提供完美無瑕的布料，讓妮諾法走在流行的尖端。
見到妮諾法，塔佩妮微笑的臉上透著一絲古怪。
「我要一些最上等的亞麻布料。」妮諾法說。
「恐怕有困難。」
「妳說什麼？」
「不可能。」
「妳是哪兒不對勁了，塔佩妮？」
「妳那麼有錢，我卻沒有。」

「我不是都付了錢嗎？」

「現在要漲價了。」

「在年度中漲價……」妮諾法想了想，「這麼做不太對，不過我接受。」

「我要賣的不只是布料。」

「還有什麼？」

「妳的丈夫是個名人，非常有名的人。」塔佩妮答非所問地說。

「戴尼斯？」

「他應該是無懈可擊的。」

「妳的意思是？」

「上流社會一向很殘忍。上流人士一旦有了傷風敗俗的行為，很快就會失去影響力，甚至財富。」

「妳把話說清楚！」

「別生氣，妮諾法。只要妳夠講理、夠慷慨，花點錢封我的口，妳的地位一定保得住。」

「妳到底知道些什麼？」

「戴尼斯不是個忠實的丈夫。」

妮諾法頓時覺得整個工廠的屋頂朝她砸了下來。如果塔佩妮真的握有一絲一毫的證據，如果她在底比斯的貴族圈子裡說了點什麼，那麼她這個為人妻子的立刻會成為笑柄，從此再也不敢進宮或出席任何公共場合了。「妳……妳胡說！」

「妳還是別冒險，我什麼都知道。」

妮諾法當機立斷，因為名譽可是她最注重的了。「妳要怎麼樣才肯閉嘴？」

「妳的一塊農地的收入，還要盡快給我一棟位於孟斐斯的豪華別墅。」

「太過分了吧！」

「妳想想每個人嘴上都掛著戴尼斯情婦的名字，妳也要受盡嘲諷，那會是什麼滋味？」

見妮諾法驚惶地閉上眼睛，塔佩妮心裡真是樂不可支。只跟戴尼斯上過一次床，雖然他技巧差勁、氣勢凌人，卻也為她打開了一條致富之路。明天起，她就是個富婆了。

* * *

喀達希在警局大發雷霆。在確知戴尼斯已經打通所有關卡，他要求凱姆立即放他出去。酒醒之後，他便不斷吹噓著自己的新職務，希望能盡早離開牢房。

「安靜一點。」凱姆大聲地說。

「放尊重一點，朋友！你知道你在跟誰說話嗎？」

「跟一個強暴犯。」

「別用大帽子扣我。」

「這只是可怕的事實罷了，喀達希。」

「你再不放我出去，你馬上會有大麻煩。」

「我可以幫你開這道門。」

「總算……你還不算笨，凱姆。我一定會有所表示的。」

就在牙醫剛剛呼吸到街上的新鮮空氣時，凱姆便抓住了他的肩頭。「好消息，喀達希，帕札爾法官提早召集了陪審團，我要帶你上法庭去了。」

* * *

當喀達希發現戴尼斯也是陪審員，便知道自己有救了。開庭的地點在普塔赫神廟前的門殿，氣氛莊嚴肅穆。經過幾個多事的人奔相走告，許許多多民眾都爭相前來旁聽。警察為了維持秩序，將旁聽民眾都擋在木殿外，至於殿內則有目擊證人，以及由年齡、身分地位迥異的六男六女所組成的陪審團。

帕札爾穿著一件古式的纏腰布，戴著短假髮，情緒似乎有些激動。祈求瑪特保佑庭上的辯論過程後，他開始宣讀起訴狀。

「牙醫喀達希，即現任皇宮御醫長，現居孟斐斯，被控於昨日清晨強暴了莎芭布酒館中的一名女侍。被害人目前仍在就醫，不願出庭，因此由奈菲莉醫師代表發言。」

喀達希又鬆了一口氣。情況對他再有利不過了。他面對陪審員的質詢，酒館的女侍卻無此勇氣！而且除了戴尼斯，他還認識另外三名說話也很有分量的陪審員，他們都會站在他這邊。他不僅能毫髮無損地走出法庭，還要反控莎芭布，進而獲得賠償。

「你承認你的罪行嗎？」帕札爾問道。

「我不承認。」

「請莎芭布上前作證。」

一時眾人的目光全都聚集到這位聞名全國的酒店老板娘身上。有人以為她死了，也有人以為她被關。卻見她踩著堅定的步伐走上前去，臉上脂粉稍濃，但艷麗耀眼。

「我要提醒妳，作偽證是要處以重刑的。」

「那天牙醫喀達希喝醉了。他闖進店裡，馬上就衝向一個年紀最輕的努比亞女孩，但是她只是負責供應點心飲料的女侍而已。如果不是我出面將他趕出去，他當時就會強暴她了。」

「你確定嗎？」

「生殖器勃起，你說這樣的證據夠不夠充分？」

旁聽群眾紛紛竊竊私語，陪審團也為她粗魯的言語感到震驚。

喀達希要求發言，「這個人經營酒館根本是不合法的。她使孟斐斯的聲望逐日下跌。為什麼警察和司法單位不予以取締呢？」

「我們現在審的不是莎芭布而是你。你這麼有道德感的人竟也上酒店，還攻擊未成年的女孩。」

「我只是一時失去理智……人非聖賢嘛。」

「那個努比亞女孩是在妳的酒館遭強暴的嗎？」帕札爾問莎芭布。

「不是。」

「那麼他攻擊了她之後又如何？」

「我安撫了女侍，她也繼續工作，直到天亮才下班回家。」

奈菲莉接著莎芭布之後發言，她鉅細靡遺地描述了女孩慘遭強暴後的身體狀況，在座者無不驚愕。

喀達希又插嘴道：「我絕不懷疑我這位傑出的同事對傷者的描述，我也很同情這個女孩的遭遇，但是和我又有什麼關係？」

「請你別忘了，」帕札爾顯得義正辭嚴，「強暴罪將判處唯一死刑。奈菲莉醫師，妳有證據證明喀達希就是罪犯嗎？」

「他的特徵與被害人描述相符。」

「我也要提醒各位，」喀達希再次插嘴，「奈菲莉醫師也和我同時競選御醫長。她想必是失敗後，心有不甘。何況她也沒有資格進行訊問調查。帕札爾法官是否為女孩做了筆錄呢？」

喀達希的說詞果然奏效。帕札爾接著傳喚目擊嫌犯逃離的附近居民。大家都指認是喀達希。

「我當時喝多了。」他辯解道：「可能是醉倒在附近吧。難道憑這點就能判定我犯了如此滔天大罪？我可是當庭發過誓，假如犯了罪我絕不逃避刑責。」

喀達希振振有詞，聽者無不動心。女孩遭人強暴，牙醫剛好就在附近，而且事前他還攻擊過她：所有的箭頭分明都指向喀達希。但是帕札爾在遵守瑪特律法之下，只能將這一切歸為假設。無疑的，喀達希在他與奈菲莉的關係上大作文章，的確削弱了原本極有力的證詞。

不過，帕札爾在做出結論並主持陪審團商議之前，仍請奈菲莉再度代表被害人發言。

突然一隻顫抖著的手握住了奈菲莉的手，原來是那個努比亞女孩悄悄走到她身邊來了。

「陪我，我要說話，但我要妳陪我。」

她遲疑地、斷斷續續地將她所承受的暴力行為，將那種難以忍受的痛楚與絕望，一一道出。

她說完之後，鬥殿上一片死寂。帕札爾聲音哽塞地提出了關鍵性的問題：「妳能指認強暴妳的人嗎？」

女孩指著喀達希說：

「就是他。」

* * *

陪審團商議很快便結束了。陪審團援用了嚴厲的舊法，正因為嚴厲才會使得埃及多年來未曾發生強暴案。至於喀達希傑出醫師與御醫長的地位，卻並未給與他減刑的特殊待遇。經陪審團一致通過，判他死刑。

第三十四章

「我要上訴。」喀達希大喊。

「我已經把你的案子往上遞。」帕札爾說：「不過門殿以上，也只剩下首相法庭了。」

「他一定會平反我的冤情。」

「不要夢想了。如果被害人再度確認對你的指控，巴吉還是會維持原判。」

「諒那個小妮子也不敢！」

「你錯了。」

喀達希似乎並不動搖，「你以為我真的會受罰？你會失望的，可憐蟲！」

喀達希陰陰一笑，便離開了，帕札爾也氣惱地走出牢房。

* * *

九月底，也是氾濫水量不理想的第二個月，整個埃及熱烈地慶祝著代表豐足與慷慨的女神歐佩的節日。當尼羅河水退去，留下肥沃河泥的二十多天當中，河岸邊會有許多流動攤販販售西瓜、甜瓜、葡萄、石榴、麵包、糕點、燻烤的雞鴨和啤酒。並有露天餐廳提供便宜的大餐，以及職業樂師與舞者表演悅耳、曼妙的節目。每個人都知道廟宇會舉行創造能量再生的祭典，以感謝神明在漫長的一年裡，使農地豐沃，人民不致飢渴而死，並祈求眾神不要離棄世人。如此尼羅河也才能重新汲取宇宙間無窮的能量，恢復它原有的威力。

節慶到達高潮時，阿蒙神的大祭司卡尼打開了內中堂之門，裡面供奉的便是形象變化多端的阿蒙神像。神像覆以薄紗之後，置於鍍金的木船內，由二十四名光著頭、穿著亞麻長袍的祭司扛負，在阿蒙之妻聖母穆特與兒子月神孔蘇陪同下出鑾。兩支遊行隊伍分別由河陸兩路浩浩蕩蕩地往盧克索神廟前進。

數十艘小船護送著金光閃閃的巨大神船一路往南，沿途並有女子演奏笛子與鈴鼓等打擊樂器迎接神駕。孟斐斯的門殿長老帕札爾也應邀參加了在盧克索神廟大院中舉行的祭典，氣氛熱鬧歡騰，但在聖殿高牆後側卻仍是一片虔誠的寂靜。

卡尼向三神明獻上鮮花，並灑酒以祭。隨後朝臣向兩邊分站開來，行禮恭迎法老。國君天生的高貴與威嚴深深撼動了帕札爾；他中等身材，體格健壯，鷹勾鼻，寬寬的額頭，藍色的皇冠下藏著一頭紅棕色的頭髮。法老目不斜視地注視著阿蒙神像，祂正象徵了法老神祕的創造力啊。

卡尼念了一篇頌文，讚頌阿蒙神多變的形象，祂既是風、石、螺旋角山羊等等的化身，卻又不以單一形體為限。念畢，大祭司即讓開身，由法老單獨走進了隱密的神廟。

* * *

一萬五千條麵包、兩千塊糕點、一百籃肉乾、兩百籃鮮蔬、七十罈葡萄酒、五百罈啤酒、大量的水果……法老為了慶祝歐佩節即將結束，舉辦了一次盛大的餐會。餐桌上擺飾著百來束花，桌旁的賓客則爭相誇耀著拉美西斯政府的功績與埃及的和平盛世。

朝臣們也不忘向帕札爾夫婦致以熱誠的祝賀，因為帕札爾在喀達希一案中展現了無比的勇氣，而奈菲莉也在喀達希犯案被撤職之後，獲得委員會任命為御醫長。而在逃的亞舍仍在追緝中，布拉尼死得不明不白，尤其是司芬克斯那幾名退役軍人無故失蹤這些事情，大家都不想再提。帕札爾對眾人的示好無動於衷，至於奈菲莉雖然讓不少乖僻的人也臣服於她的美貌與魅力之下，卻也對這片讚美聲不甚在意。她只記得女孩驚恐的眼神與其無法治癒的傷痕。

餐會的安全由警察總長凱姆負責。他和狒狒緊緊盯著每一個走近門殿長老的人，準備只要稍有不對，便立刻以暴力制止。

「你們可真是年度風雲夫妻。」戴尼斯說：「讓喀達希這樣的名人接受制裁，的確是為我國司法建立一大功勳。而奈菲莉能登上醫生團體的領導地位，更足以證明她的優秀不凡。」

「你不用做違心的恭維。」

「你們兩個都很能接受並戰勝考驗。」

「怎麼沒見到妮諾法夫人？」奈菲莉驚訝地問。

「她身體不舒服。」

「祝她早日康復。」

「你的關心，妮諾法一定會很感動。我是否能借用你的夫婿一下呢？」

說著，戴尼斯便將帕札爾拉到一個供應啤酒與葡萄的涼亭。

「我的朋友喀達希是個好人。他是因為當上御醫長，興奮過度才會得意忘形。」

「可是沒有任何陪審員表示寬容，就連你也默不作聲，贊成判處死刑。」

「法律是有明文規定，但也應該給悔過的人一個自新的機會。」

「可是喀達希毫無悔過之意。」

「他不是已經表示難過抱歉了嗎？」

「不但沒有，他還吹噓、威脅。」

「他真的是昏了頭了。」

「他相信他絕不會遭受極刑。」

「處決日決定了嗎？」

「首相法庭已將上訴駁回，確定判處死刑。三天後，警察總長就會讓罪犯服毒。」

「你剛才說到『威脅』是嗎？」

「既然喀達希不得不自殺，他是不會獨自面對死亡的。他答應我在喝下毒藥之前，要做一番告白。」

「可憐的喀達希！」戴尼斯故做唏噓狀，「就這樣從雲端跌落谷底……叫他怎能不傷心悔恨呢？請你讓他平靜地度過最後的時刻吧。」

「凱姆不是劊子手，他知道如何適當地處置。」

「現在只有一項奇蹟能救他了。」

「有誰會原諒如此的罪行？」

「回見了，帕札爾法官。」

＊　＊　＊

醫師委員會接見了奈菲莉。反對她的委員們提出了各式各樣的技術性問題刁難她，由於錯誤少之又少，任命案便底定了。

自從奈巴蒙去世後，許多公共衛生案都懸而未決，但奈菲莉仍希望能給她一段時間，以便安排醫院的接班人選。面對責任如此重大的新職務，她竟有了逃避的念頭，她只想當個鄉下的小醫生，守著病人，與他們同享每一刻病癒的欣喜。她實在不知該如何調適；一夕之間，就要她領導一群經驗豐富的醫學權威與朝中要臣，以及監管藥品製造與分配的書記官，還要她為人民健康與環境衛生作出重大決策。從前，她只管一個村子，如今她卻必須同時獲得敵友的尊崇，才能把一個這麼強大的王國照顧好。一想到這些，奈菲莉不由得幻想著和帕札爾遠走高飛，隱居在上埃及田間的小屋裡，每天面對底比斯的高山，享受晨昏的靜謐。

她本想把這個想法告訴丈夫，但帕札爾從辦公室回來時，整個臉色都變了。

「妳唸這道聖旨，請妳大聲唸出來。」他將一張質地極佳的紙張遞給了妻子，上面還蓋著法老的印璽。

「『朕，拉美西斯，惟願天地喜樂。詔令隱匿者走向光明，不再有人為過去的錯誤受苦，罪犯一律釋放，興風作浪者從此停息，天下子民歡欣歌舞於街。』這是大赦令？」

「大赦所有罪犯。」

「是不是有點不尋常？」

「前所未見的。」

「為什麼法老作此決定？」

「不知道。」

「是為了釋放喀達希嗎？」

「大赦所有罪犯。」帕札爾重複了一遍，簡直難以置信。「喀達希的罪行完全抹煞，也不再緝捕亞舍將軍，謀殺案全部一筆勾消，戴尼斯的訴訟案也就此作罷。」

「你太悲觀了吧？」

「我失敗了，奈菲莉。完全徹底的失敗了。」

「你不向首相求助嗎？」

* * *

凱姆打開了牢門，喀達希卻似乎並不擔心，「你來放我出去？」

「你怎麼知道？」

「必然的結果。好人總會獲勝的。」

「法老大赦了所有的囚犯，算你走運。」

喀達希倒退了一步。因為凱姆眼中燃燒著怒火。「別碰我，凱姆！你可得不到赦免。」

「你到了奧塞利斯面前，祂一定會封了你的口。帶刀小鬼也會將你碎屍萬段，讓你永不超生。」

「這些幼稚的傳說還是省省吧！你這麼蔑視、侮辱我，我很不高興。可惜啊……你和帕札爾都錯失了機會。好好把握現在吧，你的警察總長當不了太久的。」

* * *

首相巴吉遲到了。和平常一樣，許多高層主管正等著見他，想傳達他們的難題並聽取他的意見。帕札爾雖未事先預約，卻是第一個被接見的。

帕札爾難掩怒氣，「這次的大赦我實在無法接受。」

「小心措詞，門殿長老。聖旨是由法老親自頒布的。」

「我不相信。」

「這卻是事實。」

「你見過國王了嗎？」

「他親自向我口授聖旨的。」

「你沒有向他反應嗎？」

「我表示了震驚與無法理解。」

「仍無法改變他的心意？」

「拉美西斯不接受任何意見。」

「像喀達希這樣的禽獸竟逃過了法律制裁，怎麼可能！」

「大赦適用於所有的罪犯，帕札爾法官。」

「我拒絕施行。」

「你必須服從旨意，跟我一樣。」

「我怎麼能認同如此不公平的事情。」

「我老了，你還年輕。我的職業生涯即將告一段落，你的才要開始。無論我有什麼看法，還是不得不保持緘默。而你呢，也千萬不要衝動。」首相語重心長地安撫道。

「我已經決定了，後果如何我不在乎。」

「喀達希已經獲得釋放，預定的庭訊也取消了。」

「亞舍也官復原職嗎？」

「既然已銷案，只要他能作出解釋，仍可保有原來的頭銜。」

「那麼只有殺死布拉尼那個身分不明的兇手沒有得到赦免了。」

「我也和你一樣痛苦，不過拉美西斯這麼做一定有他的道理。」

「什麼動機我都無所謂。」

「反抗法老就等於反抗生命啊。」

「你說得對，巴吉首相，所以我無法再擔任目前的職務了。今天，我正式向你辭職。從這一刻起，我不再是門殿長老了。」

「考慮清楚，帕札爾。」

「換作是你，你難道不會這麼做？」

巴吉沒有回答。帕札爾又說：「我想請你最後再幫我一個忙。」

「只要我還是首相，隨時歡迎你來找我。」

「無辜株連可以說是違反了我們兩人都全心珍愛的司法。因此我請你讓凱姆繼續擔任警察總長一職。」

「我正有此意。」

「奈菲莉會怎麼樣呢?」

「喀達希會聲請維持原選舉結果,並不惜對簿公堂以爭回御醫長的頭銜。」

「他根本不用大費周章,奈菲莉並無意相爭。我跟她會離開孟斐斯。」

「真是太可惜了。」

* * *

帕札爾猜想戴尼斯和友人們正在大肆慶賀吧。法老突然頒布的聖旨意外地讓他們保住了聲譽。以後只要不再犯錯,他們依然是有名望的上流人士,並且能繼續他們的陰謀,至於陰謀的內情究竟為何,帕札爾是永遠不可能得知了。亞舍將軍想必很快就會出現,對於脫逃一事,也必然想好了正當的理由。然而蘇提呢?他到底扮演什麼角色?若還活著,他現在又在哪裡?正傷心氣餒之際,帕札爾的頭上忽然有十幾隻燕子飛掠。第一群飛過,又是一群,然後更是一群接著一群。最後共有百來隻的燕子挨著他,發出喜悅的鳴囀。這是為了感謝他救了牠們的同伴嗎?路人見此異象無不激動驚喜;他們想起了古老的諺語:「燕喜則王喜。」這群輕盈、優雅、活潑的鳥兒,就這樣張著微藍的翅膀,一路窸窸窣窣地陪著帕札爾回到了家門。

蓮花池裡有幾隻山雀在戲水,奈菲莉就坐在池畔。她只穿著一件透明的短衣,胸脯裸露在外。走近之後,帕札爾立刻聞到香味四溢。

「我們剛剛收到一些新鮮的產品。」妻子解釋道:「所以我就準備了未來幾個月要用的香脂和香油。否則你早上要是沒得用了,我怕你會罵我。」

帕札爾聽妻子半開玩笑的語氣,愛憐地親親她的頸子,然後脫下纏腰布,坐到草地上去。奈菲莉的腳邊擺了幾個石瓶。瓶中裝的有從乳香樹提煉而成的棕色半透明樹脂乳香；有來自朋特地區、濃縮成小紅塊的沒藥；有從波斯進口的綠色樹膠脂古蓬香脂；還有購自希臘與克里特島的深色樹脂勞丹脂。另外有幾瓶則裝著花的香精。奈菲莉總能將這些成分和橄欖油、蜂蜜與酒加以巧妙地混合。

「我辭職了，奈菲莉。至少我沒什麼好怕的了，因為我已經毫無權力。」

「首相怎麼說？」

「只有一句：聖旨沒有轉圜的餘地。」

「等喀達希要求恢復御醫長的職位後，我們就離開孟斐斯。他也有他的權利，不是嗎？」

「是啊，真不幸。」

「別傷心了，親愛的。我們的命運掌握在神明手中，我們無計可施。一切要以祂的意願為依歸，我們做不了主。但是我們可以創造自己的幸福。我真的是鬆了一口氣；能跟你一起生活，在百年老棕櫚樹下為窮人看病，有充分的時間與你互訴愛意，還有什麼好奢求的呢？」

「可是我怎麼忘得了布拉尼？還有蘇提……他一直盤據在我的腦海。我實在氣惱得心中猶如火燒，連噴鼻息都像驢子那麼響。」

「你可千萬不要改變。」

「以後再也不能讓妳住大房子，也沒有美麗的衣服穿了。」

「無所謂。就連這件也可以馬上脫掉。」

奈菲莉隨即褪下了肩帶，赤裸著躺到帕札爾身上。二人的身軀緊密結合在一起，當唇舌交接的那一剎那，一股激情如電流般竄遍全身，儘管此時夕陽和煦，兩人仍不禁打了個顫。擁著奈菲莉光滑細緻的身子，就像置身於以享樂為宗旨的天堂。帕札爾深深迷陷其中，陶然而醉，任由幸福的浪潮一波一波將他們淹滅。

* * *

「再拿酒來！」喀達希嚷道。

僕人連忙照辦。自從主人回來以後，就不停地和兩名敘利亞年輕人吃喝玩樂。他是再也不會碰女孩了。遇上那件倒楣事之前，他對女人本來就興致平平；從此他也學乖了，只找漂亮的外國男孩，玩厭了就向警方舉發他們違法的身分。

傍晚，戴尼斯又召集眾人聚會了。他們寫給拉美西斯的匿名信，果然如預期般奏效。如今已進退維谷的國王，只能照著他們的話宣佈大赦，讓一切案子煙消雲散，其中當然也包括了戴尼斯一案。唯一的困擾是——萬一亞舍回來了怎麼辦？他現在已經毫無價值了。戴尼斯應該有辦法擺平吧。

* * *

暗影吞噬者由庭園潛進了喀達希的住處。他沿著邊石走，以免在沙地上留下足跡，然後溜到廚房的窗戶邊，蹲了下來，聽著兩名僕人的對話。

「我幫他們拿第三壺酒去。」

「要不要準備第四壺？」

「一定要的。他們這一老兩少比一整個軍團的人還會喝。我去了，省得一會兒他又亂發脾氣。」

管酒的僕人又開了一罈三角洲伊瑪烏城產的酒，標籤上還標明了製造年分「拉美西斯五年」。這種紅酒很上口，也容易醉，一喝很快就會原形畢露。事情做完，僕人便走出廚房，到圍牆邊方便去了。

暗影吞噬者剛好趁機執行任務。他在酒罈裡倒進了一種以植物萃取物加上毒蛇毒液製成的毒藥。喀達希和他的外國情人喝了之後，將會呼吸困難，然後全身痙攣而死，罪名還可能安在那兩個外國人身上。反正也不會有人有興趣宣揚他們這種傷風敗俗的齷齪勾當。

* * *

就在喀達希痛苦掙扎了幾分鐘，最後將靈魂交予地獄之神時，戴尼斯正和一個隆乳豐臀的努比亞美女溫存呢。以後他不會再見到這女孩，但還是要趁這次機會享受一下她一貫的激情。女人嘛，不就是為了滿足男人所創造出來的猛獸嗎？

戴尼斯其實也為喀達希難過。他對他可以說是仁至義盡了；最初答應讓他當上御醫長的承諾，不是實現了嗎？唉，怪只怪牙醫老得太快。瀕臨衰老的他一再犯錯，對其他人來說風險太大。何況他還要脅將事實和盤托出，如今這樣的下場也是他自找的。一經戴尼斯提議，其他成員便立刻同意請出暗影吞噬者。無法掌控御醫長的職位的確是一大損失，不過帕札爾辭職的消息很快便傳了開來，也算遂了他們的心願。以後再也沒有人會跟他們作對。

計劃已經接近最後的階段——首先奪取首相之位，接著便是王權了。

第三十五章

孟斐斯大公墓裡狂風橫掃，帕札爾和奈菲莉頂著風緩緩地向布拉尼長眠之處走去。他們想在出發到南方之前，再向慘遭橫死的恩師致上追思之意，並向他保證，儘管手上資源有限，他們仍會在有生之年傾全力找出真兇。

奈菲莉腰間纏著帕札爾送給她的紫水晶珠串成的腰帶。而一向怕冷的帕札爾則穿了一件羊毛外衣並圍著圍巾。途中他們遇見了維護墳墓與墓園的祭司，他已上了年紀，做事細心謹慎，將墓園的雕像保存得十分完善，祭品也經常換新，因此孟斐斯市政府給了他相當優厚的待遇。

死者的靈魂從光線中獲得再生的能源之後，化身為小鳥，剛剛在一株棕櫚樹下的水池飲過水。幽靈每天都會在禮拜堂附近散步，呼吸著花香。

兩人享用著祭拜過的麵包與酒，冥冥中，恩師彷彿也跟他們一起用餐，聲影不斷迴盪於四周。

*　*　*

「你們要忍耐。」美鋒建議道：「看著你們離開心裡真是難過。」

「奈菲莉和我都希望過簡單平靜的生活。」

「可是你們兩個都還沒有充分發揮呢。」西莉克斯說。

「與命運對抗不過是自不量力。」

在孟斐斯的最後一晚，帕札爾與奈菲莉接受了雙院院長美鋒夫婦的邀請，到家裡作客。受蕁麻疹所苦的美鋒不得不聽從奈菲莉的建議治療肝肥大，並加強注意居家的衛生。他腳上的傷口越來越常有血水滲出了。

「要多喝水。」奈菲莉說：「還有以後無論你找哪個醫生，記得讓他開利尿劑給你。你的腎臟很脆弱。」

「希望有一天我能有時間好好照顧自己！國庫方面不斷提出請求，不但必須馬上處理，還要顧及整體的利益。」

他們的對話突然被美鋒的兒子打斷了。他向父親告狀，說他想學習象形文字以便將來像父親一樣富有，可是妹妹卻偷了他的筆。雖然他說的是事實，妹妹卻惱恨哥哥告狀，便衝過去打了他幾個耳光，還驚天動地地哭了起來。盡責的母親西莉克斯連忙把孩子帶開，讓他們不再吵鬧。

「你看看，帕札爾，我們現在需要一個法官呢！」

「這案子可不容易辦。」

「你好像無關緊要，甚至還很滿足哦？」美鋒對他的態度十分驚訝。

「這只是表面罷了。如果沒有奈菲莉，我一定會被絕望所擊倒。這次的大赦令粉碎了我想目睹司法勝利的所有希望。」

「一想到還要再度面對戴尼斯，我也很煩。沒有你當門殿長老，恐怕以後的麻煩會更多了。」

「要對巴吉首相有信心，他不會隨便任命的。」

「聽說他已經準備退休養老了。」

「國王的決定對他的衝擊也很大，他的身子也一日不如一日了。我實在不懂，為什麼法老會這麼做？」

「也許他相信寬厚的美德吧。」

「但他在民間的聲望並不會因此提高。」帕札爾以為：「人民都擔心他的神力已逐漸減弱，與神的聯繫也不再緊密。如今他又釋放罪犯，實在不配當國王。」

「但在他統治下的確是難得一見的盛世啊。」

「他的決定你能明白，能接受嗎？」

「法老比我們更有遠見。」

「在他大赦之前，我也這麼想。」

「重新開始吧，帕札爾；國家需要你，也需要你的妻子。」

「其實我也跟我丈夫一樣堅決。」奈菲莉抱歉地說。

「到底要怎麼樣才能說服你們呢？」

「重建司法尊嚴。」

美鋒無言，只親自為他們斟了酒。

「我走了之後，」帕札爾請求道：「你能不能繼續追查蘇提的行蹤？凱姆會支援你的。」

「我會向司法單位施加壓力。其實你留在孟斐斯幫我的忙，不是會更有效率嗎？何況以奈菲莉的名氣，診所一定會時時爆滿的。」

「我對財務可以說一竅不通。」帕札爾坦承：「不用多久你就會覺得我是個能力不夠好的累贅。」

「那麼你有什麼計劃？」

「我們要到底比斯河西地區的小村落定居。」

西莉克斯哄孩子入睡後，出來剛好聽到奈菲莉這麼回答，連忙勸道：「放棄這個念頭吧！妳要丟下這裡的病患不顧嗎？」

「孟斐斯有很多傑出的醫生。」

「但妳是我的醫生，我不想換。」

「我們之間在物質上互通有無，是絕對沒有問題的。」美鋒正色道：「不管你們有什麼需要，我和西莉克斯一定盡力幫忙。」

「真的很感激你們，但我已經無法再擔任高層職務了。我的理想已經破滅，現在我只想回歸平靜。大地和動物是不會說謊的；希望有了奈菲莉的愛，黑暗的未來會比較不沉重。」

這幾句語重心長的話結束了四人的討論。他們開始專心地欣賞庭園、花壇之美，品味美食，暫時放下了未來的重擔。

* * *

「你還好嗎，親愛的？」戴尼斯躺在軟墊上，懶洋洋地問著妻子。

「非常好。」

「醫生有什麼發現嗎？」

「沒有，因為我根本沒有病。」

「我不懂……」

「你聽過獅子與老鼠的寓言嗎？有一天，獅子抓到一隻老鼠準備果腹。老鼠便哀求獅子放了牠；說牠這麼小，怎麼吃得飽？倒不如放了牠，也許有一天能救獅子一命。獅子真的放了牠。幾個禮拜後，獅子被獵人用網子給網住了，老鼠在網子上咬了個洞，獅子終於重獲自由，便帶著老鼠一塊兒逃了。」

「這個故事連小學生都知道。」

「你跟塔佩妮上床時，應該想到這則寓言的。」

戴尼斯方方的臉緊繃了起來，「妳在胡說什麼？」

妮諾法忽地站起來，冷傲中隱約帶怒，「因為你這個婊子情婦就像寓言裡的老鼠。但她也同時是獵人。她能把你網住，也只有她能放掉你。勒索我！若非你不忠，怎會落到如此下場？」

「妳太誇張了。」

「你錯了。要保持尊嚴就得付出昂貴代價；你那情婦這麼長舌，馬上就能讓我們名譽掃地。」

「我會讓她閉嘴。」

「你太小看她了。最好還是依她的要求做，否則我們倆都會變成大笑話。」看丈夫緊張地踱來踱去，妮諾法又說：「你好像忘了通姦是重罪，是要受法律制裁的。」

「我只是一時行為失控。」

「你總共失控了幾次呢？」

「胡說八道。」

「你挽著貴婦參加宴會，還誘騙少女上床。你太過分了，戴尼斯，我要離婚。」

「妳瘋了！」

「我非常正常。我要保留我們的房子、我個人財物，還有我本來就擁有的不動產。既然是你行為不檢點，法庭將會判你付給我贍養費與賠償金。」

戴尼斯咬牙切齒，「這種玩笑一點也不好玩。」

「你以後就自己看著辦了，親愛的。」

「妳沒有權利毀掉我們的生活。我們不也有許多美好的回憶嗎？」

「你對我還有感覺？」

「我們已經在一起好久了。」

「是你破壞了我們之間的默契。現在只有離婚一條路。」

「這會鬧出多大的新聞啊！」

「鬧新聞總比鬧笑話好。而且針對的人是你，我只是個受害者。」

「這樣做太不理智了。」戴尼斯低聲下氣地說：「我向妳道歉，我們繼續扮演恩愛夫妻吧。」

「你讓我好難堪，戴尼斯。」

「妳知道我絕不是故意的。我們是合夥人，妳毀了我，對妳自己也無好處。再說我們經營的事業一向不分彼此，又怎麼可能一下子分得清楚？」

「我就能分得清楚。因為你老是晃來晃去，我卻很認真在工作。」

「生生氣就算了，親愛的。有哪對夫妻不吵架拌嘴的呢？」

「我以為我們不像一般的夫妻。」

「我們停戰吧，以免衝動誤事。塔佩妮就像隻愛刨牆根的老鼠，而且專找辛苦蓋起的房子下手。」

「以後她就讓你去對付了。」妮諾法總算氣消了點。

「我正想求妳別插手。」

* * *

北風已經搭上了前往底比斯的船；牠一邊吃著新鮮草料，一邊看著河面。猴子小淘氣也跳離女主人的懷抱，一溜煙爬到桅桿頂上去了。倒是勇士乖乖地坐在帕札爾的膝上；牠就是不喜歡搭船，一想到這趟路程遙遙就不由得不擔心，不過只要跟著主人，就算狂濤怒海牠也願意去。

搬家的過程很簡單；帕札爾把房子和所有傢俱都留給了下一任門殿長老，只不過巴吉卻認為寧缺勿濫，而不願指定人選。老首相離開前，再度向帕札爾致意，在他眼中，這位年輕的法官並沒有錯。

帕札爾帶著最初的那張蓆子，奈菲莉則抱著醫藥箱，兩人身邊還圍著幾個裝滿了瓶瓶罐罐的箱子。同行的全是一些要到底比斯大市場擺攤子的商人，他們個個高談闊論，爭相吹噓著自己的貨色。

帕札爾只覺得失望：凱姆沒有來。他或許不贊成自己的做法吧。

「奈菲莉，奈菲莉！別走！」奈菲莉還來不及轉頭，手臂就被跑得上氣不接下氣的西莉克斯抓住了。「喀達希……他死了！」

「怎麼回事？」

「好可怕……我們到一邊去說。」

於是帕札爾讓北風下了船，一面叫著小淘氣。綠猴見女主人走了，急忙跳到岸上來。

「喀達希和兩個外國的年輕情夫被毒死了。」西莉克斯喘著氣說：「他家裡的僕人通知了凱姆，他自己留在命案現場，另外派人來向美鋒通報……所以我就來了！一切都亂七八糟的，奈菲莉。妳擔任御醫長的任命案又生效了……以後妳可以繼續替我治療了！」

「妳確定……」

「美鋒說你的任命立即生效。妳要留在孟斐斯。」

「我們已經沒有房子，而且……」

「美鋒替你們找到一間了。」

奈菲莉猶豫地握住丈夫的手。

「妳沒有選擇的餘地。」他說。

勇士忽然發出了怪異的吠聲。不是憤怒，而是一種意外的驚喜。原來是一艘從愛利芬丁來的兩桅船進港了。船首站著一名長髮青年和一個身材曼妙的金髮女郎。

「蘇提！」帕札爾失聲驚呼。

＊　＊　＊

美鋒夫婦為了慶祝奈菲莉重獲御醫長之職與蘇提安全歸來，雖是臨時舉辦的賀宴，但卻也熱鬧非凡。沙漠英雄站在眾人面前，述說著歷險的經過，大家也爭著詢問細節。他說起了如何加入礦工行列、如何深入地獄般的坑洞，說起了沙漠警察的背叛、與亞舍將軍的偶遇，又說亞舍如何準備逃亡，而豹子又如何幫助他脫困。豹子高興地笑了，眼光則未曾離開過心愛的人。

美鋒依照承諾幫帕札爾找了一間位於城北郊的小屋，讓他們暫時安頓，直到奈菲莉分發到宿舍為止。他們夫妻倆自然很樂意收容蘇提和豹子。豹子一上床倒頭就睡，奈菲莉也不吵她，悄悄關上了房門。帕札爾和蘇提則一塊兒爬上了屋頂陽台。

「風一點暖意也沒有。在沙漠裡，夜常常是冰冷的。」

「我一直在等你的消息。」

「送不出來；如果你給我捎了信，我也沒收到。對了，晚飯時我沒聽錯吧：奈菲莉真的當上了御醫長，而你也辭去了門殿長老的職位？」

「你的聽力還是那麼好。」

「你是被趕下台的？」

「老實說，我是自願走的。」

「你對這個世界失望了？」

「拉美西斯頒了大赦令。」

「所有的殺人犯無罪釋放？」

「沒錯。」

「這麼說，你的司法夢想全都破滅了。」

「國王的決定實在令人費解。」

「不論原因為何，結果才是最重要的。」

帕札爾突然吞吞吐吐地說：「我要向你坦白一件事。」

「很嚴重？」

「我曾經懷疑過你。我以為你背叛了我。」

蘇提弓起身子好像就要撲了過去，「我要打爛你的頭，帕札爾。」

「我罪有應得，不過你也一樣。」

「為什麼？」

「因為你說謊。」

「我現在才有機會跟你好好談談。剛才在那個有錢人美鋒和他的嬌妻面前，我怎麼可能說實話？對你，我一點也不想隱瞞。」

「你叫我怎麼相信你沒有跟蹤亞舍？在你遇見他之前的經過應該都是真的，接下來的話我可不信。」

「亞舍和他的手下打算慢慢把我折騰死。不過，沙漠成了我的盟友，豹子則是我的守護神。我曾經一度喪失鬥志，是我們的友誼救了我。」蘇提的聲音裡透著一種感動。

「你恢復自由之後跟蹤了將軍。他有什麼計劃？」

「他想經由南方到利比亞去。」

「老奸巨猾。有同夥的嗎？」

「有一個叛變的警察和一個經驗豐富的礦工。」

「他們死了？」

「沙漠是很無情的。」蘇提聳了聳肩。

「亞舍在那荒涼的地方找什麼？」帕札爾又問。

「金子。他想帶著大筆的財富到埃達飛那兒好好享受。」

「你殺了他，對不對？」

「他真是軟弱怯懦到了極點。」

「豹子看見了嗎？」

「不只看見，她還親手遞箭給我，讓我下手。」

「你把他埋了？」

「沙會為他裹屍的。」

「你完全剝奪了他存活的機會。」

「他有活下來的價值嗎？」

「結果，偉大的將軍無法得到赦免……」

「亞舍已經接受了審判，我只是根據沙漠法則為他行刑。」

「你處理得太草率、太魯莽了。」

「我覺得輕鬆多了。至少在我夢裡，那個被亞舍施虐致死的人的臉，不再那麼猙獰。」

「金子呢？」

「當然是我的戰利品。」

「你不怕政府調查？」

「反正不會是你主導。」

「警察總長會問你的。凱姆是個正直、難以說情的人。而且他也是被誣告偷了金子，才會慘遭劓刑。」

「他不是你的人嗎？」

「我現在什麼都沒有了，蘇提。」

「可是我有錢！讓這樣的機會白白溜走，太愚蠢了。」

「金子是屬於神明的。」

「祂們有的還不夠多啊？」

「你冒的險實在太大了。」

「最困難的時刻已經過去了。」

「你要離開埃及嗎，蘇提？」

「沒有這個打算，而且我也想幫你。」

「我又跟以前一樣，只是鄉下的小法官而已。」帕札爾苦笑了一下。

「你不會放棄的。」

「我已經沒有辦法繼續下去了。」

「你會讓你的理想受人踐踏？你忘得了布拉尼的死？」

帕札爾嘆了口氣，無奈地說：「本來戴尼斯的案子一開庭，就幾乎要真相大白了，只可惜……」

「其實雖然你所提出的罪名撤銷了，可是其他的呢？」

「什麼意思?」

「我的紅粉知己莎芭布有寫日記的習慣。我相信一定不乏精采內容,也許對你也會有幫助。」

帕札爾看看好友,把話題岔開來,「在奈菲莉尚未忙得不可開交之前,你做個檢查吧。這麼一趟路恐怕對身體影響不小。」

「我正打算請她幫我做復健工作。」

「豹子怎麼樣?」

「她是沙漠之女,健康得像隻蠍子一樣。希望她早點對我死心。」

「愛情啊……」

「比銅還不耐用,何況我比較喜歡金子。」

「你要是把金子還給科普托思神廟,會獲得報酬的。」

「別開玩笑了。想想那一車金子,有什麼報酬比得上!豹子希望變得很有錢。我們走上了尋金之路,滿載而歸……世上還有更美妙的奇蹟嗎?既然你懷疑過我,我要重重處罰你。」

「我準備好了。」

「我們一起失蹤個一兩天,到三角洲去捕魚。我想看到水、泡泡水、在青青草原上打滾,還要搭船暢遊沼澤區。」

「可是奈菲莉要就任了……」

「我了解她,她不會阻止我們的。」

「那豹子呢?」

「我跟你在一起她最放心了。她的梳妝與編假髮的功夫一流,可以幫奈菲莉作準備。我們呢,就安心捕滿一整船的魚回來吧。」

第三十六章

普通科、外科、眼科、牙科與其他各個專科的醫生，都參加了奈菲莉的授職式。典禮在塞克美女神廟的露天廣場舉行，祂是醫師的守護神；主持人則由老態龍鍾的首相巴吉擔任。見到女性登上了醫界的龍頭地位，除了少數男醫生為了表達抗議與不滿而略有批評之外，一般埃及民眾並不感到吃驚。

為了這次盛會，豹子也大展了身手。奈菲莉的梳妝與衣著都由她一手包辦；一身潔白無瑕的洋裝，頸間大大的光玉髓項鍊，手腕、腳踝的天青石鍊子，還有編成了無數髮辮的假髮，高貴氣派，更使得眼光柔和、體態嬌弱的奈菲莉，隱隱透著一股威嚴。

醫師委員會的長老委員並為她披上一張豹皮，象徵著從此她必須時時為埃及這個龐大的軀體灌注能量，就像再生儀式中賦予皇族木乃伊生命的祭司一樣。接著，長老又遞交了印信與文具盒；前者代表統領全國醫師的權力，後者則是用來擬定各項公共衛生法令，然後再上呈首相。

最後長老以很短的時間說明了奈菲莉的職責，並要求她務必遵行神旨，為人民謀福。奈菲莉宣誓時，帕札爾竟忍不住興奮之情，躲到一旁拭淚去了。

* * *

狒狒終於在凱姆的陪伴下捱過了痛楚，精力漸漸恢復了，也多虧奈菲莉的悉心照顧，才沒有留下後遺症。牠不僅恢復了驚人的食量，也再度投入巡邏監護的工作。

帕札爾感動地擁抱著殺手。「我絕不會忘記你救過我的命。」

凱姆卻警告著說：「別太寵牠，否則牠會失去兇猛的性情而陷入危險。沒有發生什麼意外事故嗎？」

「自從我辭職以後，就毫無危險了。」

「你以後有什麼打算？」

「到市郊當法官，為平民盡點心力。如果遇到疑難，我會通知你。」

「你還相信司法嗎？」

「我很遺憾必須承認你說的對。」

「其實我也想辭職了。」

「繼續留任吧。至少你能逮捕罪犯，維護百姓的安全。」

「再來一次大赦還不是前功盡棄……不管再有什麼事，我都不覺得驚訝了，我只是為你難過。」

「雖然我們的影響範圍有限，但還是得行得直坐得正。凱姆，我最擔心的是你不再支持我。」

「我被困在喀達希家，沒有去碼頭送行，我簡直氣瘋了。」

「結果如何？」

「三人中毒身亡。但是誰計劃的呢？那兩個年輕人是個走江湖藝人的兒子。葬禮非常低調，除了幾個祭司，沒什麼人參加。這真是我所處理過最齷齪的案子。因為喀達希原籍利比亞，所以屍體不埋在埃及。」

「不會是有人想謀殺他們嗎？」帕札爾懷疑。

「你覺得是向你下手的那個人？」

「歐佩節期間，戴尼斯向我詢問了喀達希的反應。我也老實說出了他打算在飲毒之前告白的事。」

「戴尼斯很可能想殺人滅口……」

「為什麼這麼兇狠呢？」

「想必是牽涉到重大利益。戴尼斯一定僱用了刺客，我非把他揪出來不可。既然『殺手』已經復原，我們也可以重新展開調查。」

「我一直在想一件事，喀達希似乎很有把握能逃過死刑。」

「他相信戴尼斯會幫他想辦法。」

「也許吧，可是他那傲慢的態度……好像已經預知會有大赦似的。」

「祕密洩漏了嗎？」

「那我也會有耳聞啊。」

「錯了，你一定是最後一個得知的，朝臣都了解你不妥協的個性。」

帕札爾實在不願承認心中的疑慮。他就怕拉美西斯與戴尼斯串通，導致國家高層腐敗，這片樂土也落入了利慾薰心的小人之手。

凱姆看出了法官的不安，「現在只有事實能說明一切，所以我要循線找出攻擊你的人，他的供詞一定非常寶貴。」

「該輪到你當心了，凱姆。」

* * *

跛子是孟斐斯祕密市場裡數一數二的販子；每當有貨船載著各色貨品進港時，商販便會聚集到由碼頭改造的市場進行交易。警察對這些交易總是嚴密監控，稅務官也會鐵面無私地進行課稅。其實六十來歲的跛子原本早就可以退休，在河濱區的別墅安享晚年，但他就是喜歡去騙騙那些門外漢。最近一次上當的是一個自稱為烏木專家的國庫書記官；他在跛子的煽動與奉承之下，竟以高價買下了普通木材仿造的高級傢俱。

如今眼看著又有大魚要上鉤了；有一名暴發戶想收集向來好戰的努比亞勇士的盾牌，因為他覺得在安全無虞的家中製造一點危險的氣氛，感覺必定妙不可言，值得投資。於是跛子便和手藝精湛的工匠掛鉤，仿冒了一批幾可亂真的盾牌，甚至還把盾牌砍得凹凸不平，彷彿真的經歷過無數惡戰一般。

在他的倉庫裡就堆滿了類似的極品，這些都是他費盡心血得來的，件件巧奪天工。至於他下手的對象也都是一些愚蠢自負的有錢人。他一邊打開倉庫的門鎖，一邊想著隔天的交易，不由得笑出聲來。

就在他推開門的瞬間，忽然有一張毛茸茸的黑色獸皮朝他蓋了下來，他一時困在獸皮裡，想要掙脫卻跌了一跤，只好大喊救命。

「小聲一點。」凱姆說著，一邊讓他透了點氣。

「是你啊……你在幹嘛？」

「你認得這張皮嗎？」

「不認得。」

「說實話。」

「我說的是實話。」

「你是我最好的線民之一，不過我現在要你以商人的身分回答。有沒有人向你買過一隻體積龐大的公狒狒？」

「我很少做動物買賣。」

「像那種體型的狒狒應該警隊才會有。也只有你這種敗類才有辦法走私進來。」

「你這是亂安罪名給我。」

「我知道你胃口很大。」

「不是我。」

「你這回可惹火殺手了。」

「我什麼都不知道。」

「看來要讓殺手親自來問你了。」

跛子無法再推託，便說：「我的確聽說在愛利芬丁地區抓到了一隻大狒狒。這當然是一筆大買賣，但與我無關，我只負責運輸而已。」

「應該賺了不少吧？」

「自找麻煩，花錢消災倒是真的。」

「別想博得我的同情。我只想打聽一件事，你幫誰弄到這隻狒狒的？」

「這不太好吧……」他轉眼見到狒狒警察怒目直視，爪子還不耐煩地扒著地，不得已便問：「你會替我保守祕密吧？」

「你覺得殺手多話嗎？」

「不可以讓任何人知道是我說的，去找『短腿』。」

* * *

這人可真是名副其實；大大的頭，胸前長滿了毛，一雙短得離譜的腿卻是又粗又壯。他從小就以搬運貨物與蔬果箱維生，後來自己當了老板，手底下有百來個蔬果零售商。除了這份正當的職業外，短腿也從事一些獲利頗豐的非法交易。

見到凱姆和狒狒的出現，他不高興地說：「我一切都是照規矩來的。」

「你好像很不喜歡警察？」

「自從你當了警察總長以後就更不喜歡了。」

「因為你良心不安嗎？」

「有問題快問吧。」

「你這麼急著回答問題？」

「反正你的狒狒遲早會逼我的，乾脆早一點了結。」

「我要問的正是關於狒狒的事。」

「我最怕這些怪獸了。」

「可是你卻跟跛子買了一隻。」

短腿假裝忙著整理箱子，以掩飾心裡的不安。「那是幫別人訂的。」

「誰？」

「一個奇怪的傢伙。」

「叫什麼名字？」

「不知道。」

「描述一下他的長相。」

「也沒辦法。」

「太不可思議了。」凱姆怪道。

「平常我的觀察力是很敏銳，可是這個要買體型壯碩的狒狒的人卻像個幽靈，摸不著也看不到。他戴的假髮把額頭，甚至眼睛都遮住了，寬大的袍子也掩蓋了體型，就算再見到他我也認不出來。何況當面交易的時間實在太短，他連討價還價的過程都省了。」

「他說話的聲音呢？」

「很奇怪，我想他一定是故意變聲，可能在嘴裡含了果核什麼的。」

「你事後還見過他嗎？」

「沒有。」

這條路也行不通了，帕札爾丟了官，喀達希死了，這名刺客的任務應該也跟著結束了。

* * *

莎芭布在髮髻上別了幾根髮夾之後，打趣地說：「真是稀客啊，帕札爾法官；請容我先梳理一下。你該不會這麼一大早就需要我服務吧？」

「不用妳服務，只要妳說話。」

在這個裝飾奢華浮誇的地方，香味濃得叫人頭暈，帕札爾想找扇窗子透透氣卻不得。

「你的妻子知道你來嗎？」

「我一向什麼都不瞞她的。」

「好極了，她真是個特殊的女人，也是傑出的醫生。」

「你好像有寫日記的習慣。」帕札爾不多說便切入正題。

「你已經不是門殿長老了，以什麼身分詢問我？」

「以一個小法官的身分。妳可以不回答。」

「是誰把我的習慣告訴你的？」

「蘇提。他相信妳一定握有戴尼斯的小辮子。」

「蘇提是個做愛技巧高超的好人……我可以為他做點事。」

莎芭布妖嬈地起了身，走到帷幕後面。須臾，她拿出了一捲紙軸，說道：「我在裡面記錄了一些貴人顧客的怪癖、變態行為與不可告人的欲望。不過再看一遍時，卻覺得失望。埃及的達官貴人都很健康，做愛時的生理與心理也都很正常，所以我沒有什麼消息可以提供給你。就讓我們忘了過去吧。」

她說完，便將紙撕成了碎片。卻對帕札爾的無動於衷感到驚訝，「你竟然沒有攔阻我。要是我說謊呢？」

「我相信妳。」

莎芭布以貪婪的眼神望著帕札爾。「很遺憾我不能幫你，也不能跟你做愛。讓奈菲莉過幸福的日子吧。你只要以她為念，你們的生活一定會很美好。」

* * *

蘇提赤裸的身軀比風中搖曳的紙莎草桿還要柔軟，豹子俯首輕吻了一下，然後停一下，又往上吻了一下，就這樣緩緩地往情夫的唇邊吻去。蘇提受不了她溫吞吞的撫弄，一翻身便壓住了她。他們雙腳交纏，四臂緊抱，激情洶湧如尼羅河漲大水，內心卻又都有一種烈火焚身的熾熱快感。兩人都知道是欲望的充分享受與發洩使得他們離不開對方，但卻又不願承認。豹子憑藉著火般的熱情與溫柔的愛撫，輕易便喚醒了蘇提蟄伏的精力。蘇提暱稱她為「利比亞大貓」，因為她當初隻身遠赴西部沙漠時，勇猛如獅，而回來以後卻又溫馴誘人有如家貓。豹子的一舉手一投足都能挑起眩人而痛苦的情慾；她與蘇提交歡就像彈奏豎琴一般，隨著她的情慾流瀉出了和諧的樂曲。

「我帶妳上城裡的館子去。有一間希臘餐館剛開幕，有葡萄葉釀肉，還有希臘產的白酒。」蘇提說。

「我們什麼時候去取金子？」豹子不置可否，卻問道。

「等我有精力出遠門的時候。」

「我覺得你復原得差不多了……」

「跟妳做愛雖然也很累，卻比在沙漠中徒步旅行容易多了。我還需要多恢復點力氣。」
「我會陪你去的；沒有我，你絕對辦不到。」
「金子該賣給誰才不會被告發呢？」
「可以找利比亞人。」
「不行。我們要想辦法在孟斐斯解決；否則就到底比斯去。這種交易是很危險的。」
「也好刺激啊！為了錢，值得！」
「對了，豹子……妳殺那個警察時有什麼感覺？」
「很怕會失手。」
「妳以前殺過人嗎？」
「當時我只想救你，而且成功了。如果你以後再想丟下我，我一定殺了你。」

＊　＊　＊

蘇提細細品味著孟斐斯特有的氣氛，卻不由得心驚，想不到在沙漠待久了，孟斐斯竟變得如此陌生。無花果樹區裡，有一大群人趕著到哈朵爾神廟附近，去聽取接下來幾個節慶的日期。另有一些新兵往軍事區去領取配備。還有商人駕著驢車到倉庫去批穀物與新鮮蔬果。而在「一路順風」港口，則有剛抵港的船員們一邊卸貨，一邊哼唱著傳統歌謠。

那間希臘餐館開在南郊的巷道內，離帕札爾的第一間辦公室不遠。蘇提和豹子才走進去，便驚聞幾聲恐懼的尖叫。只見一輛馬車在狹窄的巷子裡橫衝直撞，車上的女乘客驚嚇之餘，手上的韁繩也鬆脫了。結果車身一個不穩，左輪撞到一間屋子的牆面，車廂翻覆，那名女子也跟著摔下地來。後來幾名路人合力才制服那匹發了瘋似的馬。

蘇提跑過去想看看傷者的情形。然而滿頭鮮血淋漓的妮諾法已經奄奄一息了。

＊　＊　＊

在場的人先為妮諾法作初步急救之後，便急忙將她送往醫院。她不僅有複雜性挫傷，左腿有三處骨折，而且胸廓凹陷，頸椎受傷；要想活命還真得靠奇蹟。一到醫院，奈菲莉和兩名外科醫師立即為她動手術。幸虧妮諾法體質甚佳，終於逃過一死，但以後走路就得靠枴杖了。

她很快便能夠開口說話，於是凱姆徵得醫師同意，與帕札爾一起向她問話。

「法官將以證人的身分陪同我問訊。」凱姆解釋道：「我想這樣比較好。」

「為什麼這麼小心？」妮諾法問。

「因為我覺得事故的原因很可疑。」

「是拉車的馬脫了韁……我控制不了罷了。」

「妳經常一個人駕車嗎？」帕札爾問道。

「當然不是。」

「那這次又是為什麼？」

「本來有一個僕人幫我駕車，可是我先上了車後，突然有一樣東西丟到了馬，大概是石子吧。結果馬受了驚嚇，豎起身子一陣嘶鳴，就開始狂奔了。」

「這難道不是謀殺嗎？」

妮諾法頭上還纏著綳帶，露在外面的雙眼，眼神有點閃爍，「不太可能。」

「我懷疑是妳丈夫。」

「可惡！」

「我說得不對嗎？他高貴的外表底下，其實有一顆卑劣虛榮的心，他從來只為自己的利益著想。」

妮諾法似乎受到不小的震撼，帕札爾趁勝追擊，「妳也有嫌疑。」

「我？」

「殺死布拉尼的凶器是一枝貝殼針，而你恰好是使針的高手。」

妮諾法慌忙坐起。「太可怕了……你竟敢如此指控我！」

「若非大赦，妳本該因非法交易布料、服飾等而被判刑的。犯罪行為不經常是一而再再而三的嗎？」

「為什麼你這樣緊追不捨？」

「因為妳的丈夫主導了一宗陰謀，而妳就是他最親密的同謀，對吧？」

妮諾法難過地咧咧嘴。「你的消息並不正確，帕札爾法官。發生意外之前，我正打算離婚呢。」

「可是妳改變主意了？」

「因為有人想透過我整戴尼斯，我不能在他最困難的時候丟下他。」

「請原諒我的魯莽。祝妳早日康復。」

* * *

他二人坐在一張長石凳上。狒狒的平靜顯示他們並未受人跟蹤。

「你覺得如何，凱姆？」

「真是無可救藥的愚蠢。她就是不明白，有錢的人是她，他們一離婚戴尼斯馬上會變成窮光蛋，他當然想要除掉她。不過，戴尼斯也沒想到其實他是穩操勝算的；就算妮諾法沒有死於意外，她也會與他復合！實在再也找不到比她更笨的富婆了。」

「你說得是粗魯了些，但夠中肯。」帕札爾說：「我也確定了一件事：她不是殺布拉尼的兇手。」

第三十七章

這一年的冬天冷過往常。仲冬時節，拉美西斯大帝舉辦了奧塞利斯復活節的慶祝儀式。慶祝了尼羅河的肥沃豐收之後，現在輪到戰勝死亡的聖靈復生了；每一間神殿裡都點了燈，象徵著神明復活的永恆之光。

法老前往薩卡拉；一整天裡，他先在階梯金字塔前靜思之後，又到賢君左塞的雕像前敬拜。金字塔圍牆內唯一一道開啟的門，只有已故法老的靈魂，或者在位法老於其再生儀式期間，在天地眾神的見證下，方得以進入。

拉美西斯虔心祈求已化身蒼穹星辰的先祖，指引他安然脫離無形的敵人為他設下的險惡陷阱。四周光明、寧靜的莊嚴氣氛，使法老平靜了不少；放眼望去盡是幻化的光影，在宏偉陵墓中央的巨大石階上躍動。

傍晚時，他心中已有了答案。

* * *

凱姆實在坐不住辦公室，連詢問蘇提也是沿著尼羅河邊走邊問。「你的遭遇確實驚險。能活著離開沙漠可真是不簡單。」

「我的運氣好，這比神明的保佑還要有用。」

「運氣就像善變的女人，不能太依賴。」

「老是小心翼翼的卻又很無趣。」

「艾弗萊是個超級流氓，就算他死了，你也不難過吧？」

「他跟亞舍將軍逃走了。」

「可是不管警衛隊怎麼找，就是找不到。」

「我發現他們很能躲避沙漠警察的追緝。」

「你好像一個魔法師啊，蘇提。」

「這是恭維還是譴責？」

「逃離亞舍的魔掌簡直難如登天，他怎麼會放你走呢？」

「我也不明白。」

「他應該會殺了你的，對不對？還有一點很奇怪，亞舍躲到礦區裡去做什麼？」

「等你抓到他就知道了。」蘇提若無其事地說。

「金子是至高無上的財富、遙不可及的夢想。亞舍也跟你一樣不信神；不過艾弗萊知道一些被遺忘的礦區地點，他告訴了亞舍。而有了金子，將軍也就不必擔心未來了。」

「亞舍什麼也沒有告訴我。」

「可是你沒有想過跟蹤他嗎？」

「我當時受了傷，根本沒有氣力。」

「我相信將軍已經被你殺了。你那麼恨他，再大的危險也擋不住你。」

「以我當時的情況，這樣的對手太強了。」

「我知道有時候意志力是可以支配軀體的。」

「亞舍回來以後，將會獲得大赦。」

「他不會回來了，他的肉早被禿鷹啃盡，屍骨也隨風飛散了。你把金子藏在哪裡？」

「除了運氣，我什麼都沒有。」

「偷金子罪不可恕，從來沒有人能保住從山中竊取的金子。趁現在還來得及，趕快交出來吧。」

「你已經成了名副其實的警察了。」

「我喜歡維持秩序。只要人事物各得其所，就能建立富強康樂的國家。而金子屬於神廟；如果你把戰利品送回科普托思，我會守口如瓶。否則你就是我的敵人。」

* * *

奈菲莉不願意搬進奈巴蒙原來的官邸，因為裡面留有太多晦暗的感覺。她寧可等著行政單位重新分配，何況她只是每晚在家睡幾個小時，也用不著太大的房子。

就在她就任的第二天，便有許多唯恐受忽視的衛生團體要求見她。奈菲莉極力安撫大家焦慮與不耐的情緒；在考慮個人的晉升問題之前，她必須先顧及民眾的需求。因此她讓職員到各個村落去分送寶貴的水；接著查看了醫院診所的名單後，發現有部分省分非常缺乏醫療資源，南北專科與普通科醫生的分配也不平均。此外還有一件刻不容緩的事，是必須應友邦之請求，調派醫生前往醫治一些名門顯要。

奈菲莉開始衡量自己工作的範圍，以便妥善安排。除此之外，她還要去面對宮裡的醫生們含蓄的敵意；這幾個普通科、外科與牙科醫生，自奈巴蒙去世後開始負責照顧法老的健康，他們自認為勝任愉快，也相信法老對他們極為滿意。

下了班走在街上，她頓時感到疲勞盡消。路人，尤其是王宮附近的居民，幾乎沒有人認得她。一天下來，每個跟她說話的人都想考驗她，經過這一番疲勞轟炸，她總算能輕鬆自在地散散步了。

當蘇提忽然出現在身旁時，她還真嚇了一跳。

「我想跟妳單獨談談。」蘇提說。

「帕札爾也不能聽？」

「目前還不能。」

「你在怕什麼？」

「我的懷疑太模糊、太可怕了……一出錯就可能全盤失控。我想還是先跟妳談談，妳來幫我決定。」

「是關於豹子？」

「妳怎麼知道？」

「她在你的生命中佔了很重的分量……你似乎很愛她。」

「妳錯了，我們的關係僅止於肉體上。可是豹子……」

蘇提頓了一下。一向喜歡快走的奈菲莉，也放慢了腳步。卻聽蘇提要求道：「妳把布拉尼被殺的情形再說一遍。」

「兇手把一根貝殼針插進他的頸子，由於部位精確，而使他立即斃命。」

「豹子以匕首刺殺那個叛變的警察時，用的是同樣的手法。那個人可是人高馬大的。」

「只是巧合吧。」

「希望如此，奈菲莉，我真心希望如此。」

「不要折磨自己了。布拉尼的靈魂一直陪著我，如果你的懷疑屬實，我一定會有所感應。相信我，豹子是清白的。」

* * *

奈菲莉和帕札爾之間從無祕密。自從他們因愛結合之後，默契便與日俱增，絲毫不受日常的瑣碎所消磨，也不因衝突而破裂。這天深夜帕札爾上床時，無端把奈菲莉吵醒，她便將蘇提的疑慮告訴了丈夫。

「他一想到同居的女子可能是殺害布拉尼的兇手，就深感愧疚。」

「他從什麼時候開始有此瘋狂的想法？」

「這就像噩夢一樣縈繞在他的腦海。」

「荒唐。豹子根本不認識布拉尼。」

「她也可能是受人利用。」

「是愛情的力量讓她殺死警察的。」帕札爾很有把握地說：「叫蘇提放心。」

「你好像很有自信。」

「我是相信她和他。」

「我也是。」奈菲莉認同地點點頭。

*　　*　　*

皇太后的到來引起了接見廳一陣騷動。前來申請衛生醫療器材的省府首長，紛紛行禮迎接太后。

太后走到奈菲莉面前，擁抱了她，恭賀道：「這才是屬於妳的位子。」

「我還是遺憾不能到上埃及的村子去。」

「遺憾與後悔都是沒有意義的，只有為國家效力才最重要。」

「太后可安好？」

「非常好。」

「還是要做個例行檢查。」

「既然妳堅持的話。」

太后雖然年事已高，又曾病痛纏身，但今日氣色確實不錯。不過奈菲莉仍請她繼續接受治療。

「妳的工作可不輕鬆啊，奈菲莉。以前奈巴蒙做事總是曠日持久、草草了結，他身邊的人也個個逢迎拍馬。這群萎靡不振、心胸狹隘、觀念保守的人一定會對妳多方阻撓。妳要知道，惰性是很可怕的武器，所以千萬不能掉以輕心。」

「法老可也安好？」

「他在北方視察駐軍。我覺得亞舍將軍的失蹤讓他很煩惱。」

「他又向妳說出他的想法了嗎？」

「沒有！否則我一定質問他，為什麼要頒布那份遭人議論的大赦令。」太后嘆了口氣道：「拉美西斯累了，他的力量用盡了。就連大祭司們也都認為必須立刻舉行再生儀式。」

「到時一定會舉國歡騰。」

「而拉美西斯也會再度散發勝利之光。有需要儘管找我；現在，我們的聯繫可以說是名正言順了。」

聽了太后的鼓勵，奈菲莉不由得信心大增。

* * *

女工下工了之後，塔佩妮開始檢查工廠。只要缺了點什麼，她那訓練有素的利眼都能馬上察覺；在她的地方，一樣工具、一塊布都不能偷，否則一被抓到就是嚴刑伺候。她以為只有嚴刑峻罰才能時時維持一定的工作品質。

忽然，一個男人走了進來。

「戴尼斯……你想做什麼？」塔佩妮問。

戴尼斯關上了身後的門。他緊繃著臉，龐大笨拙的身軀緩緩向前移動。塔佩妮見他不作聲，又問：「你不是說我們不應該再見了？」

「不錯。」

「你錯了。我可不是那種招之即來、揮之即去的女人。」

「妳也錯了。我可不是那種可以受人勒索的名人。」

「你不屈服，我就毀了你的名聲。」

「我妻子剛剛出了意外，若非神明眷顧她已經死了。」

「這起意外改變不了我跟她的協定。」

「她跟妳根本沒有什麼協定。」

戴尼斯猛然反手掐住了塔佩妮的脖子，然後把她壓靠在牆上，威脅道：「妳要是再繼續騷擾我，下一個發生意外的就是妳。我最痛恨妳這種手段，跟我來這套，妳是注定要失敗的。別再找我妻子麻煩，也把我們的會面忘了吧。妳若還想多活幾年，就安分一點。再見了。」

他鬆開手後，塔佩妮連連喘了幾口大氣。

* * *

自從凱姆問過話之後，蘇提就擔心他派人跟蹤。那個努比亞警察的警告可不能等閒視之，萬一真被他逮著了，連帕札爾也救不了自己的。

幸好豹子的嫌疑已經洗清了；不過他們還是得瞞著凱姆偷偷地離開孟斐斯。想盡情享受這批可觀的寶藏並不容易，非得有門道不可；因此蘇提找上了幾個專門替人處理並窩藏贓物的人，他們經營的規模還都不小。不過他當然沒有洩漏祕密，只說有一大批貨需要長程運送。

他覺得短腿倒是可以合作的對象；他既不多問，又爽快地就答應提供強健的驢子、肉乾與水袋到他所選定的地點。千里迢迢把金子從洞穴運回大城裡來藏匿，還要用金子買一棟豪華別墅，過奢華的生活，需要冒多麼大的風險啊？可是蘇提卻興致勃勃地想賭賭運氣。眼看財富在望了，幸運之神應該不會離棄他吧。

再過三天，豹子和他就要出發前往愛利芬丁了。短腿給了他一塊木板，只要循著木板上的指示前往一個陌生的村落，他們便能獲得牲畜和所需物資。然後，他們再從洞穴中取出部分金子，帶回孟斐斯，也許能在某個希臘人、利比亞人與敘利亞人交易熱絡的黑市中完成買賣。這黃澄澄的金子不但價格高，市面上更極為搶手，蘇提相信一定能找到買主的。

這回事跡若是敗露，就算不死也得關一輩子。但他若能擁有這埃及最寶貴的物事，他不就能大擺筵席，請帕札爾與奈菲莉當座上貴賓了？到時候，他還要將所有財物一把火燒了，好讓火焰上達天庭告知眾神，使人神盡歡。

* * *

首相滿臉倦容，聲音沙啞地說：「帕札爾法官，我找你來是希望提醒你注意自己的言行。」

「我犯了什麼錯嗎？」

「你對大赦令不滿，又何必到處張揚，你也未免太明目張膽了吧？」

「我若保持緘默就是欺騙。」

「你知道你這樣做過於輕率嗎？」

「你難道沒有向法老表明反對的立場？」

「我是個老首相，而你是個年輕的法官。」

「我只是區裡的小法官，我的想法又怎麼會冒犯君王呢？」

「你曾經是門殿長老，要懂得內斂。」

「我下回的任命是否會以我的沉默為準則？」

「你很聰明，應該已經知道答案了。一個懷疑法律的法官還有資格當執法人嗎？」

「這樣的話，我願意放棄這個職務。」

「這可是你的生命動力啊，帕札爾。」

「我承認這樣的傷口將無法癒合，但總好過當個虛偽的人。」

「你太過於嚴苛了。」首相搖搖頭。

「這句話出自你的口中倒是一種讚美。」

「我一向不喜歡諂媚奉承，但我以為國家需要你。」

「為了忠於理想，我希望能找回金字塔時期的埃及，那個屬於底比斯高峰的埃及，那個正義光芒不朽的埃及。在那裡沒有大赦。我若是錯了，就讓司法捨棄我繼續前進吧。」

* * *

「你好啊，蘇提。」

蘇提放下盛滿了新鮮啤酒的杯子，訝然高呼。「塔佩妮！」

「我找你找得好苦。這個餐館這麼髒，你卻好像很喜歡。」

「妳好嗎？」蘇提尷尬地問。

「你走了以後就不怎麼好了。」

「像妳這種美女是不會寂寞的。」

「你該不會忘了吧？你是我丈夫。」

「我離開妳家時，就算跟妳離婚了。」

「不，親愛的，我只當成是你暫時離家罷了。」

「我們的婚姻只算是調查的一部分，大赦已經使這段婚姻失效了。」

「我是很認真的。」

「別開玩笑了，塔佩妮。」

「你是我夢想中的丈夫。」

「拜託妳……」

「我要你立刻拋棄那個利比亞賤人，回到我們的家來。」

「太荒謬了！」

「我不想盤盤皆輸。最好聽我的話，否則你會後悔的。」

蘇提聳了聳肩，仰頭便乾盡了一整杯啤酒。

* * *

勇士在帕札爾與奈菲莉跟前奔跑嬉戲。牠直盯著運河水，卻又不敢靠近。小淘氣則攀在女主人的肩頭。

「我的決定讓巴吉很難過，但我還是要堅持。」

「你會到鄉下去執業嗎？」

「我哪也不去。我不再是法官了，奈菲莉，因為我反對了一個不公平的決定。」

「我們當初應該到底比斯去的。」

「其他醫生還是會把你叫回來。」

「其實我的地位也很不穩固。皇宮的御醫長由女性擔任，許多重要朝臣都頗不以為然。只要我稍有犯錯，他們就會藉口轟我下來了。」

「我要實現一個長久以來的夢想：當園丁。以後我們的房子，我一定會佈置得漂漂亮亮。」

「帕札爾……」

「我們能在一起生活已經是無比的幸福了。你安心為埃及的民生健康努力，而我就來照顧花草樹木。」

* * *

帕札爾並沒有看錯，確實是孟斐斯北方的聖城赫利奧波利斯的大法官所送來的就職通知。赫城並非經濟重鎮，城裡只有幾座神廟，環繞著一座代表太陽光芒的巨大方尖碑而建。

「他們打算讓我到聖城去，專門處理宗教問題。那裡一向風平浪靜，我就不致於疲勞過度了。那份工作通常都是由上了年紀或體弱多病的法官出任的啊。」

「巴吉是為你著想。」奈菲莉認為，「至少，你保住了法官的頭銜。」

「讓我遠離民生事務……真是用心良苦。」

「不要拒絕這個職務。」

「如果他們仍企圖強迫我接受大赦令，我是不會待太久的。」

* * *

赫城住著一群編寫聖經、儀式書與神話，以傳承古人智慧的文士，至於高牆圍聳的神廟中，則有少數幾名主祭官負責光之能量的祭典。

這座城安靜極了，沒有商販也沒有店鋪；一棟棟白色的小屋裡，住的全都是祭司以及負責製造與維修祭祀器物的手工藝匠。全然不受世俗塵囂之擾。

帕札爾到了大法官辦公室，兩鬢斑白的書記官一面招呼他，一面嘀咕個不停，似乎頗為不耐。他看完通知書後，便自走了出去。這地方靜得像是睡著了一般，與孟斐斯的喧嘩擾嚷有著天淵之別，實在令人難以相信這裡也有人在工作、活動。

此時，來了兩名帶著短棍的警察問道：「是帕札爾法官嗎？」

「你們要做什麼？」

「跟我們走。」

「為什麼？」

「是上級的命令。」

「我不去。」

「你反抗也沒有用。不要逼我們使用武力。」

帕札爾中了圈套了。凡是與拉美西斯作對的人都得付出代價；他們給他的不是法官的職位，而是一方遺世獨立的墳地。

第三十八章

帕札爾在兩名警察的帶領下，走到一棟緊鄰著拉神神廟圍牆的橢圓形建築前面。大門一開，走出了一個光頭的老祭司，他雙眼黝黑，滿臉皺紋，身上披著一件豹皮。

「你是帕札爾法官？」

「你們這是違法拘禁。」

「別說傻話了。進來把手腳洗乾淨，靜思一下。」

帕札爾心下狐疑，但還是照做了。大門再度關上，兩名警員則留在門外。

「這是什麼地方？」

「赫利奧波利斯的長生殿。」

帕札爾大吃了一驚。這裡竟然就是古代賢人撰寫「金字塔文」、披露靈魂轉變與再生過程的祕密的聖殿，一般人是無法輕易進入的。大家都知道在這個神祕殿堂裡，曾造就了一些極為傑出的占星學家。

「淨身吧。」

帕札爾顫抖著洗淨了身子。僧人又說：「我叫禿子。我負責守護大門，不讓有害物質侵入神廟。」

「我的通知書……」

「別說一些沒用的話來煩我。」

禿子身上散發出一股強大的力量，硬是把帕札爾的話全鎖在喉頭深處。

「脫下纏腰布，穿上這件白衣。」

帕札爾頓時覺得好像迷失在另一個世界裡。長生殿裡四面石牆高聳，牆上沒有銘文，只有高處幾扇小小的天窗透進了微光。

「我還有個綽號叫劊子手。」禿子警告說：「因為我專門砍殺奧塞利斯的敵人。這裡保存了眾神的年譜、科學書籍與神祕儀式書，所以不論看到或聽到什麼，都希望你能守口如瓶。饒舌的人是會遭天譴的。」

帕札爾跟著禿子走過一道長廊，來到一個沙地庭院。庭院中央有座小丘，是奧塞利斯木乃伊所在，也是生命能源最祕密的匯集之處。這尊又名「神石」的木乃伊外表塗滿了香脂，並披覆著一張羊皮。

「創造埃及的能量就在這尊木乃伊身上消逝並重生。」禿子指道。

庭院四周有幾間圖書館和工作坊，只有獲得特許的工匠能在此工作。

「你看到了什麼，帕札爾？」

「一座沙丘。」

「這正是生命的化身。能量從萬物皆處於萌芽階段的海洋中湧出後，便化為山丘之狀。因此越往高處便越接近萬物本源。現在進入這間廳室接受審判吧。」

審判官高坐在鍍金的木椅上，頭戴捲曲的假髮蓋住了耳朵，身上穿了一件長袍。他的胸前有一個大結飾，右手握著權杖，左手一柄長杖，身後則有一個金天秤。

這個負責保守長生殿的祕密、分發祭品、守護原石的人，令人望之生畏。他向來人問道：

「你想當個誠實的法官，是嗎？」

「我努力在做。」

「你為什麼不願遵行法老頒布的大赦令？」

「因為大赦令不公平。」

「在此遠離世人的封閉之處，面對審判天秤，你仍敢這麼想嗎？」

「我敢。」

「那麼我也沒有辦法了。」

禿子攫住帕札爾的肩膀，強迫他退下。那些漂亮話原來也是圈套。祭司們唯一的目的就是迫使他屈服。既然勸服不了，只有動粗了。

「進來。」禿子砰的一聲關上了銅門。

小小的密室中只亮著一盞燈。牆壁內挖通的兩條管道，主要是通氣用的。室內有一個人目不轉睛地看著帕札爾。

他紅髮、寬額、鷹勾鼻。手腕上戴著金鐲與天青石手鐲，鐲子前半部還裝飾著兩個野鴨頭。這是拉美西斯大帝最喜歡的珠寶飾物了。

「你是……」帕札爾感到唇乾舌燥，就是說不出「法老」兩個字。

「你呢，是帕札爾，那個辭去門殿長老之職，還批評朕的大赦令的法官。」

法老強硬的語氣中帶著責備。帕札爾的心怦怦亂跳；在全世界最有權勢的君主面前，他完全無法自主。

「說話啊！難道朕聽到的不是事實？」

「不，陛下，是真的。」帕札爾這時才警覺到自己忘了行禮，連忙躬身下跪。

「起來吧。既然你有勇氣對抗國王，就要像個戰士。」

帕札爾果然氣惱地站起來，說道：「我不會退縮的。」

「你對朕的決定有什麼不滿？」

「為罪犯脫罪並予以釋放，不只侮辱了眾神，更蔑視了人民的苦難。倘若陛下繼續這種危險的做法，總有一天會使受害者成為代罪羔羊。」

「難道你都不會犯錯？」

「我犯過許多錯誤，但絕不曾犧牲無辜者。」

「你不受人收買？」

「我絕不出賣靈魂。」

「你可知有欺君犯上之罪？」

「我並未違反瑪特女神的律法。」

「朕是女神的子嗣，難道會不懂祂的律法？」

「大赦實在太不公平，國家很容易會失序的。」

「你這麼說不怕招禍嗎？」

「我很高興能向陛下坦承我的想法。」

至此，拉美西斯的態度驟變，原本逼人的氣勢忽而轉為沉穩、緩慢的語調。「自從你來到孟斐斯，朕就一直注意你。布拉尼是個睿智的人，絕不會草率行事。由於你的正直，他選擇了你；而他的另一名學生奈菲莉，現在也成了御醫長了。」

「她很成功，我卻失敗了。」

「你也很成功，因為你是埃及唯一正直的法官。」

帕札爾真是驚訝之至。法老又接著說道：「雖然你遇到無數阻撓，甚至朕也出面了，你的信念卻始終如一。你為了司法正義，寧願冒犯埃及法老，你是朕最後一線希望了。朕獨自受困於可怕的陷阱中，你可願意出手相助，或者寧可平靜度日呢？」

「聽憑陛下差遣。」帕札爾深深一鞠躬。

「你這是打官腔或是肺腑之言？」

「我可以行動證明。」

「如此朕便要將埃及的未來交付與你了。」

「我……我不明白。」帕札爾有點惶恐地說。

「這個地方十分隱密，朕對你說的話絕對不會洩漏出去。考慮清楚了，帕札爾，現在拒絕還來得及。否則等朕說出了祕密，你將須承擔史無前例的艱鉅任務。」

「布拉尼喚醒了我的使命感後，我從未逃避過。」

「帕札爾法官，朕現在命你為埃及首相。」

「但是巴吉首相……」

「巴吉老了，也累了。最近幾個月他已經不只一次提出辭官的念頭。雖然朕的親信提出了一些人選，但朕屬意的卻是違抗大赦令的你。」

「為什麼巴吉不能承擔陛下要交給我的任務呢？」

「一方面他已經力不從心，無法從事調查；另一方面朕又擔心他手下追隨他多年的人，無法保守祕密。只要走漏了一點風聲，埃及將整個覆沒於地獄惡魔之手。明天起，你將獲得一人之下萬人之上的尊榮，但你也將被孤立，沒有朋友、沒有支援。你盡可以打破傳統制度、進用新人，但絕不能吐露祕密，也不能相信任何人。」

「陛下說的調查是……」

「事情是這樣的，帕札爾。大金字塔內放置了一些象徵法老王權之合法性的聖物，但卻有人殺了警衛潛入金字塔，偷走了這些寶物。因此儘管各大神廟的大祭司一再請託，人民內心也十分渴求，但沒有這些聖物便無法舉行再生儀式。距離尼羅河下次氾濫不到一年的時間了，屆時我將被迫讓位給幕後操控的竊賊。」

「大赦令也是陛下被迫頒布的？」

「這是我第一次不得不違反司法行事。否則陰謀分子就會將一切公諸於世，逼朕立即棄位。」

「當初敵人為什麼沒有立刻採取行動呢？」

「因為他們尚未準備就緒；奪取王位畢竟輕忽不得。由朕讓位是最適當的，篡位者不但名正言順，位子也能坐得穩。而朕之所以遵照匿名信頒布了大赦令，主要也是想看看誰敢出面反抗。而除了巴吉和你，並無人出面質疑其法律根據。不過，老首相也該退休了，尋找罪犯、拯救國家的重擔只好由你承擔。」

帕札爾回想起了調查過程的各個重要階段，最初乃是肇因於自己拒絕簽署一份司芬克斯榮譽衛兵的調職公文，此舉卻正好涉入了整個陰謀的重要環節。

「國內從未發生過這麼一連串的殺人事件。當時朕就覺得必定與此陰謀有所牽連。為什麼要殺死五名退役軍人？因為吉薩的司芬克斯就在大金字塔附近。這些衛兵妨礙了陰謀分子的行動，必須先除掉他們，才能祕密潛入金字塔內。」

「怎麼進去呢？」

「由一條地道，朕原以為地道已經封閉，所以你要去查查。也許還留有線索。朕一直以為亞舍將軍是整樁陰謀的主使者……」

「不，陛下，這只是障眼法。」

「他至今下落不明，必定是想聯合利比亞各部落侵犯埃及。」

「亞舍已經死了。」帕札爾不得不老實說。

「你有證據嗎？」

「是我的好友蘇提說的。」

「他殺了他？」

帕札爾遲疑不敢回答。

「你是朕的首相，我們君臣之間不該有所隱瞞。」

「蘇提的確殺了這個他恨之入骨的人。他曾親眼目睹將軍刑求一名埃及士兵。」

「朕一直很相信亞舍的忠誠，想不到竟是錯了。」

「如果戴尼斯一案照常開庭，也會證明他是有罪的。他和友人喀達希、謝奇三人都頗有嫌疑。喀達希向來夢想成為御醫長，而謝奇則致力於製造強力武器。此外，哈圖莎王妃遭害的那場火警，很可能和謝奇和戴尼斯有關。」

「陰謀分子就是這三人嗎？」

「不知道。」

「去查清楚。」

「陛下，以前我都想錯了，現在我必須知道一切真相。大金字塔被竊的聖物有些什麼？」

「一把神鐵製的橫口斧鑿，這是復活儀式中為木乃伊開口用的。」

「斧鑿現在正由孟斐斯普塔赫神廟的大祭司保管呢！」

「一些天青石護身符。」

「謝奇籌畫了一起非法交易；這些護身符應該也安然保存於卡納克神廟的大祭司卡尼處。」

「一隻純金的聖甲蟲。」

「也在卡尼那裡呀！」帕札爾簡直興奮到了極點。這位新任首相幾乎以為自己在無意中，已拯救了金字塔的所有聖物。但拉美西斯接著說：「竊賊們還偷走了齊阿普斯的金面具與項鍊。」

帕札爾無言以對，臉上寫滿了失望。

「如果他們也跟從前的盜賊一樣，那麼這些珍貴的遺物是找不回來了，就連獻給瑪特女神的金手肘，大概也都一起融成金條銷到國外去了。」

聽完法老這席話，帕札爾不禁激動地熱淚盈眶。這些卑鄙小人怎能忍心摧毀如此至美極品？

「既然找回了部分寶物，另一部分也被摧毀了，那麼敵人還有什麼籌碼呢？」

「最重要的一樣。」拉美西斯答道：「眾神的遺囑。金手肘可以找手藝絕頂的金銀匠再造，但遺囑卻是法老代代相傳、絕無僅有的。舉行再生儀式時，朕必須向眾神、大祭司、九位友人與全國人民出示遺囑。這是法老的律法，過去如此，將來亦如此，朕不得不遵從。在儀式舉行前的這幾個月內，敵人一定還會繼續想辦法削弱我的力量、打擊我的聲譽。你必須趕緊想出對策瓦解他們的陰謀，否則只怕祖先留下的基業就要毀於一旦了。因為既然陰謀分子膽敢侵犯最受人民尊崇的聖殿，就表示他們根本藐視我們的基本價值觀。面對如此大的賭注，朕已將個人置於度外；但朕的帝位卻象徵了埃及的千年王朝，與埃及所賴以建國的傳統價值。朕愛埃及如同你愛埃及一樣，是超越生命、超越時空的。如今竟有人想熄滅她的光芒。起身行動，為護衛這道光芒而戰吧，帕札爾法官。」

第三十九章

一整晚帕札爾都盤坐在托特神的雕像——一隻戴著月冠的狒狒——前靜坐冥想。廟中一片悄然；屋頂上，占星學家正在觀察星象。與法老對談後的震驚仍未能平復，因此他希望能在上任前，在開始另一段他想也想不到的新生活前，享受一下這最後的平靜時刻。他回想著當奈菲莉、勇士、北風、小淘氣和他就要搭船前往底比斯的那個美妙的剎那、想著上埃及小村落的寧靜生活、想著妻子的溫柔、四季的流逝、想著遠離國家大事與人類野心的幸福。但這些都已成了遙不可及的夢想了。

兩名儀式學者帶著帕札爾到長生殿，把他交給了禿子。帕札爾跪在一張草蓆上；禿子先用木尺點了一下他的頭之後，便拿出水與麵包說：「吃吧。你要隨時保持警覺，否則這些食物將會變苦。只有靠著你的行動方能易苦為樂。」

帕札爾洗淨身子、剔除毛髮、灑了香水後，穿上一件古式纏腰布與亞麻長袍，並戴上了短假髮。儀式學者領他走向皇宮，此時皇宮四周早已擠滿了好奇的群眾，因為傳令官已經在前一天宣佈了新首相的任命案。

帕札爾收斂心神，無視周遭的喧擾，走進了大覲見廳。廳中法老高坐於寶位之上，頭戴紅白相間的皇冠，象徵著上下埃及的融合。國王兩側分別坐著他的九位友人，其中包括前首相巴吉，與新上任的白色雙院院長美鋒。其他還有許多朝貴被安排站在廳柱之間；帕札爾一眼就見到了御醫長奈菲莉，她神情嚴肅卻面帶微笑，視線則一直沒有離開過丈夫。

帕札爾面對著國王站著。傳旨官打開了聖旨宣道：「朕，拉美西斯，今任命帕札爾為首相，為司法效力，為國家盡心。這並非朕之恩典，因首相之職絕非輕鬆得以勝任，而是比膽汁更為苦澀。卿須隨時隨地遵守律法；對眾人皆平等對待，不分貧富貴賤。卿須以智慧與大公無私之言語，令眾人敬信。指揮他人時，須以引導為要，切勿攻訐或使用暴力。切不可沉默逃避，須面對困難，勿向強權低頭。審判過程務必清晰透明，毫無掩飾，使眾人皆能領會信服；卿之言行將隨水與風傳達予民。切勿因遮蔽視聽裁斷不公而招致民怨。絕不以個人喜好為行為基準；無論熟識或陌生，皆須一視同仁，勿特意討喜或觸怒，勿徇私偏袒，然而亦不得過度嚴苛、強硬。務必使叛亂、狂妄與饒舌者受懲罰，因其乃混亂、毀滅之根源。卿須以瑪特女神律法為唯一依歸，此法自眾神時代以降即未曾稍變，即使人類滅亡，此法亦將永續不墜。卿生活之唯一態度即為正直。」

傳旨官宣畢，巴吉向法老行了個禮，伸手便要取下頸間的銅心交還君王。

「留著吧。」法老說道：「這麼多年來，你一直非常稱職，你有權利帶著它到另一世去。現在，就好好享受愉快平靜的晚年吧，偶爾也記得指點一下繼任者。」

新舊任的首相互相擁抱之後，拉美西斯為帕札爾戴上了由御匠精心製造的全新銅心。

「你如今是司法長了。」法老期勉道：「你要多為埃及與埃及子民的幸福努力。你是護衛法老的首相，就有如護衛金子的銅；今後你必須依照朕的旨意行事，但也不可過於軟弱卑屈。你每天的工作情形都必須向朕報告。」

其餘朝臣紛紛懷著崇敬之心向新首相致意。

* * *

各地的省長、領主、書記官、法官、工匠以及全國的男男女女，無不為新首相歌功頌德。到處都為他舉辦了慶宴，宴中供應了最上等的肉品以及國家贊助的高級啤酒。

還有什麼比首相更令人稱羨的際遇呢？他一呼百諾，出遠門搭的是雪松船，三餐享用的是珍饈佳饌，並有樂師奏樂助興；葡萄農為他獻上紫葡萄，總管則準備了加了香料的烤雞鴨與鮮美的魚。首相坐的是烏木座椅，睡的是襯有舒適床墊的鍍金木床；按摩室中還有按摩師隨時候著，為他消除疲勞。

然而這一切只不過是美麗的假象罷了。就像法老在他就任典禮上所說的，他的任務將「比膽汁更為苦澀」。奈菲莉當上了御醫長，卡尼是卡納克的大祭司，凱姆警察總長……眾神不也都選擇了正直的人，讓他們為埃及奉獻心力？此時理應是晴空萬里、心情愉悅的，但帕札爾卻感到痛苦憂鬱。

不到一年，這片眾神眷顧的樂土難道就要陷入黑暗了？

奈菲莉以手臂環住帕札爾的肩，緊緊地摟著他。帕札爾把法老的話都告訴她了；祕密兩人一起守，壓力也一起承擔。他們迷惘地抬起頭望著蒼天，群星與布拉尼的靈魂正光芒閃爍呢。

* * *

帕札爾沒有婉拒法老提供給首相的庭園別墅。廣大的莊園四周有高牆圍繞，大門由凱姆特派的警衛駐守，鄰近的屋子裡，也有警員二十四小時輪流監視著大宅的動靜。凡是進出的人一律要出示通行證或正式的請帖。這棟距皇宮不遠的首相官邸儼然一座綠意盎然的小島，五百棵樹森森鬱鬱，其中包括七十株埃及無花果樹、三十株酪梨樹、七十株棗椰樹、一百株埃及姜果棕、十株無花果樹、九株柳樹與十株檉柳。還有一些由努比亞與亞洲進口的稀有品種，則都各只有一株。葡萄園所盛產的名酒也只供首相享用。

奈菲莉的綠猴更是興奮地想像著無數攀爬與享受鮮果大餐的樂趣。整個莊園由二十多名園丁負責維護；種作的部分則由灌溉渠區分為一塊塊的方地，種植著萵苣、大蒜、洋蔥等等，有些黃瓜還長到階梯上去了。

庭院中央有一口五公尺深的井。有一道緩坡可通往避風亭，在這裡可以欣賞到冬日落陽的絕景；往另一頭走，在高大的樹蔭下還有一座迎著北風而建的避暑涼亭，亭子旁的長形水池更是泡水消暑的好去處。

帕札爾看著這麼多的傢俱用品，誰能不滿足呢？他對蚊帳的細緻尤其滿意，而無數精緻的刷子與掃帚，也使得為了打理這麼大一棟宅子而擔憂的奈菲莉，稍稍寬了心。

「浴室實在太棒了。」帕札爾說。

「理髮師在等你呢；他每天早上都會來替你梳理。」

「妳的梳妝師也是啊。」

「可不可能偶爾避開這些呢？」

他環抱住妻子說：「不到一年了，奈菲莉。拯救拉美西斯的時間不到一年了。」

* * *

戴尼斯再度獲得了需要長期修養、卻也終身殘廢的妻子無條件的支持。保住了婚姻，就等於保住了他的財富，而且他也擺脫了塔佩妮的威脅。但他還是憂心忡忡。帕札爾意外晉為首相，這對他們而言真是晴天霹靂，整個計劃都隨之流產。幸好他們手中還握有一張王牌：眾神的遺囑，因此最後的勝利仍可預期。

謝奇更是緊張萬分，不斷強調絕對要謹言慎行；他們既已失去了御醫長與首相之位，現在就只有在暗中使用他們最有利的武器：時間。各大神廟的大祭司剛剛宣佈了，法老將於七月新年的第一天舉行再生儀式，也就是巨蟹宮的索提斯星出現，預示尼羅河氾濫期即將開始之際。在拉美西斯讓位的前一天，他將會得知繼任王位的人選，並公開移交王權。

「法老會不會向帕札爾吐露實情了？」戴尼斯懷疑。

「怎麼可能？」謝奇說：「法老非保持沉默不可，他若是透露，地位就更岌岌可危了。帕札爾跟別人沒什麼兩樣，他一定會立刻招集人馬對付國王的。」

「那他為什麼挑上帕札爾？」

「因為這個小法官有野心，也夠狡猾。他懂得故作清高廉正，以博取拉美西斯的信任。」

「你說的有理。」戴尼斯也贊同他的說法：「國王這下可鑄成大錯了。」

「我們要小心這號人物，他玩弄權謀還是很有一套的。」

「他現在得勢，必然會得意忘形。他要是聰明點，就該加入我們。」

「太遲了。看來他是寧可孤軍奮戰。」

「不能再讓他抓到我們任何把柄了。」

「只要多說點好聽的話，多送點禮物，他就會以為我們屈服了。」

* * *

蘇提耐心地等著風暴過去。豹子在盛怒之下，不但摔壞了碗盤凳子、撕毀了衣服，還踩爛了一頂昂貴的假髮。小屋裡亂七八糟的，但她的怒氣仍無法平息。

「我不答應。」她說。

「為我忍耐一下好嗎？」

「本來就說好明天出發的。」

「帕札爾不應該被任命為首相的。」蘇提反駁著說。

「我才不在乎。」

「但我在乎。」

「你到底想怎麼樣？他早把你給忘了！我們照原定計劃走吧。」

「反正不急嘛。」

「我想趕快拿到金子。」

「金子又跑不了。」

「昨天你自己也還一個勁地說著這趟旅行的。」

「我必須見帕札爾一面，問明他的意圖。」

「帕札爾，每次都是帕札爾！什麼時候才可以擺脫他？」

「妳閉嘴。」

「我可不是你的奴隸。」

「塔佩妮已經要求我趕妳走了。」

「你竟敢再去找那個賤人！」

「在一家餐館無意間遇到的，還是她先叫我呢。她認為她才是我的合法妻子。」

「愚蠢。」

「所以我應該尋求首相的保護。」

* * *

第一個到帕札爾家作客的就是前一任的首相。巴吉雖然腳痛得厲害，還是沒有拄枴杖。他受主人招呼坐在冬亭裡，背依然駝著，聲音也依然沙啞。

「帕札爾，你這次的晉升可以說是實至名歸。你也是我心中最理想的人選。」

「你也將是我效法的對象。」

「我最後這一年工作繁重，表現也欠佳；離職是勢在必行。很高興法老接受了我的建議。你雖然年輕，但這不是大問題，因為這個職務將使你更成熟圓融。」

「你對我有何建議？」

「不要受流長蜚短的影響，不必接見朝臣，每個案子都要深入研究，絕對要抱持著最嚴格的態度。我會為你引薦我最得力的幕僚，相信你也會認同他們的能力。」

陽光穿透雲層，射進了涼亭。見巴吉似乎不太舒服，帕札爾便為他撐開了陽傘。

「這座宅邸你喜歡嗎？」巴吉問道。

「我還沒有時間好好去體會呢。」

「對我來說太大了；光是這個庭園就夠煩人的。我還是喜歡城裡的住所。」

「如果沒有你的幫助，我一定會失敗的。你願意繼續留在我身邊開導我嗎？」

「當然是義不容辭了。不過請你先讓我處理好我兒子的事。」

「有麻煩嗎？」

「他老板對他不滿意，恐怕會將他解僱，我妻子也很擔心。」

「假如我能幫得上忙……」

「不了，享受特權可是要不得的過錯呢。我們辦正事吧！」

* * *

帕札爾和蘇提一陣熱情的擁抱後，後者四下張望著，「你這座大宅我喜歡。我就想要一個這樣的家，隨時可以舉辦盛大宴會。」

「你也想當首相嗎？」

「這種工作太恐怖了。你怎麼會接受這麼艱難的任務？」

「我也是逼不得已。」

「我現在有錢了；你乾脆跟我一起走，好好去享受人生。」

「不可能的。」

「你有祕密不能告訴我？」

「法老委託了任務給我。」

「你可不要變成了迂腐守舊的高官，老以為國家少不了你。」

「你怪我接受首相之職？」

「你知道我怎麼發財的，你會判我罪嗎？」

「蘇提，留下來幫我的忙吧。」

「讓機會白白溜走豈非罪過？」

「你若犯罪，我是不會維護你的。」

「這表示我們就此決裂了。」

「你是我的朋友，永遠都是。」

「朋友是不會互相威脅的。」

「我只是不想你犯下致命的錯誤；凱姆絕不會罷休，也絕不會手下留情的。」

「那就來場公平的決鬥。」

「不要激他，蘇提。」

「你也不要告訴我該怎麼做。」

「求求你，留下來。如果你知道我這次任務有多重要，你一定毫不猶豫就會留下。」

「維護法律，真是天方夜譚！我要是守法，亞舍現在還活著呢。」

「我並沒有作對你不利的反證。」

「你好像又緊張又擔心。你到底瞞了我什麼？」

「我們粉碎了一樁陰謀，但這只是一個階段而已。讓我們再繼續合作吧。」
「我寧可要金子。」蘇提還是不改初衷。
「把金子還給神廟。」
「你會出賣我嗎？」見帕札爾沒有答腔，蘇提又說：「首相都得除掉朋友，是吧？」
「不要迷失在沙漠裡呀，蘇提。」
「那是個又美麗又危險的世界。當你對權勢失去興趣時，到那兒找我吧。」
「我要的不是權勢，我只想保衛我們的國家，我們自己，還有我們的法律。」
蘇提仍是頭也不回地走了。他忘了提及塔佩妮的要求，但也已經不重要了，不是嗎？

* * *

蘇提正要跨進家門時，忽然四名警察衝出來將他攔腰抱住，並反綁了他的雙手。
豹子在屋裡聽見打鬥聲，連忙拿了刀子跑出來，想救情夫脫困。她傷了一名兇惡警員的手臂，又推倒另一人，但最後還是被制服了。
警察隨即將這對男女以通姦罪名逮捕並送往法庭。塔佩妮真是大喜過望；沒想到結果竟如此圓滿。除了沒有履行夫妻義務之外，又多了一條持械拒捕的罪名。塔佩妮楚楚可憐地訴說著自己被誘騙又遭遺棄的遭遇，陪審團都深表同情，而豹子則在一旁破口大罵。至於蘇提的說辭便顯得毫無說服力了。
後來由於塔佩妮請求陪審團網開一面，豹子只被判處了即刻驅離出境，蘇提則被判一年徒刑，出獄後還要工作以補償他那面子盡失的妻子。

第四十章

帕札爾看著司芬克斯，只見巨大雕像的雙眼充滿自信地注視著旭日，彷彿早就知道自己終將在地獄的惡戰中打敗毀滅性的勢力。它就這樣守著矗立於高地上的齊阿普斯、齊夫林與邁塞利諾斯三座金字塔，日夜不停地為人類的生存而奮戰。

帕札爾命令幾名採石工人將司芬克斯兩爪間的石碑移開後，發現有一個上了封的盆飾和一塊嵌著石環的石板。其中兩人掀起石板，眼前出現了一條又窄、又低的通道。

首相拿了火炬率先進入。才走不久，腳下就踢到一個粗玄武岩製成的杯子，他拾起杯子繼續彎身前進，最後被一道牆阻擋了去路。在微弱的火光中，他發現牆上有幾塊石頭被鑿了下來，穿過牆直往下去便是大金字塔的下方石室。

他將盜墓賊的路線來回走了幾遍，然後才開始檢視那只杯子。杯子是以非常堅硬並極難雕琢加工的粗玄武岩製成，內部還留有一些油漬。他好奇地將杯子送往普塔赫神廟化驗，經專家指認的結果，竟然是埃及所禁用的石油。因為這種燃料會將墓壁燻黑並危害到工匠們的呼吸器官。

於是帕札爾立刻下令對西部沙漠礦工與負責管理火繩與照明用油的單位，展開徹查。接下來則是他首度前往最高法庭，他的重要幕僚已經都等在那裡了。

他的官袍是一件以厚布剪裁、高度及胸，並上了漿的長罩衫，穿上之後須將兩條帶子繞到頸後打結固定。在他前叉式的纏腰布上，還罩著一件豹皮，用意是提醒法老之下的最高首長必須行事迅速如豹。此外還有一頂厚重的假髮遮蓋住原有的頭髮，以及一個大大的頸飾服貼地垂在胸前。

帕札爾腳穿皮鞋、右手握權杖，穿過兩旁排列的書記官，步上台階，走到一張高椅背的座位前，轉過身來面對著他的部屬。他腳下的一塊紅布上，放了四十根刑棍。當最後首相將瑪特的小雕像掛到他的細金鍊上之後，便正式開庭了。

「法老已經清楚地宣佈過首相的職責，而這些職責自祖先創國以來便未曾稍變。法老所要追求的真理，也正是我們所要追求的，將來我們更須共同努力維護司法正義。只有將正義散佈到各個角落，成為人類呼吸的一部分，進而將惡念驅逐出人體，這才是我們最大的榮耀。我們必須濟弱扶傾，絕不聽信讒言，並盡力維護秩序、打擊暴力。汝等皆須以身作則；凡是藉職務之便謀一己之私者，一律撤職。更不要想以花言巧語博得我的信任，因為我只相信實際的行動。」

首相簡短的演說、一絲不苟的內容，再加上沉緩穩重的語氣，使得在場的高官們盡皆失色。原以為新首相缺乏經驗、年少可欺，而想趁機混水摸魚的人，無不立刻打消此念頭；而原以為巴吉一走就能鬆一口氣的人，也全都失望了。

歷任的首相中，有人首重軍防，有人注重水利，也有人以稅務為先。帕札爾的施政重點又是什麼？第一次開庭便能一窺究竟了。

「傳製造蜂蜜的負責人出庭。」

* * *

卡吉綠洲四周的沙漠冷風颼颼。被判處無期徒刑的養蜂老人正想念著他養的蜂，和那一個個的蜂箱。他採收蜂蜜從來不用任何防護措施，因為他對蜜蜂的習性瞭如指掌，根本不怕。其實蜜蜂不也是法老諸多象徵之一嗎？這小小的動物勤奮不懈，既是幾何專家，又是鍊金術士，專門製造香醇可口的黃金。老人採收過的蜂蜜從琥珀鮮紅到晶瑩剔透，已經不下一百種，直到有一天，一名書記官心生嫉妒竟指控他偷竊。盜取這種須由警察護送的珍貴食品，可是極大的罪名。於是從那時起，他再不能將蜂蜜倒入小容器中，以蠟封口後編號，也再不能欣賞到他最喜愛的嗡嗡樂聲。從前每當太陽西下撞擊到地面，而灑下幾滴淚珠時，就會化成蜜蜂。牠們誕生自神聖的光輝中，也構築了大自然。

然而如今在拉神的餘暉中，只剩下一個瘦骨嶙峋的苦役犯，正忙著為牢友們烹煮散發著惡臭的食物。外面忽然傳來一陣騷動，他便跟著其他囚犯一塊兒出去看個究竟。

遠處一支隊伍正浩浩蕩蕩往牢營而來：五十多名軍人之外，還有二輪與四輪戰車及戰馬。該不會是利比亞人入侵了吧？他驚訝地揉揉眼睛，才發現他們都是埃及的士兵。軍隊到達後，走出了一個人，也不管向他行禮的守衛便逕向廚房而去。

老人這時候終於認出了帕札爾，他簡直不敢置信。「你……你沒死？」

「我聽了你的指點，成功了。」

「你回來做什麼？」

「我沒忘記對你所做的承諾。」

「你快逃吧！你會被逮回來的。」

「放心，這些守衛還得聽我的呢。」

「這麼說……你恢復法官的身分了？」

「法老已經任命我為首相。」

「你別拿我這個老人開玩笑了。」

兩人正說著，忽見兩名士兵帶來了一個頂著雙下巴的肥胖書記官。

「你認識他嗎？」帕札爾問道。

「就是他！就是這個人說謊害我坐牢的。」

「現在我建議你們角色對調一下：他來服苦役，你呢，就到蜂蜜供應部門當書記官。」

老人一時興奮，竟昏倒在首相的懷裡。

* * *

報告清晰明確，帕札爾滿意地向書記官讚道。西部沙漠大量蘊藏的石油，一直是利比亞人所最感興趣的，他們甚至有好幾次企圖開採並加以販售，但都被法老的軍隊所制止。因為埃及的學者們都認為這種石頭的油是有害的危險物質。

朝中只有一名專家負責研究並分析石油的特性，也只有他能進入由軍方管轄的國家倉庫取得石油。見到此人的名字，帕札爾不由感謝眾神，並飛快趕進宮去。

* * *

「我去採查了由司芬克斯通往大金字塔下方石室的地道。」

「馬上將這條密道封死。」法老下令道。

「石匠已經開始動工了。」

「你發現了什麼線索？」

「有人用粗玄武岩的杯子燒石油，用來照明。」

「誰能弄到這樣東西？」

「負責研究石油的專家。」

「是誰？」

「戴尼斯的奴隸兼出氣筒謝奇。」

「你知道他人在哪裡嗎？」

「根據凱姆最新的情報，謝奇躲在戴尼斯家裡。」

「還有同謀嗎？」

「我會查出來的，陛下。」

＊　　＊　　＊

首相正急著出門時，塔佩妮攔下了他的座車。

「我有話跟你說！」

保護首相安全的尉官，揮動著皮鞭想趕她走，卻被帕札爾阻止了。他問塔佩妮：「這麼急嗎？」

「我要說的話你一定很有興趣聽的。」塔佩妮故作媚態地說。

帕札爾只好下車，要她長話短說。

「你代表了司法，不是嗎？那麼你一定會以我為榮。你說說看，一個因丈夫出軌而名譽受損的女人，算不算受害者？」

「當然了。」

「我丈夫就是這樣對我，法庭已經懲罰他了。」

「你丈夫……」

「對，就是你的好友蘇提。跟他通姦的利比亞女人被驅逐出境，他也被判了一年的徒刑。這樣的刑責真是夠輕的了；法庭將他發配到努比亞的查魯充軍，那個地方好像不怎麼舒適，不過蘇提卻能藉此機會為國效力，抵禦那些黑人蠻子的入侵。回來以後呢，他會被分配到郵務單位，然後定時付給我贍養費。」

「你們實在應該好聚好散的。」

「我本來也這麼想，可是我有什麼辦法，我就是愛他，而且我也不能忍受被拋棄的滋味。如果你敢替他脫罪，就是違反了瑪特的律法，我一定會四處宣揚。」

她的微笑頗有威脅的意味。帕札爾隱忍著說：「蘇提是該服刑，不過等他回來……」

「他要是敢攻擊我，就會被以殺人未遂的罪名送進苦役牢營。他是我的奴隸，永遠都是。」

「布拉尼的謀殺案還在調查中呢，塔佩妮夫人。」帕札爾口鋒一轉說道。

「你得找出罪犯啊。」

「這是我最大的希望。妳不是說妳知道一些祕密嗎？」

「我只是隨便說說。」

「或者是不小心說出來的？妳不也是使針的高手嗎？」

塔佩妮露出了不安的神色，「這是從事這一行的基本功夫。」

「也許是我多心，不過兇手很可能就在我身邊。」

塔佩妮受不了他如此逼視，便轉身走了。

帕札爾原本要到警察總長那兒，不過這會兒他得先去查查塔佩妮說的是否屬實。於是他立刻調閱了蘇提的審判過程與判決記錄，果然沒錯。帕札爾可真為難了；身為護法者的他，要以什麼辦法救出好友才能不牴觸法律呢？

＊　＊　＊

西莉克斯的老毛病又犯了，奈菲莉不得不在百忙中找出一點時間幫她醫治。美鋒這個妻子年紀雖輕，但只要一克制不住食慾，體重馬上就會直線上升。

「我看非禁食兩天不可。」

「我還以為我死定了……吐得連氣都喘不過來！」

「吐了可以清清腸胃。」

「我實在好累……看到妳我又很慚愧。我啊，只顧著照顧孩子和丈夫。」

「他還好嗎？」

「能在帕札爾的手下做事，他高興得不得了，他實在太景仰他了。他們兩人各自發揮專長的話，一定能使國家安定繁榮。對了，妳會不會像我一樣害怕寂寞？」

「我和帕札爾不管再怎麼忙，每天都還是會見面、交換心得。若不這樣，我們都撐不下去的。」

「我冒昧地問一句……你們不想生小孩嗎？」

「要等抓到布拉尼的兇手之後。我們已經向神明許過願了。」

* * *

一方黑幕籠罩著孟斐斯；因為沒有風，厚厚的烏雲就這樣停留在孟城上空。遠近的狗都狂吠了起來。由於天色倏然轉暗，戴尼斯便也亮起了好幾盞燈。他的妻子吃了鎮靜劑後，正安靜地睡著；妮諾法的旺盛精力向來馳名，如今卻無時無刻不是這麼病厭厭的，不過既然變得溫順了，自然也就不會製造麻煩。

戴尼斯走到工作室去找謝奇，這個小鬍子現在就一天到晚關在裡頭磨刀、磨劍，因為只有這樣才能消除他緊張的情緒。

「休息一下吧。」戴尼斯遞了杯啤酒給他。

「有帕札爾的消息嗎？」

「首相正在處理蜂蜜收成的事呢。他那篇演說辭的確冠冕堂皇，但也只不過是空話罷了。各個階層的人馬上就會開始互相毀謗攻訐；他是應付不來的。」

「你可真樂觀。」

「耐心是很大的優點，不是嗎？喀達希要是了解這點，就不會死了。首相現在根本是毫無目標瞎攪和，我們剛好趁機享受一下人生樂趣，最後權力還是得落到我們手中。」

「我只希望自己能比實際年齡大一點。」

「你謹言慎行、有效率，你將會成為傑出的政治家。有了你，埃及的科學也將向前邁進一大步。」

「石油、毒品、冶金工業……這些在埃及都有待進一步開發。一旦發展了這些受拉美西斯所忽視的技術，我們就能擺脫傳統束縛了。」

謝奇說得正高興，突然臉色一變，「外面有人。」

「我沒聽到聲音啊。」

「我去看看。」

「大概是園丁吧。」

「他們從不會到工作室附近來的。」謝奇忽然像是起了戒心似的打量著戴尼斯。「你該不會找了暗影吞噬者吧？」

「喀達希是走偏了路，你又沒有。」戴尼斯沉下了臉說。

此時，一道電光劃過天際，雷聲轟隆大作。謝奇著魔般地跑出工作室，又往別墅方向走了幾步，然後立刻回頭朝戴尼斯狂奔而來。戴尼斯從未見過謝奇如此蒼白，他甚至嚇得牙齒格格作響，「有鬼！」

「冷靜一點。」

「身影比夜還黑，臉部還有一團火。」

「你鎮定一點，跟我來。」

謝奇遲疑了一下還是跟著去了，不料別墅的左廂房竟已陷入一片火海。

「快拿水來！」戴尼斯正要衝進去，卻見一個黑影從火場中跳出來，阻擋了他的去路。只見他倒退了幾步，「你……你是誰？」

黑色幽靈只是揮動著火炬。

已經稍微恢復冷靜的謝奇，回到工作室拿了一把匕首後，慢慢朝著縱火的怪人逼近。不料，幽靈竟直接將火炬往他臉上一插。

一時血肉被燒得吱吱作響，謝奇也痛得大叫，還跪到地上，使勁地想把臉上的火炬拉扯下來。但對方也在這個時候拾起了他掉落的匕首，往他喉嚨一割了結了他。

戴尼斯早已面無血色，便想往庭園跑。突然幽靈開口了，「你還想知道我是誰嗎？」他不由得定下腳步，轉過身來。原來向他挑戰的是個人，而不是冥世的惡魔。他於是不再驚慌，倒是覺得好奇。

「看著吧，戴尼斯。看看你和謝奇的傑作。」

天色實在太暗，看不清楚，戴尼斯只得趨前幾步。

遠處，傳來了尖叫聲。有人發現失火了。

幽靈緩緩拿下面具，原本姣好的面容只剩一片扭曲變形的傷疤了。「你認得我嗎？」

「哈圖莎王妃！」

「妳殺了謝奇……」

「你毀了我，我也要毀了你。」

「我只是制裁了毀我的劊子手。殺人者終究要償命的。」

她將匕首伸進火焰深處，手卻彷彿毫無感覺。「你逃不了了，戴尼斯。」

哈圖莎向他走去，刀刃已經發紅。戴尼斯若出其不意地襲擊，應該可以壓制得了她。但是王妃的瘋狂心態與行徑，卻讓戴尼斯不敢輕舉妄動。就等著警察逮捕她吧。

又是一道閃電劃過天際，往別墅直劈而下，牆被擊倒後，火舌急竄而出，燒著了戴尼斯的衣服。他慌張地在地上打滾，試圖撲滅身上的火。

他卻沒看見面無表情的幽靈，已經出現在他面前了。

第四十一章

車隊緩緩前行，由凱姆護送到邊界為止；哈圖莎坐在一輛四輪車後方，一動也不動，猶如一座沒有生命的雕像。當初他在出事現場逮捕她時，她完全沒有反抗。據救火的僕人指出，曾見到她把謝奇和戴尼斯的屍體拖入火場。後來下了一場滂沱大雨才算撲了火，也洗去了王妃手上所染的鮮血。

帕札爾得到消息震驚不已，連訊問時聲音都微微顫抖，但兇手卻始終一語不發。他將事實經過呈報拉美西斯，國王便命令製造木乃伊的工人將這兩名陰謀分子的屍體，簡單處理過後，找個離大墓地遠遠的地方埋了，不用舉行任何儀式。透過哈圖莎的手，這兩個惡人還是遭到了報應。

法老也在徵求首相的同意後，決定將王妃遣回赫梯；然而聽到了這個她日盼夜盼的消息時，哈圖莎卻毫無反應。她雙眼無神，頹然困頓，似乎正神遊於只屬於她的世界裡。

凱姆交給護隊的赫梯軍官的公文中寫著，公主因為身染絕症，不得不返家。這不僅顧及了赫梯王的面子，也使得兩國不致於在維持多年和平之後，反目成仇。

*　　*　　*

在帕札爾仔細監督之下，一群工人搜尋著戴尼斯住處的瓦礫堆，雖然找到的不多，卻還是得一一交由拉美西斯檢查。大家都以為這是國王關心兩人悲慘命運的表現，殊不知他滿懷著希望想找出眾神的遺囑，到頭來仍毫無所獲，其失望自是不可言喻。

「所有的陰謀分子都死了嗎？」

「我不知道，陛下。」

「有沒有可疑的人？」

「戴尼斯似乎是主謀。他企圖控制亞舍將軍與哈圖莎王妃，以便與外國勢力搭上關係；可見他想建立一個以商業掛帥的政權。」

「竟然想以物質主義取代埃及的傳統精神……這個計劃太惡毒了！他的妻子也是幫兇嗎？」

「不，陛下，她甚至不知道戴尼斯曾經想殺掉她。火災發生後，僕人救了她，如今她已經離開孟斐斯，住到三角洲北部的雙親家中了。根據醫生為她檢驗的結果，她已喪失理智。」

「無論是她或戴尼斯，都沒有謀奪王位的智慧。」

「假如戴尼斯的確將遺囑藏在家裡，難道不可能被火給燒了？又假如再生儀式舉行當天，陛下與陰謀分子都拿不出遺囑來，到時又該如何？」

這些話使法老心中重燃起了一絲希望。

「那麼你以首相的身分召集全國重要人士，向他們解釋這個情況之後，再對全民公佈。至於朕將與眾神重新訂定一份條約，再創一個嶄新的紀元。這項過程極其繁複，朕或許不會成功，但至少政權不致落到惡人之手。帕札爾，但願你猜得沒錯，但願戴尼斯確實是主謀人。」

* * *

經過一整天辛苦的工作後，帕札爾和奈菲莉又照常在庭園裡聊天，頭上也依然有群燕飛舞。燕子偶爾低掠而過，發出尖銳、喜悅的啼聲，偶爾則盤旋而上，在冬日的藍天裡劃出一道道大幅度的曲線。

帕札爾由於感冒，呼吸道不順暢，便請妻子幫他詳細檢查一下。

「我體弱多病，實在不適合當首相。」

「這是眾神的恩賜，」奈菲莉認為，「這樣一來，你就會多用腦子思考，而不會像莽撞的牡羊一樣盲目行事了。更何況你的身體狀況並未影響你的精力。」

「你好像有心事。」

「再過一個禮拜，我就要向醫師委員會提出改善公共衛生的方案了。有些提案我覺得勢在必行，但他們一定不認同，到時候可能會產生激烈的衝突。」

兩人聊著的同時，勇士和小淘氣達成了休戰協議，各自躲到男女主人的腳邊與椅子下稍作休息。

「再生儀式的日期已經公佈了。」帕札爾換了話題說：「下次漲水氾濫時，拉美西斯大帝就要重生了。」

「戴尼斯和謝奇死後，還有其他陰謀分子現身嗎？」

「沒有。」

「那麼遺囑真的燒掉了。」

「越來越有此可能。」

「不過你還是沒把握。」

「我只是覺得把這麼重要的文件藏在自己家裡，似乎不合常理。不過，戴尼斯一向自負，也不是不可能。」

「蘇提呢？」

「依法被判刑了，審判過程毫無瑕疵。」

「現在怎麼辦？」

「司法途徑是行不通了。」

「你若想幫他逃亡，可得有精密的計劃才行。」

對妻子看穿自己的心思，帕札爾笑了笑說：「妳實在太了解我了。這次凱姆絕對不會幫我；如果首相參予了這樣的行動，拉美西斯與埃及的聲譽都會受到牽累的。可是蘇提是我的好友，我們發過誓無論在什麼情形下，都要互相扶持。」

「我們一起來想辦法；你至少該先讓他知道你不會離棄他。」

＊　＊　＊

眼前還有數十公里的路，豹子一個人帶著一袋水和幾條魚乾，又沒有防身武器，根本不可能存活。埃及警察把她丟在利比亞邊界，便命令她回自己的國家，永遠不得再踏上法老的領地，否則將處以重刑。運氣好的話，她會碰上一群打劫的貝都因人，強暴後，把她留在身邊當奴隸直到老了為止。但豹子卻往家鄉的反方向走。

她絕不會放棄蘇提的。從三角洲西北前往情夫監禁的努比亞堡壘，可以說是長路迢迢、危險重重。她必須挑路況不佳的小徑走，要找到水和食物，還要躲避那些四處遊蕩的強盜。但無論如何，她都不會讓塔佩妮就此稱心如意。

＊　＊　＊

「士兵蘇提？」

蘇提沒有回答。點名的士官便說：「在我的堡壘管訓一年……法官可真是待你不薄啊，小子。你總該證明一下自己的確值得他們另眼相看吧。跪下。」

蘇提瞪著他看，還是沒有反應。

「還挺倔的嘛……很好。你不喜歡這裡嗎？」

蘇提張望了一下，眼前只見荒涼的尼羅河岸、沙漠、日曬灼熱的丘陵、碧藍的天，還有一隻在捕食河魚的鵜鶘，和一隻懶洋洋躺在石頭上的鱷魚。

「查魯很美，有你在，對此地真是一大侮辱。」

「不但倔還愛開玩笑哦？也是有錢人家嗎？」

「我有錢的程度，你作夢也想不到。」

「你這小子的確有意思。」

「這才只是開始呢。」

「跪下。跟堡壘的指揮官說話要有禮貌。」

接著，兩名士兵重重地打了蘇提的背脊，他立刻趴倒在地。

「這樣好多了。你可不是來這裡享福的，小子。明天起，就由你看守我軍最前線的哨站，當然了，是不可能分發武器的。若有努比亞人來犯，你就得馬上通報。他們的刑求手段向來有名，老遠就能聽見受刑人的慘叫哀嚎了。」

被帕札爾遺棄、與豹子從此永別、遭眾人遺忘，蘇提活著離開查魯的機會實在是微乎其微，除非仇恨的意志力能支持著他戰勝命運。他的金子還在等著他呢，塔佩妮也是。

＊　＊　＊

巴克年十八歲。出身官宦家庭的他，人長得不高，卻相當勤奮、勇敢。他有一頭黑髮，容貌看起來頗有教養，說起話來聲音悅耳、語調堅定。在經過內心一番掙扎之後，他終於決定棄武從文，就在帕札爾被任命為首相前夕，進入了檔案管理單位。一些比較不討喜的工作自然而然就落到了這個新人頭上，尤其當首相研究某個檔案時，還要負責整理種種文件，最是累人。也因為如此，巴克手中才會握有關於石油的資料；但這些資料在謝奇死後，已經變得一文不值了。

他細心地將資料收入一個木箱中，木箱須由首相親自查封，將來也得有他的命令才能開封。過程其實很簡單，不過巴克卻將每份文件又一一檢查了一遍。沒想到竟然發現有一份文件是首相沒有批閱過的，也就是說首相並不知道文件的內容。既然案子都結了，這點小事應該無關緊要，但巴克仍寫了報告呈給長官，再由長官往上呈遞。

* * *

由於帕札爾堅持要看過屬下所寫的一切意見與批評，不管其職級為何，因此他很快就發現了巴克的簽呈。

近中午時，他把這名職員叫了來。「你發現了什麼不尋常的事？」

「有一名已經被撤職的國庫職員寫的報告上面，並沒有首相蓋的章。」

「我看看。」帕札爾果然發現了一份陌生的文件。可能是他手下的書記官忘了放進與石油有關的資料盒中。

帕札爾看著巴克，想到了當初自己還是小法官時，也跟他一樣，只為了把工作做好，卻陰錯陽差地揭發了一項意欲毀滅埃及的大陰謀。於是對他說道：「從明天起，由你負責監管檔案，一發現異常現象，直接向我報告。你每天一大早就來見我。」

巴克一走出首相辦公室後，馬上衝到街道上去，然後才興奮地縱聲大叫。

* * *

「這樣的見面好像有點太嚴肅了。」美鋒輕鬆地說：「其實可以到我家邊吃飯邊說嘛。」

「不是我想打官腔，」帕札爾說：「但我覺得你和我都應該克盡己職。」

「你是首相，我是白色雙院院長兼經濟總長。依職級，我必須服從你。你是這樣的意思吧？」

「這樣我們才能合作愉快。」

美鋒又胖了，臉圓得像滿月。雖然織工的手藝不差，但纏腰布穿在他身上始終是繃得那麼緊。他仍若無其事地問：「這是建議或是命令？」

「統治藝術不應該以經濟為重，因為人活著不能只靠物質。埃及的偉大乃是在於其世界觀，而非強大的經濟勢力。」

美鋒抿起了嘴唇，皺起了鼻子，但並未反駁。帕札爾又說：「有件小事讓我覺得擔心。你是不是經手過危險物質石油？」

「誰指控我的？」

「這個字眼太嚴重了點。只不過是因為被你撤職的一名職員的報告，才會牽涉到你的。」

「報告說了些什麼？」

「你似乎曾在很短的時間內，撤銷了西部沙漠某個特定區開採石油的禁令，特准進行交易，並從中抽取不小的利潤。交易的過程按部就班，完全透明化，毫無違法之處，因為你已經事先徵得專家，也就是謝奇，的認可。不過謝奇可是一名涉嫌危害國家安全的罪犯。」

「你在暗示什麼？」

「你們這層關係讓我很不安。我想一定是意外的巧合，站在朋友的立場，我希望你作個解釋。」

美鋒驀地站了起來，看到他相貌驟變，帕札爾不禁大吃一驚。原本和藹熱情的臉，突然變得充滿仇恨與狂妄。原本帶點緊張但也還算沉穩的聲音，也突然變得粗暴而充滿了火藥味。

「站在朋友的立場要我解釋……你也太天真了！親愛的彆腳首相帕札爾啊，你還要到什麼時候才明白呢？喀達希、謝奇、戴尼斯是我的同黨？倒不如說是我忠實的奴才吧，不過也許連他們自己也不知道。我之所以支持你對付他們三人，全是因為戴尼斯的野心太大，他竟想擔任雙院院長並掌控國家財政。這個職務只有我能勝任，這也是我晉升首相的捷徑，沒想到卻被你捷足先登了。所有的行政人員都認為我最有實力，法老詢問朝臣意見時，也都一致推薦我，而法老竟選了你這個卑微失勢的法官。高明啊，老兄，我不得不對你另眼相看。」

「你誤會了。」

「用不著在我面前裝腔作勢了，帕札爾！過去的就算了。從現在起，要嘛你就自個兒玩玩，但到頭來還是一場空；要嘛你就聽我的，將來榮華富貴不在言下，更不必為了你無法負荷的重任而煩惱。」

「我可是埃及的首相。」

「你什麼都不是，因為法老已經完了。」

「這麼說眾神的遺囑在你的手上囉？」

美鋒圓圓的臉上咧出了微微一笑。「看來拉美西斯全告訴你了。實在是錯得離譜！他真的已經不配當一國之君了。別再拖延時間了，親愛的朋友；你是決定和我聯手，還是跟我作對？」

「你實在太令我憎惡了。」

「我對你的感覺沒興趣。」

「你怎麼能忍受自己如此虛偽呢？」

「這比你那荒謬的正義感要有用多了。」

「你可知道貪婪是一種致命的罪惡，你將來甚至可能死無葬身之地？」

美鋒放聲大笑，「你說起教來還真像個智障兒。什麼神明、神廟、永恆的住所、儀式……全都是落伍、可笑的玩意。你根本不知道我們已經進入了新的世界。帕札爾，我有著偉大的計劃，在推翻那個巴著過時的傳統而不知變通的拉美西斯之前，我就要將計劃實現。睜大你的眼睛，看看未來吧！」

「我勸你還是歸還從金字塔盜來的物品。」

「金子是貴重而稀有的金屬，為什麼要把它限定為死者才看得到的儀式用品。我的夥伴們早把那些金製品融了，現在我的財富多得想收買多少人都行。」

「我可以馬上逮捕你。」

「你不可以。因為我只要一個動作，拉美西斯就得下台，你也要跟著遭殃。不過，我會依照計劃，在適當時機才出面。不管是監禁我或處死我，一切仍會照常進行。你和你的法老已經是進退兩難了。你何必苦苦跟隨一個半死不活的人呢？我再給你最後一次機會，帕札爾，好好把握住！」

「我一定會跟你對抗到底的。」

「不到一年，你就要遭到除名的命運了。趁現在趕緊好好享受你美麗的妻子吧，否則你的世界很快就要毀滅，因為支撐的梁柱已經被我侵蝕了。埃及首相，你如此蔑視我，總有一天會後悔的。」

* * *

法老與帕札爾再度在孟斐斯長生殿的密室中會面，以掩人耳目，拉美西斯也從帕札爾口中獲知了真相，不禁嘆道：「美鋒，從一個製造紙張傳布經典的商人，到現在變成國家經濟的負責人……我知道他是個唯利是圖、野心勃勃的人，但卻沒有想到他會叛國。」

「美鋒有充分的時間佈網，收買各階層的人心，並腐蝕行政核心。」

「你會立刻撤他的職嗎？」

「不，陛下。他既然已經露出猙獰面目，接下來就是我們洞悉他的計策，並狠狠地反擊的時候了。」

「美鋒手上有眾神的遺囑。」

「他很可能還有同謀，除去他不見得有用。」

「九個月，帕札爾，我們要在這九個月內進入作戰狀態、找出美鋒的同謀、摧毀他的防禦堡壘、讓邪惡的戰士們棄械投降。」

「我們應該謹記先哲普塔赫台的教誨：『偉大的律法，效力恆久不變，自奧塞利斯時期以降便不曾有過動亂。罪惡或許能夠佔據多數人的心，卻永遠無法獲得善終。切勿投身危害人類的陰謀，否則將遭天譴。』」

「他是大金字塔時代的人，跟你一樣是個首相。但願他是對的。」

「這些是流傳千古的名言呀。」

「現在最重要的不是我的王位，而是明日的文明。或許叛國亂黨會一舉成功，也或許司法正義終將勝利。」

＊　＊　＊

帕札爾和奈菲莉從布拉尼的墳墓處，注視著薩卡拉的大墓地，與聳立其上的法老王左塞的階梯金字塔。祭祀護衛靈的祭司正在整理墳墓的花園，並將祭品擺到禮拜堂的祭壇上。另外，有幾名石匠在整修一座古王國的金字塔，也有人在挖一座新墳。這座死者之城充滿了祥和寧靜。

「你做了什麼決定？」奈菲莉問帕札爾。

「奮戰到底。」

「我們一定會找到殺死布拉尼的兇手的。」

「兇手還沒有受到懲罰？戴尼斯、謝奇、喀達希都死於非命，亞舍將軍也受到了沙漠律法的制裁。」

「兇手依然逍遙法外。」她肯定地說：「老師的靈魂若終於能夠安息，天上便會出現一顆閃耀

的新星。」

奈菲莉說完，輕輕地把頭靠在丈夫肩上。在妻子的堅強與愛的鼓舞下，帕札爾將投入一場毫無勝算的硬仗，只希望這方聖土上的幸福能永遠留存在尼羅河、花崗岩與光芒的記憶中。

〈後記〉

「內在經驗」與「新鮮感」的示範結合

雖然《沙漠法則》的作者克里斯提昂被許多文學評論家歸類為「以向來深深蠱惑著法國人的埃及主題譁眾取寵的人」，但毫無疑問的，這個從小就是大、小仲馬的忠實讀者，而現在每一季就能寫出四百頁如此古老的冒險故事的埃及歷史博士、教授、小說家，的確有他過人之處，在他不是以灑狗血方式完成的一部部長篇鉅作裡，他總是有辦法在兼顧大格局與小細節的同時，以其鉅細靡遺的學識、奇趣有致的想像和沉穩帶勁的筆力，帶領全世界的讀者從最初的不置可否到最後的情不自禁，個個無不深深著迷於他所營造的西元前古埃及時空的魅力中。

通常一部所謂的類型小說，其目的無非是要娛樂讀者，而有本事的作者就要有能力洞燭讀者求新求變的心理，而讀者的善變需求又反映了部分的社會心理，因此克里斯提昂的作品之所以廣受歡迎，其背後必是有一個可以解釋的合理因素，那就是來自對「神祕」的一種距離嚮往。

這種神祕小說其實就是推理小說，不管它是疑雲陣陣，或是鬼影幢幢，或是空屋古堡，或是霧日雨夜，推理的架構都不脫一群人中發生了一件匪夷所思的怪事（如《沙漠法則》書中拉美西斯忽然的全國大赦）或命案（如書中男主角帕札爾恩師布拉尼的被刺），層出不窮的恐慌，破壞了原本這些人日常安定的生活，有人擔心性命不保，有人唯恐祕密被揭，於是有人站出來追根究柢，希望早日真相大白，回復原本相安無事的狀態。

當然，這個時候必會有一個思慮清晰，充滿正義感的人出現，他會在排山倒海衝著他而來的各式困境中機巧突圍，並天將降大任於斯人般地執著到底，福至心靈地把各種線索重新整理和一再推敲，然後從渾沌悲觀的現實中理出一個頭緒，替每個事件找到合理解釋的因果，最重要的是交代出肇事的原凶為何。我們不難從這樣的公式裡找到三點必備的精神，那就是：一、世事總是混亂難解、恩怨難分，二、渴望回復合理有序的世界，三、對英雄人物的期待和依賴。《沙漠法則》正是上述如此的精美產物，加上遙遠國度本身散發的神祕色彩，以及眾多人物爾虞我詐的鬥智鬥力，更讓這本「埃及三部曲」的第二部《沙漠法則》比第一部《謀殺金字塔》來得更山雨欲來的扣人心弦。

其實上述對世事的認知、對現實的期望與對英雄的依靠等三項特質，和電影的所謂災難片、西部片或警匪槍戰片都有近似之處，只是那些災難片（如「大地震」的卻爾登希斯頓）、西部片（如「驛馬車」的約翰韋恩）、警匪片（如「終極警探」的布魯斯威利）裡的主角，因為必須挺身出來面對大自然的變動，暴力的侵襲，或是不法的威脅，所以大都是臂力過人的硬漢，或是打不死的傢伙（「終極警探」的英文片名正是Die Hard），但換成這類神祕推理懸疑場景的英雄，要的是他能應付隱藏在這個平靜無波的世界裡的大陰謀，不需傲人的臂力只需超人的腦力即可，因此旁觀者的我們，一心一意只想為看到他把一個秩序大亂的世界恢復正軌而拍案叫絕，大呼過癮，一切就值回票價了。

就因為這種運用大量文字鋪陳張力的推理小說，講求的是一種知性的表彰，在閱讀的趣味上，自然和一般著重感官和感情的動作戲劇大異其趣（這也就是為什麼帕札爾和奈菲莉的感情交流總是那麼點到為止），雖然所有舞台上玩意兒的本質都是為塑造一個立體的主角，一個標準個人主義的英雄。閱讀這種用智慧貫穿全場、用意志主宰全局的非煽情小說，讀者最需要的就是作者製造耐人尋味的功夫，無疑地，克里斯提昂做到了，而且利用一個假設的時空，非常成功地給了讀者為那在一片金黃色沙漠中努力生活的人們，建立起諸多對真相、對人性的信心與希望，雖然闔上書後仍是回到單調空白的眼前現實，但小說以假寓真，虛實交替，為達到開發無止境視野與心界的目的，不也就如此這般不知不覺做到了嗎？至此，我們終於可以大概知道克里斯提昂這系列的「埃及三部曲」為何在法國會狂賣一百五十餘萬冊了。

另外，我想三十幾萬字的《沙漠法則》之所以是第二部曲，卻仍這麼吸引人，它的「內在經驗」恐怕是絕大的原因。提到「內在經驗」是永不缺少的，它可以是任何的個人背景、教育經驗、意識形態、印象記憶等投射而成，因為每個人都有它們，所以在進行「內部閱讀」時，就格外顯得具有特別涵意，今年喬治盧卡斯的電影「威脅潛伏」之所以轟動，就是因為二十年前「星際大戰」、「帝國大反擊」、「絕地大反攻」系列電影的殘留影響，無數影迷在乎的不是它續集的內容是否精采、娛樂性是否更夠、或是思想深度更見長進，大家享受的是那份只有自己心裡獨爽的觀影樂趣，一種身在戲院聲光短暫兩小時一邊眼花撩亂一邊靜靜回憶，近鄉情怯，若即若離，像是看到多年老友，想像得出彼此擁抱後溫度的一種極度神馳。

《沙漠法則》雖然是可以獨立閱讀的，我個人就是在沒看過《謀殺金字塔》的情況下，直接進入克里斯提昂的筆下埃及，儘管如倒吃甘蔗，依舊興味盎然，甚至引發回頭詳看第一部曲的強烈動機，進而發現諸多伏筆痕跡而覺嘆為觀止，但換句話說，就因為作者一開始就已存心佈下各種暗示，所以基本上，《沙漠法則》也是一本依靠許多「內在經驗」的小說，這些「內在經驗」是來自讀者對《謀殺金字塔》的認識，因此，除了人物不說，就它的形式和外貌各方面來看，單就男女主角感情好到一有機會單獨相處就會忍不住要肌膚相親來看，如果沒看過《謀殺金字塔》的讀者，還真的無法玩味當初帕札爾那年輕法官的生澀勁兒呢。

同樣的，要不是讀者在《謀殺金字塔》中知道布拉尼對帕札爾的提攜之恩，那麼讀者對《沙漠法則》裡男女主角在沒找到殺害恩師的兇手前不生小孩的心願，也就不會有那麼大的認同了，而這種共鳴的心理，是那些看過第一部曲的讀者所獨有的，沒看過的一定是毫無反應或是反應不來。只見克里斯提昂盡可能不著痕跡地大肆利用這類情境，讓讀者對他筆下人物的互動愈來愈認同，難怪法國雜誌 Livre 的發行人會說：「讀賈克的作品，會讓人停不下來，甚至故事結束時，你都還會因為告別了書中人物而悵然油生。」

運用「內在經驗」的確可以迅速抓到讀者的焦點，但過分依賴的話，也是會有削弱作品獨創性的危險在的，這就是為什麼續集通常不長命的原因。有名的電影「教父」既叫好又叫座，在許多人心目中都是影史數一數二的難忘鉅片，而「教父續集」更上層樓，不但同樣獲得最佳影片，並還多得一項最佳導演，重點就在導演法蘭西斯柯波拉超越了續集的宿命，他以父親（勞勃狄尼洛飾「老教父」馬龍白蘭度年輕時，獲最佳男配角）當年移民紐約受欺壓而成為黑道的過來歷程，一邊對照兒子（艾爾帕西諾飾）今日不得不收起血腥傳統而需玩起政商勾結的漂白伎倆，此片不但交代了時空演進的無奈荒涼，格局之大深度之夠，在在使得首集相較之下徒剩熱鬧與華麗而已，雖然我個人仍比較喜歡砰砰碰碰一氣呵成的「教父」。為什麼呢，我想原因就出在新鮮感上吧，「大白鯊續集」、「侏羅紀公園續集」，哪一個不是活生生的例子。

而這「新鮮感」即可能幫《謀殺金字塔》加分，當然也就可能成為《沙漠法則》的夢魘，好在我們可以在此書註解的減少、節奏的加快、場景切換的精準、橋段設計的繁複等多方面，都看得出作者是如何自覺地在擺脫「內在經驗」附帶來的束縛，他讓許多惡人紛紛作法自斃，進而製造了更多不知結局為何的想像空間，在經歷了帕札爾當法官但被陷害入獄的《謀殺金字塔》、到他復出當門殿長老又辭官成一介平民的《沙漠法則》，以至最後拉美西斯拔擢他成為首相，愈接近陰謀的核心，人類在承受真相來臨的壓力就愈像無法直視太陽一樣，驚心動魄的倒數計時設定在全書的最後，所有欲罷不能的讀者，好在都還有一本第三部曲《首相的正義》可以期盼，但一想到它的末章

就是真正的尾聲時，不知你是否和我一樣，現在就開始在意猶未盡了呢？

《沙漠法則》的確是少見且優秀的續集作品，它不但可以單獨看，也能對應著首集看，更可說是替完結篇鋪設好一條保證精采的路，它同時是一部頗具電影手法與節奏的動感小說，克里斯提昂果然讓我們每一個人都中了他的蠱，令那發生在沙漠中的種種畫面竟教人閱畢後久久揮之不去。

張台先博士
學歷：美國堪薩斯州立大學電科學博士
經歷：美國 Interactive System, Inc. 研究員
現任：世新大學傳播管理系副教授

克里斯提昂・賈克系列作品

光之石四部曲系列（全新封面，改版上市！）

簡介：

故事就發生在法老王拉美西斯統治的最後幾年，一個底比斯的野心官員莫希因發現三十個真理聖地的工匠從事某項不朽的驚人祕密，而不禁深深覬覦著……只見他稍稍潛行至陡峭的山上窺視著整座禁城，赫然發現法老王陵寢前散發出奇異光芒的神秘之石。感惑於這些光石，他當下決定不惜任何代價都要據為己有，進而借其神奇的力量統治整個大埃及。

在努比亞人索比克和其部隊的保護下，城內有一群男女默默將他們的終生獻給法老王而盡心工作和生活著。其中，有一位長老的兒子——沉默的尼菲因未曾聽過眾神的旨諭而決定出遊世界尋找天啟。在探詢的途中遇見勇敢且具魅力的年輕女子卡萊兒，並為其陷入瘋狂的戀情中。之後一個農家子弟阿當因緣際會救了他一命，對方並跟尼菲表示其一生的願望就是去真理聖地一探究竟。於是兩人合作拆穿莫希同夥背後為了奪取光之石的龐大陰謀，只是這群年輕人最後究竟能不能及時突破萬難而將身處危險中的法老王搶救出來？

賈克此次要告訴讀者的輝煌故事，再次充了曲折離奇、錯綜複雜、引人入勝的冒險歷程，書中有關法老王的命運、佞臣的陰謀、工匠的智慧、人性的熱情無數繽紛情節，無不近乎藝術化地被深刻描述著，只見一幅幅古埃及風貌彷若眼前重現，既熟悉又神祕，同時佈滿未知的懸疑力量，賈克以其炫人耳目、筆力萬鈞的手筆，將整個埃及時空的浩瀚場景，又一次從大想像中被釋放出來……。

克里斯提昂・賈克2008最新作品

莫札特四部曲內容簡介：

故事開始在孩子七歲的時候。當時他早已走遍布拉格、維也納、法蘭克福等地巡迴表演了……他有個祕密的慰藉，就是他心中有個幻想的國度——陸肯納，在那裡，他就是君王。

那是一個畫在一張卡片上的漂亮國度，這張卡片莫札特永遠隨身攜帶。但是一七六三年的八月二十五日，當他與父母正要上車時，他忽然發現卡片不見了！他到處都找不到……這時突然有個男人走過來，手裡正拿著這張珍貴的卡片。孩子問他：「這張卡片你在哪找到的？」「就在那兒。」男人回答，指著地上，靠近馬的地方。

這個孩子名叫沃夫岡・阿瑪迪斯・莫札特。小小年紀的他，已經會彈姐姐的羽管鍵琴了，他說他是在「找尋彼此相愛的音符」。幫他剪起卡片的不是別人，正是底比斯伯爵塔摩斯，來自上埃及。他此行的目的是為了尋找「大魔法師」——一個剛在西方出生的嬰孩將拯救全人類免於毀滅。

自此之後，塔摩斯和莫札特便再也沒有分開過。從維也納到布拉格，從米蘭到巴黎，經歷歡樂、痛苦、拒絕、背叛，莫札特的創作從未停息。面對挫敗、妒忌、教會與當權者的壓迫，還有一心只想毀滅他的喬瑟夫・安東，多虧有塔摩斯一直陪伴著莫札特度過這一切。塔摩斯一直是莫札特的保護者兼引導者，讓他得以有力量創作出《女人皆如此》、《費加洛婚禮》與《魔笛》等作品；這些偉大的歌劇作品照亮並開啟了西方社會的未來。